NUMERI PRIMI

JOHN GRISHAM

RITORNO
A FORD COUNTY

Traduzione di Nicoletta Lamberti

MONDADORI

Questo libro è un'opera di fantasia. Personaggi e luoghi citati sono invenzioni dell'autore e hanno lo scopo di conferire veridicità alla narrazione. Qualsiasi analogia con fatti, luoghi e persone, vive o scomparse, è assolutamente casuale.

www.librimondadori.it - www.numeriprimi.eu

Ritorno a Ford County
di John Grisham
Titolo originale dell'opera: *Ford County*
Copyright © 2009 by Belfry Holdings, Inc.
© 2010 Arnoldo Mondadori Editore S.p.A., Milano

ISBN 978-88-6621-006-1

I edizione Omnibus febbraio 2010
I edizione NumeriPrimi° marzo 2011

RITORNO A FORD COUNTY

A Bobby Moak.

Quando *Il momento di uccidere* venne pubblicato vent'anni fa, imparai presto la dura lezione che vendere libri è molto più difficile che scriverli. Comprai un migliaio di copie ed ebbi parecchie difficoltà a esaurirle. Le caricai nel bagagliaio della mia macchina e le distribuii nelle biblioteche, nei *garden club*, negli empori, nei caffè e qualcuna anche nelle librerie. Ad accompagnarmi in questi giri c'era spesso il mio caro amico Bobby Moak.

Ci sono storie che non si raccontano mai.

FRATELLI DI SANGUE

Quando la notizia dell'incidente di Bailey si diffuse in tutta la comunità rurale di Box Hill, circolavano già parecchie versioni dell'accaduto. Qualcuno dell'impresa edile telefonò alla madre di Bailey e le comunicò che suo figlio era rimasto ferito nel crollo di un'impalcatura in un cantiere nel centro di Memphis, che il ragazzo in quel momento si trovava in sala operatoria, che le sue condizioni erano stabili e si riteneva sarebbe sopravvissuto. La madre, un'invalida che pesava più di centottanta chili ed era nota per essere particolarmente eccitabile, si perse parte delle informazioni perché cominciò a urlare, e continuò a farlo. Convocò amici e vicini di casa e, ogni volta che la tragica notizia veniva ripetuta, vari dettagli erano modificati e ingigantiti. La signora non aveva preso nota del numero di telefono della persona che l'aveva chiamata dall'impresa e perciò non c'era nessuno cui rivolgersi per verificare o ridimensionare le voci che andavano moltiplicandosi di minuto in minuto.

Un collega di Bailey, un altro ragazzo di Ford County, telefonò alla sua fidanzata a Box Hill e le fornì un resoconto abbastanza diverso: Bailey era stato investito da un bulldozer che si trovava vicino all'impalcatura ed era praticamente morto. I chirurghi si stavano dando da fare, ma le prospettive erano cupe.

Poi fu l'amministratore di un ospedale di Memphis a telefonare a casa di Bailey. L'uomo chiese della madre, ma venne informato che la signora era a letto, troppo sconvolta per poter parlare e assolutamente non in grado di raggiungere il telefono. Il vicino che prese la chiamata cercò di ottenere qualche dettaglio dall'amministratore, ma non ricavò molto. Qualcosa era crollato al cantiere, forse uno scavo nel quale il ragazzo stava lavorando o roba del genere. Sì, in quel momento Bailey era sotto i ferri e l'ospedale aveva bisogno di alcuni dati basilari. La casetta di mattoni della madre di Bailey diventò ben presto un luogo molto affollato. I visitatori avevano cominciato ad arrivare nel tardo pomeriggio: amici, parenti e diversi pastori delle minuscole chiese sparse intorno a Box Hill. Le donne si radunarono in cucina e in soggiorno e spettegolarono senza interruzione, mentre il telefono non smetteva di squillare. Gli uomini, invece, si riunirono davanti a casa a fumare. Cominciarono a comparire casseruole e dolci.

Con poco da fare e scarse informazioni sull'infortunio di Bailey, gli ospiti si buttavano su ogni minuscolo fatto, lo analizzavano, lo sezionavano e poi, di volta in volta, lo trasmettevano alle donne dentro casa o agli uomini all'esterno. Una gamba era rimasta maciullata e con ogni probabilità sarebbe stata amputata. C'era una grave lesione cerebrale. Bailey era caduto con tutta l'impalcatura da un'altezza di quattro piani, o forse erano otto. Il torace era sfondato. Alcuni fatti e qualche teoria vennero semplicemente creati sul posto. Ci furono addirittura alcune lugubri domande sulle disposizioni per il funerale.

Bailey aveva diciannove anni e nella sua breve vita non aveva mai avuto tanti amici e ammiratori. A mano a mano che le ore passavano, l'intera comunità lo amava sempre di più. Bailey era un bravo ragazzo, tirato su come si doveva, una persona molto migliore di quel disgraziato di suo padre, un uomo che non si vedeva più in giro da anni.

Arrivò anche l'ex ragazza di Bailey, e diventò subito il centro dell'attenzione. Era distrutta, sopraffatta dal dolore e piangeva con facilità, specie quando parlava del suo amato Bailey. Tuttavia, quando la notizia del suo arrivo filtrò fino alla camera da letto sul retro e la madre di Bailey venne a sapere che quella puttanella era in casa sua, le venne ordinato di uscire. La puttanella, allora, si mise a chiacchierare con gli uomini all'esterno, flirtando e fumando. Dopo un po' se ne andò, giurando che si sarebbe messa immediatamente in macchina per andare a trovare il suo Bailey a Memphis.

Un vicino aveva un cugino che abitava a Memphis e questo cugino, sia pure con riluttanza, accettò di andare in ospedale per monitorare la situazione. La sua prima telefonata portò la notizia che il ragazzo era effettivamente in sala operatoria per lesioni multiple, ma sembrava comunque in condizioni stabili. Aveva perso un mucchio di sangue. Nel corso della seconda telefonata, il cugino chiarì alcuni fatti. Aveva parlato con il capocantiere: Bailey era rimasto ferito quando un bulldozer era andato a cozzare contro l'impalcatura, provocandone il crollo e facendo fare al povero ragazzo un volo di quasi cinque metri, fin dentro una specie di pozzo. Stavano costruendo un palazzo per uffici di sei piani a Memphis e Bailey lavorava nel cantiere come manovale. L'ospedale non avrebbe consentito visite per almeno ventiquattr'ore, però comunicava che servivano donazioni di sangue.

Manovale? La madre di Bailey si era vantata dicendo che il figlio aveva fatto rapidamente carriera nell'impresa e che adesso era vicecapocantiere. Nello spirito del momento, comunque, nessuno le fece domande su questa discrepanza.

Era già buio, quando si presentò un uomo in giacca e cravatta che spiegò di essere un investigatore di

11

qualche tipo. Venne rifilato a uno zio, il fratello più giovane della madre di Bailey, e nel corso di una conversazione privata nel cortile sul retro l'uomo consegnò il biglietto da visita di un avvocato di Clanton. «Il miglior legale della contea» dichiarò. «E stiamo già lavorando sul caso.»

Lo zio rimase colpito e promise di liberarsi di altri eventuali avvocati – «solo un branco di cacciatori d'ambulanze» – nonché di qualsiasi liquidatore di assicurazioni che si fosse viscidamente presentato sulla scena.

Alla fine si cominciò a parlare di una spedizione a Memphis. Erano solo due ore d'auto, ma avrebbero potuto essere cinque. Per la gente di Box Hill, andare nella grande città significava guidare per un'ora fino a Tupelo, cinquantamila abitanti. Memphis era in un altro Stato, in un altro mondo e inoltre era infestata dal crimine. La percentuale di omicidi era pari a quella di Detroit. Gli abitanti di Box Hill venivano informati della carneficina ogni sera da Channel 5.

La madre di Bailey diventava sempre più invalida con il passare delle ore ed era chiaramente impossibilitata a viaggiare, figurarsi donare sangue. Sua sorella viveva a Clanton, ma non poteva lasciare i figli da soli. L'indomani era venerdì, giornata lavorativa, ed era opinione generale che un viaggio di andata e ritorno a Memphis, più la faccenda del sangue, avrebbe richiesto parecchie ore e, insomma, chi poteva dire a che ora i donatori sarebbero rientrati a Ford County?

Un'altra telefonata da Memphis comunicò la notizia che il ragazzo era uscito dalla sala operatoria, lottava per sopravvivere e aveva ancora disperatamente bisogno di sangue. Quando l'informazione raggiunse il gruppo di uomini che ciondolava nel vialetto, l'impressione fu che il povero Bailey potesse morire da un momento all'altro, a meno che i suoi cari non si precipitassero in ospedale per aprirsi le vene.

Si fece avanti un eroe. Si chiamava Wayne Agnor, noto fin dalla nascita come Aggie e presunto caro amico di Bailey. Lavorava nella carrozzeria del padre e di conseguenza aveva orari di lavoro abbastanza flessibili da consentirgli una veloce puntata a Memphis. Aveva anche un pickup di sua proprietà, un Dodge ultimo modello, e sosteneva di conoscere Memphis come il palmo della mano.

«Posso partire subito» annunciò orgoglioso al gruppo, e nella casa si diffuse immediatamente la notizia che si stava materializzando una spedizione. Una delle donne ridimensionò l'euforia generale spiegando che di volontari ne servivano parecchi, dato che l'ospedale avrebbe estratto solo mezzo litro da ogni donatore. «Non si possono donare cinque litri di sangue» spiegò. Pochissimi avevano già donato sangue e molti erano spaventati al solo pensiero di aghi e tubi. La casa e il cortile sul davanti diventarono molto silenziosi. I preoccupati vicini, così legati a Bailey solo pochi minuti prima, cominciarono a prendere le distanze.

«Vado anch'io» dichiarò finalmente un altro ragazzo, che venne subito travolto dalle congratulazioni. Si chiamava Calvin Marr e anche il suo orario era flessibile, ma per un motivo diverso: era stato licenziato dalla fabbrica di scarpe di Clanton e viveva con il sussidio di disoccupazione. Era terrorizzato dagli aghi, ma intrigato dall'avventura di vedere Memphis per la prima volta. Disse che per lui sarebbe stato un onore essere uno dei donatori.

L'idea di un compagno di viaggio incoraggiò Aggie, che lanciò la sfida: «Nessun altro?».

Ci fu un generale mormorio, mentre la maggior parte degli uomini si studiava gli stivali.

«Andiamo con il mio pickup e la benzina la pago io» continuò Aggie.

«Quando partiamo?» gli domandò Calvin

«Subito. È un'emergenza.»

«Giusto» approvò qualcuno.

«Vi mando Roger» disse un vecchio signore. L'offerta venne accolta con muto scetticismo. Roger, che non era presente, non doveva preoccuparsi del lavoro perché non era mai riuscito a tenersene uno. Non aveva finito il liceo e vantava un pittoresco curriculum di alcol e droghe. Di sicuro gli aghi non l'avrebbero spaventato.

Anche se i presenti sapevano ben poco di trasfusioni, era difficile accettare l'idea di una vittima ferita così gravemente da avere bisogno del sangue di Roger. «Volete ammazzarlo, quel ragazzo?» mormorò uno di loro.

«Roger andrà benissimo» insistette il padre con fierezza.

La grande domanda era: è sobrio? Le battaglie di Roger con i suoi demoni erano ampiamente note e discusse a Box Hill. In genere quasi tutti sapevano quando il ragazzo era sbronzo oppure no.

«È in ottima forma in questi giorni» proseguì suo padre, anche se con scarsa convinzione. Ma l'urgenza del momento ebbe la meglio su qualsiasi dubbio e Aggie domandò: «Dov'è?».

«A casa.»

Certo che era a casa. Roger non usciva mai di casa. Dove poteva andare?

Nel giro di pochi minuti le signore misero insieme un grosso scatolone di sandwich e altre vettovaglie. Aggie e Calvin vennero abbracciati, incoraggiati e presi a pacche sulle spalle come se stessero per marciare in difesa del paese. Finalmente partirono per andare a salvare la vita di Bailey. Tutti uscirono sul vialetto e salutarono con la mano i due coraggiosi giovanotti.

Roger li aspettava in strada, accanto alla cassetta della posta. Quando il pickup si fermò, infilò la testa nel finestrino del passeggero e chiese: «Passiamo la notte a Memphis?».

«Non è in programma» rispose Aggie.

«Bene.»

Dopo una breve discussione, si decise che Roger, che era di costituzione snella, si sarebbe seduto fra Aggie e Calvin, molto più grandi e grossi di lui. Lo scatolone dei viveri venne piazzato in grembo a Roger il quale, a neanche un chilometro da Box Hill, stava già scartando un sandwich al tacchino. A ventisette anni, era il più vecchio dei tre e il tempo non era stato gentile con lui. Era passato attraverso due divorzi e numerosi, vani tent. .ivi di liberarsi dalle sue dipendenze. Era nervoso e iperattivo, e non appena finì il primo sandwich cominciò a scartare il secondo. Aggie, centotredici chili, e Calvin, centoventitré, declinarono. Nelle ultime due ore, a casa della madre di Bailey, non avevano fatto altro che mangiare.

La prima conversazione riguardò appunto Bailey, un ragazzo che Roger conosceva a malapena, ma con il quale sia Aggie sia Calvin erano andati a scuola. Dato che nessuno dei tre era sposato, le chiacchiere si spostarono presto dal vicino di casa infortunato al sesso. Aggie aveva una ragazza e dichiarava di godere tutti i benefici di una bella storia d'amore. Roger era andato a letto con qualsiasi cosa ed era costantemente a caccia. Calvin, il timido, a ventun anni era ancora vergine, ma non l'avrebbe mai ammesso. Si inventò un paio di conquiste senza entrare troppo nei dettagli e questo lo tenne in partita. Tutti e tre stavano esagerando e tutti e tre lo sapevano.

Quando entrarono a Polk County, Roger disse: «Fermati al Blue Dot. Devo pisciare». Aggie si fermò alle pompe di benzina davanti alla drogheria di campagna e Roger si precipitò all'interno.

«Pensi che beva ancora?» domandò Calvin mentre aspettavano.

«Suo padre dice di no.»

«Suo padre racconta balle.»

E infatti qualche minuto dopo Roger emerse dal negozio con una confezione da sei birre.

«Oh, Gesù» commentò Aggie.

Non appena si furono risistemati, il pickup uscì dal parcheggio di ghiaia e si allontanò veloce.

Roger afferrò una lattina e la offrì a Aggie, che rifiutò. «No, grazie. Sto guidando.»

«Non puoi bere e guidare?»

«Non stasera.»

«E tu?» domandò Roger, offrendo la lattina a Calvin. «No, grazie.»

«Voi ragazzi siete in riabilitazione o roba del genere?» chiese Roger, strappando la linguetta e buttando giù il contenuto di metà lattina.

«Pensavo che avessi smesso di bere» disse Aggie.

«È così. Non faccio altro che smettere. Smettere è facile.»

Era Calvin adesso che aveva lo scatolone di cibo in grembo e, per noia, cominciò a ruminare un grosso dolcetto di farina d'avena. Roger svuotò la prima lattina, che poi passò a Calvin dicendogli: «Buttala, per favore».

Calvin abbassò il vetro del finestrino e lanciò la lattina vuota sul pianale del pickup. Richiuse il finestrino mentre Roger stava già strappando un'altra linguetta. Aggie e Calvin si scambiarono un'occhiata nervosa.

«Ma si può dare il sangue, se si è bevuto?» chiese Aggie.

«Certo che si può» rispose Roger. «Io l'ho fatto un mucchio di volte. Voi non avete mai donato sangue?»

Riluttanti, Aggie e Calvin confessarono di non averlo mai fatto, ammissione che indusse Roger a fornire una descrizione della procedura. «Ti fanno distendere perché sanno che quasi tutti perdono i sensi. Quel maledetto ago è così grosso che un mucchio di gente sviene appena lo vede. Poi ti legano uno spesso tubo di gomma intorno al bicipite e l'infermiera comincia a punzecchiarti il braccio in cerca di una grossa vena gonfia di sangue. È meglio guardare dall'altra parte. Nove volte su dieci, l'infermiera pianta l'ago e manca la vena – fa un male d'inferno – e poi si scusa, mentre tu la maledici sottovoce. Se sei fortunato, la seconda volta riesce a beccare la vena giusta e allora il sangue comincia a sgorgare dentro un tubicino che arriva fino a una specie di sacchetto. È tutto trasparente e quindi puoi vedere il tuo sangue. Non avete idea di quanto sia scuro il sangue, è quasi marrone. Ci vuole un secolo per farne uscire mezzo litro e per tutto quel tempo l'infermiera ti tiene l'ago conficcato nella vena.» Roger bevve un lungo sorso di birra, soddisfatto del racconto terrorizzante di ciò che li aspettava.

Viaggiarono in silenzio per parecchi chilometri.

Finita la seconda lattina, Calvin la buttò sul retro e Roger aprì la terza. «La birra in effetti aiuta» dichiarò, schioccando le labbra. «Fluidifica il sangue e quindi tutta l'operazione è più veloce.»

Era sempre più evidente che Roger aveva in programma di far fuori l'intera confezione da sei nel minor tempo possibile. Aggie stava pensando che sottrargli un po' d'alcol poteva essere una mossa saggia. Aveva sentito storie orribili sulle sbronze di Roger.

«Ne bevo una anch'io» annunciò, e Roger gli passò subito una lattina.

«Anch'io» disse Calvin.

«Adesso sì che si ragiona» approvò Roger. «Non mi è mai piaciuto bere da solo. Quello è il primo segnale del vero alcolizzato.»

Aggie e Calvin bevvero responsabilmente. Roger continuò a tracannare birra. Finita la prima confezione da sei, con perfetto tempismo annunciò: «Devo pisciare. Fermati al Cully's Barbecue». Erano all'ingresso della cittadina di New Grove e Aggie stava cominciando a chiedersi quanto sarebbe durato quel viaggio. Roger scomparve dietro il negozio per fare pipì, poi entrò e comprò un'altra confezione da sei. Quando New Grove fu alle loro spalle, i tre aprirono le rispettive lattine e accelerarono lungo una buia, stretta highway.

«Voi due siete mai stati negli strip club di Memphis?» chiese Roger.

«Io non sono mai stato a Memphis» confessò Calvin.

«Stai scherzando?»

«Nossignore.»

«E tu cosa mi dici?»

«Io sì, sono stato in uno strip club» rispose Aggie orgoglioso.

«Quale?»

«Non ricordo come si chiamava. Sono tutti uguali.»

«Su questo ti sbagli» lo corresse Roger seccamente, poi in pratica fece qualche gargarismo con la birra. «Certi club hanno ragazze meravigliose con corpi splendidi, in altri trovi normali battone da strada che non sanno neanche ballare.»

Fu così che partì una lunga disquisizione sulla storia delle leggi di Memphis in materia di striptease, almeno nella versione di Roger. Ai vecchi tempi le ragazze potevano togliersi tutto, spogliarsi completamente, e poi saltare sul tuo tavolo per un bel ballo pieno di giravolte, rotazioni e spinte ritmiche, con rumorosa musica pulsante, luci stroboscopiche e applausi volgari del pubblico. In seguito le leggi erano cambiate e il perizoma era diventato obbligatorio, anche se certi club continuavano a ignorare le regole. Il ballo sui tavoli aveva ceduto il passo alla lap dance, il che aveva determinato tutta una nuova serie di norme riguardanti il contatto fisico con le ragazze. Terminata l'esposizione storica, Roger mitragliò i nomi di cinque o sei club che sosteneva di conoscere bene e poi passò a fornire un impressionante resoconto delle rispettive spogliarelliste. Lo fece con un linguaggio molto dettagliato ed estremamente descrittivo e, quando finì, gli altri due sentirono il bisogno di una birra fresca.

Calvin, che in vita sua aveva toccato pochissima carne femminile, era rimasto affascinato dalla conversazione. Stava anche contando le lattine di birra che Roger si stava scolando e quando arrivò a sei, in circa un'ora, fu sul punto di dire qualcosa.

Invece continuò ad ascoltare il suo nuovo amico, ben più esperto di lui delle cose del mondo, un uomo che sembrava avere un appetito inesauribile per la birra e che era in grado di tracannarla mentre descriveva ragazze nude con incredibile ricchezza di particolari.

Dopo un po' la conversazione tornò dove aveva puntato fin dall'inizio. «Sapete, una volta finito in ospedale, probabilmente avremo ancora tempo per fare un salto al Desperado, giusto un paio di drink e magari due o tre balli sul tavolo.»

Aggie guidava con il polso destro appoggiato mollemente sul volante e una lattina di birra nella mano sinistra. Guardava la strada davanti a sé e non reagì alla proposta. La sua ragazza si sarebbe messa a strillare e a rompere cose, se fosse mai venuta a sapere che aveva buttato via soldi in un club per guardare a bocca aperta le spogliarelliste. Calvin, però, si sentì improvvisamente teso per l'aspettativa. «Per me va bene» disse.

«Anche per me» disse Aggie, ma solo perché doveva.

Dalla direzione opposta si stava avvicinando un'auto e, pochi istanti prima che li incrociasse, Aggie inavvertitamente lasciò che la ruota anteriore sinistra del pickup superasse di poco la linea centrale gialla. Sterzò immediatamente. L'altra auto scartò in modo brusco.

«Era un poliziotto!» strillò Aggie. Sia lui sia Roger voltarono la testa per un'occhiata veloce. L'altra auto stava frenando, gli stop illuminati.

«È proprio un maledetto poliziotto» confermò Roger. «Un agente di contea. Scappa!»

«Ci viene dietro!» annunciò Calvin in preda al panico.

«Luci blu! Luci blu!» gracchiò Roger. «Oh, merda!» Aggie diede istintivamente gas e il grosso Dodge scattò ruggendo. «Siamo sicuri che sia una buona idea?» domandò.

«Vai, maledizione!» urlò Roger.

«Abbiamo lattine di birra dappertutto» disse Calvin.

«Ma io non sono ubriaco» insistette Aggie. «Se scappiamo, non facciamo che peggiorare le cose.»

«Stiamo già scappando» gli fece osservare Roger. «Adesso la cosa importante è non farci prendere.» Detto questo, si scolò un'altra lattina come se potesse essere l'ultima della sua vita.

Il pickup toccò i centotrenta all'ora e poi superò i centoquaranta su un lungo tratto della piatta highway. «Si sta avvicinando in fretta» disse Aggie, guardando lo specchietto retrovisore e poi di nuovo la strada davanti a sé. «Luci blu fino all'inferno e ritorno.»

Calvin abbassò il vetro del finestrino e disse: «Buttiamo la birra!».

«No!» gridò Roger. «Sei impazzito? Non può raggiungerci. Più veloce, più veloce!»

Il pickup volò sopra un piccolo rilievo sollevandosi quasi da terra, poi fece stridere gli pneumatici in una curva stretta e sbandò leggermente, ma abbastanza perché Calvin dicesse: «Ci ammazzeremo».

«Sta' zitto» abbaiò Roger. «Aggie, cerca un'uscita: dobbiamo nasconderci.»

«Lì c'è una cassetta della posta» disse Aggie, e frenò. L'agente era pochi secondi dietro di loro, ma fuori vista. Aggie voltò bruscamente a destra e i fari del pickup illuminarono una piccola casa di campagna annidata sotto querce enormi.

«Spegni le luci» ordinò Roger, come se si fosse trovato già molte volte in situazioni del genere. Aggie spense motore e luci e il pickup avanzò in silenzio lungo il breve vialetto. Si fermò accanto al pickup Ford di proprietà di Mr Buford M. Gates, abitante in Route 5, Owensville, Mississippi.

L'auto del poliziotto li superò senza rallentare; le luci blu erano accese, ma la sirena taceva ancora. I tre donatori di sangue si erano abbassati sul sedile, e quando le luci blu scomparvero alzarono lentamente la testa.

La casa che avevano scelto era buia e silenziosa. Evidentemente non era protetta da cani. Perfino le luci della veranda erano spente.

«Ottimo lavoro» disse Roger sottovoce, non appena tutti e tre ripresero a respirare.

«Abbiamo avuto fortuna» mormorò Aggie.

Osservarono la casa e ascoltarono i rumori della highway. Dopo qualche minuto di meraviglioso silenzio, concordarono tutti sul fatto che avevano avuto davvero molta fortuna.

«Per quanto tempo dovremo restare qui?» domandò finalmente Calvin.

«Non molto» rispose Aggie, guardando le finestre della casa.

«Sento arrivare una macchina» annunciò Calvin, e le tre teste si abbassarono di nuovo. I secondi passarono e l'auto del poliziotto sfrecciò nella direzione opposta, sempre con le luci lampeggianti e sempre senza sirena.

«Quel figlio di puttana ci sta cercando» borbottò Roger.

«Naturale che ci sta cercando» disse Aggie.

Quando il suono dell'auto svanì in lontananza, a bordo del Dodge le tre teste riemersero lentamente e Roger annunciò: «Devo pisciare».

«Non qui» protestò Calvin.

«Apri la portiera» insistette Roger.

«Non puoi aspettare?»

«No.»

Calvin aprì lentamente la portiera del passeggero, scese e poi guardò Roger scendere a sua volta, avvicinarsi in punta di piedi al pickup di Mr Gates e cominciare a fare la pipì sulla ruota anteriore destra.

A differenza del marito, Mrs Gates aveva il sonno leggero. Era sicura di aver sentito qualcosa là fuori e quando si svegliò del tutto se ne convinse ancora di più. Buford russava già da un'ora, ma alla fine riuscì a svegliarlo. Il marito allungò un braccio sotto il letto e afferrò il fucile.

Roger stava ancora urinando, quando si accese una piccola luce in cucina. Tutti e tre la videro immediatamente. «Corri!» sibilò Aggie dal finestrino, poi afferrò la chiave e accese il motore. Calvin saltò subito a bordo, ansimando: «Vai, vai, vai!», mentre Aggie inseriva già la retromarcia e dava gas. Roger corse verso il Dodge tenendosi i pantaloni. Si catapultò al di sopra della sponda, atterrò malamente sul pianale, tra le lattine di birra vuote, e poi si tenne forte mentre il Dodge volava lungo il vialetto verso la strada principale. Il pickup era ormai all'altezza della cassetta della posta quando si accese la luce della veranda. Si fermò slittando sull'asfalto, mentre il portoncino d'ingresso si apriva lentamente e poi un uomo anziano spalancava la porta a zanzariera. «Ha un fucile!» gridò Calvin.

«Peggio per lui» disse Aggie, inserendo la marcia e poi sgommando per quindici metri in una splendida fuga. Dopo un chilometro e mezzo lungo la highway, voltò in uno stretto sentiero di campagna e spense il motore. Tutti e tre scesero dal pickup, si stirarono e scoppiarono a ridere per lo scampato pericolo. Continuarono a ridere nervosamente e si diedero molto da fare per convincersi di non aver avuto per niente paura. Si domandarono dove potesse essere il poliziotto in quel momento, ripulirono il pianale del pickup e gettarono le lattine vuote in un fossato. Passarono dieci minuti senza alcun segno del poliziotto.

Poi, finalmente, Aggie enunciò l'ovvio: «Ragazzi, dobbiamo andare a Memphis».

Calvin, più interessato al Desperado che all'ospedale, concordò: «Puoi scommetterci. Si sta facendo tardi».

Roger si immobilizzò di colpo al centro della strada e disse: «Mi è caduto il portafoglio».

«Che cosa?»

«Mi è caduto il portafoglio.»

«Dove?»

«Laggiù. Deve essermi caduto mentre pisciavo.»

C'erano molte probabilità che il portafoglio di Roger non contenesse nulla di valore: niente soldi, niente patente, nessuna carta di credito, né tessera di qualsiasi tipo, niente di più utile di un vecchio preservativo. Aggie fu quasi sul punto di chiedere: "Cosa c'è dentro?", ma non lo fece perché sapeva che Roger avrebbe sostenuto che il suo portafoglio era pieno di valori.

«Devo andare a riprendermelo.»

«Sei sicuro?» domandò Calvin.

«Dentro ci sono i miei soldi, la patente, le carte di credito, tutto.»

«Ma il vecchio ha un fucile.»

«E quando sorge il sole, il vecchio trova il mio portafoglio, telefona al suo sceriffo, che telefona allo sceriffo di Ford County e noi tre siamo fregati. Sei proprio stupido, sai.»

«Io almeno non ho perso il portafoglio.»

«Roger ha ragione» disse Aggie. «Deve andare a riprenderselo.» Gli altri due notarono che Aggie aveva enfatizzato il "lui", senza accennare a un "noi".

«Non avrai paura, vero?» chiese Roger a Calvin.

«Io non ho paura perché là non ci torno.»

«Io credo che tu abbia paura.»

«Piantatela» intervenne Aggie. «Vi dico io cosa fare-

23

mo. Aspettiamo che il vecchio abbia il tempo di tornare a letto, poi ci avviciniamo alla casa, ma non troppo, e fermiamo il pickup. Tu, Roger, ti fai il vialetto a piedi e in silenzio, trovi il tuo portafoglio e poi tagliamo la corda.»

«Scommetto che non c'è niente dentro quel portafoglio» disse Calvin.

«E io scommetto che ci sono più soldi che nel tuo» ribatté Roger, allungando un braccio nell'abitacolo del pickup per prendere un'altra birra.

«Piantatela» ripeté Aggie.

In piedi di fianco al Dodge, sorseggiarono birra tenendo d'occhio la highway deserta. Dopo quindici minuti che sembrarono un'ora, risalirono a bordo, con Roger dietro. A quattrocento metri dalla casa, Aggie fermò il pickup su un tratto pianeggiante della highway. Spense il motore, in modo da poter sentire eventuali veicoli in arrivo.

«Non puoi avvicinarti di più?» domandò Roger, adesso in piedi accanto al finestrino del conducente.

«La casa è subito dietro quella curva» disse Aggie. «Se ci avviciniamo di più, il vecchio potrebbe sentirci.»

I tre guardarono la highway buia. Una mezzaluna andava e veniva con le nuvole. «Hai un'arma?» domandò Roger.

«Ce l'ho» rispose Aggie. «Ma non te la do. Striscia fino alla casa e torna indietro. Nessun problema, il vecchio di sicuro sta già dormendo.»

«Non avrai paura, vero?» intervenne Calvin, collaborativo.

«Accidenti, no» rispose Roger, scomparendo nel buio. Aggie riaccese il motore e, a fari spenti, fece silenziosamente inversione di marcia in modo da puntare in direzione di Memphis. Poi spense il motore e, con entrambi i finestrini aperti, cominciò l'attesa.

«Si è fatto otto birre» disse Calvin sottovoce. «È sbronzo duro.»

«Però regge bene l'alcol.»

«Ha un mucchio di allenamento alle spalle. Forse il vecchio con il fucile questa volta lo becca.»

«La cosa non mi turberebbe molto, poi però prenderebbero anche noi due.»

«Ma esattamente perché Roger è stato invitato, tanto per cominciare?»

«Sta' zitto. Dobbiamo sentire se arrivano delle macchine.»

Roger lasciò la strada principale non appena vide la cassetta della posta. Superò un fossato con un salto e poi si chinò per attraversare un campo di fagioli vicino alla casa. Se il vecchio era ancora di vedetta, di certo teneva gli occhi puntati sul vialetto d'accesso, giusto? Roger decise astutamente di arrivare da dietro. Tutte le luci erano spente. La piccola casa era silenziosa e tranquilla. Non una sola creatura si muoveva. Tra le ombre delle querce, Roger avanzò in silenzio sull'erba bagnata finché vide il pickup Ford. Si fermò a riprendere fiato dietro un capanno per gli attrezzi e, di colpo, si rese conto che aveva di nuovo bisogno di fare pipì. "No" si disse. "Bisogna aspettare." Era orgoglioso di sé: era arrivato fino a quel punto senza il minimo rumore. Subito dopo si sentì di nuovo terrorizzato: cosa diavolo stava facendo? Respirò a fondo, poi si abbassò e riprese la sua missione. Quando il Ford fu tra lui e la casa, si mise carponi e cominciò a tastare il terreno ghiaioso in fondo al vialetto.

Roger si muoveva lentamente, facendo scricchiolare la ghiaia sotto di sé. Imprecò sottovoce quando si bagnò le mani accanto alla ruota anteriore destra del pickup. Poi però toccò il portafoglio: sorrise e se lo infilò rapidamente nella tasca posteriore destra dei jeans. Fece una pausa, respirò a fondo e poi cominciò la sua silenziosa ritirata.

Nella quiete della sera, Mr Buford Gates sentiva ogni

sorta di rumori, alcuni reali, altri evocati dalle circostanze. I cervi si muovevano liberamente nell'area e Mr Gates pensava che forse si erano avvicinati di nuovo alla casa in cerca d'erba e di bacche. Poi però sentì qualcosa di diverso. Si alzò lentamente in piedi dal suo nascondiglio sulla veranda laterale, puntò il fucile al cielo e sparò due colpi alla luna, tanto per il gusto di farlo.

Nella calma perfetta della sera gli spari rimbombarono nell'aria come colpi di mortaio, esplosioni letali che echeggiarono per chilometri.

Sulla highway, non molto lontano, agli spari fece seguito un improvviso stridere di pneumatici e, almeno a parere di Buford, il suono era esattamente quello che aveva sentito venti minuti prima davanti a casa sua.

Sono ancora qui in giro, si disse.

«Buford?» lo chiamò Mrs Gates dalla porta laterale.

«Credo che siano ancora qui» disse l'uomo, ricaricando il Browning calibro 16.

«Li hai visti?»

«Forse.»

«Cosa vuol dire forse? A cosa hai sparato?»

«Tu torna dentro, okay?»

La porta si richiuse sbattendo.

Sotto il pickup Ford, Roger tratteneva il fiato, si teneva l'inguine con una mano e sudava a profusione mentre cercava di decidere in fretta se aggrapparsi alla trasmissione a pochi centimetri sopra di lui o cercare invece di strisciare sulla ghiaia sotto di lui. Ma non si mosse. Il rimbombo degli spari gli risuonava ancora nelle orecchie. Lo stridio degli pneumatici dei due codardi l'aveva fatto imprecare. Aveva paura di respirare.

Sentì la porta riaprirsi e la donna dire: «Ti ho portato una torcia. Magari riesci a vedere a cosa spari».

«Tu torna dentro e, già che ci sei, chiama lo sceriffo.»

La porta sbatté di nuovo mentre la donna continuava a borbottare. Un minuto più tardi era di ritorno: «Ho chiamato l'ufficio dello sceriffo. Mi hanno detto che Dudley è già di pattuglia da queste parti».

«Vammi a prendere le chiavi del pickup» disse Buford. «Vado a dare un'occhiata sulla highway.»

«Non puoi guidare di notte.»

«Vammi a prendere quelle maledette chiavi!»

La porta sbatté di nuovo. Roger cercò di strisciare all'indietro, ma la ghiaia faceva troppo rumore. Tentò di muoversi in avanti, in direzione delle voci, ma lo scricchiolio era comunque eccessivo. Così decise di rimanere fermo. Se il pickup fosse partito a marcia indietro, avrebbe aspettato fino all'ultimo secondo possibile, si sarebbe aggrappato al paraurti anteriore quando gli fosse passato sopra e si sarebbe fatto trascinare per qualche metro, prima di staccarsi e correre verso il buio. Se il vecchio l'avesse visto, avrebbe impiegato parecchi secondi per fermarsi, afferrare il fucile, scendere dal veicolo e dargli la caccia. E per allora Roger sarebbe già stato in mezzo al bosco. Era un piano e poteva funzionare. D'altra parte, era possibile anche ritrovarsi schiacciato dagli pneumatici, trascinato lungo la highway o semplicemente centrato dagli spari.

Buford scese dalla veranda laterale e cominciò a cercare alla luce della torcia. Dalla porta, Mrs Gates strillò: «Ho nascosto le chiavi. Tu non puoi guidare di notte».

"Brava la mia ragazza" pensò Roger.

«Farai meglio a darmi quelle dannate chiavi.»

«Le ho nascoste.»

Buford brontolò nel buio.

Il Dodge sfrecciò per parecchi, frenetici chilometri, prima che Aggie finalmente rallentasse e dicesse: «Dobbiamo tornare indietro».

«Perché?»

«Se Roger è stato colpito, dobbiamo spiegare cos'è successo e occuparci dei dettagli.»

«Io spero che sia stato colpito. Se è così, non può più parlare. E se non può più parlare, non può raccontare di noi due. Andiamo a Memphis.»

«No.» Aggie fece inversione di marcia. Procedettero in silenzio fino alla stessa stradina di campagna dove si erano fermati la prima volta. Accanto a uno steccato, si sedettero sul cofano e meditarono su cosa fare. Poco dopo sentirono una sirena e poi videro sfrecciare le luci blu sulla highway.

«Se adesso passa un'ambulanza, siamo in guai seri» disse Aggie.

«Anche Roger.»

Non appena Roger sentì la sirena, si lasciò prendere dal panico. Ma, a mano a mano che il suono si avvicinava, si rese conto che avrebbe coperto il rumore prodotto dalla sua fuga. Trovò un sasso, si rannicchiò su un lato del pickup e lo scagliò in direzione della casa. Il sasso colpì qualcosa, Mr Gates chiese: «Cos'è stato?» e corse di nuovo sulla veranda laterale. Strisciando come un serpente, Roger sbucò da sotto il pickup, passò sull'urina fresca che aveva lasciato in precedenza, poi sull'erba bagnata e raggiunse una quercia proprio nel momento in cui Dudley, il vicesceriffo, piombava rombando sulla scena. Il poliziotto frenò rumorosamente nel vialetto, facendo schizzare in aria ghiaia e polvere. Il chiasso salvò Roger. Mr e Mrs Gates corsero fuori per parlare con Dudley e il ragazzo si inoltrò nel buio. Nel giro di pochi secondi era dietro una siepe, poi a ridosso di un vecchio granaio e infine nel campo di fagioli. Passò mezz'ora.

«Penso che dovremmo tornare alla casa e raccontare tutto» disse Aggie. «Così sapremo se Roger è okay.»

«Ma non ci accuseranno di resistenza alla forza pubblica e magari anche di guida in stato di ebbrezza?» osservò Calvin.

«Allora tu cosa suggerisci?»

«Il poliziotto probabilmente se n'è già andato. Niente ambulanza significa che Roger, ovunque si trovi, sta bene. Scommetto che si sta nascondendo da qualche parte. Io dico di fare un passaggio davanti alla casa, dare un'occhiata e poi andarcene a Memphis.»

«Possiamo provarci.»

Trovarono Roger che zoppicava sul bordo della strada in direzione di Memphis. Dopo qualche parolaccia da parte di tutti e tre, decisero di proseguire. Roger riprese la sua posizione centrale, Calvin quella accanto al finestrino. Viaggiarono per dieci minuti senza che nessuno pronunciasse una parola. Tutti gli occhi erano fissi sulla strada. Tutti e tre erano arrabbiati, furiosi.

Roger aveva la faccia graffiata e sporca di sangue, puzzava di sudore e urina ed era sporco di fango e terriccio. Dopo qualche chilometro Calvin abbassò il vetro del finestrino. Dopo qualche altro chilometro Roger gli chiese: «Perché non tiri su quel finestrino?».

«C'è bisogno di aria fresca» spiegò Calvin.

Si fermarono a comprare un'altra confezione da sei birre per calmare i nervi e, dopo aver bevuto, Calvin domandò: «Il vecchio sparava a te?».

«Non lo so» rispose Roger. «Non l'ho visto.»

«Sembravano colpi di cannone.»

«Avresti dovuto sentirli da dove ero io.»

A Aggie e Calvin la frase sembrò divertente e cominciarono a ridere. Roger, adesso più calmo, trovò la risata contagiosa e ben presto tutti e tre stavano sghignazzando alle spalle del vecchio con il fucile e della moglie che gli aveva nascosto le chiavi del pickup, salvando probabilmente la vita di Roger. E il pensiero di Dudley il vice, che continuava a correre su e giù per la highway con le sue luci blu, li fece ridere ancora di più.

Aggie guidò lungo strade secondarie e, quando incrociò la highway 78 nei pressi di Memphis, imboccò la rampa d'accesso e si immise nel traffico sulle quattro corsie.

«C'è un'area di sosta per camion poco più avanti» disse Roger. «Devo darmi una ripulita.»

Nel negozio comprò maglietta e berretto della NASCAR e poi si lavò la faccia e le mani in bagno. Quando si ripresentò, Aggie e Calvin rimasero colpiti dal cambiamento. Ripartirono, ormai vicini alle luci brillanti della città. Erano quasi le dieci di sera.

I cartelloni pubblicitari si fecero progressivamente più grandi, più colorati e più ravvicinati, e nonostante il Desperado non fosse stato menzionato da più di un'ora i ragazzi d'improvviso se ne ricordarono quando si videro davanti l'immagine supersexy di una ragazza sul punto di esplodere dagli scarsi indumenti che indossava. Si chiamava Tiffany e sorrideva alle auto in transito da un enorme cartellone che pubblicizzava il Desperado, il club per gentiluomini che vantava le spogliarelliste più sexy di tutto il Sud. Il Dodge rallentò notevolmente.

Le gambe di Tiffany sembravano lunghe un chilometro e il suo ridottissimo costumino luccicante era stato chiaramente progettato per essere eliminato con un secondo di preavviso. La ragazza aveva capelli biondi e ricci, labbra rosse e piene e occhi che ti scioglievano. La sola idea che lavorasse pochi chilometri più su e che loro tre potessero andarla a vedere in carne e ossa, be', era quasi troppo da sopportare.

Il Dodge riprese velocità e per qualche minuto non fu scambiata una sola parola. Poi Aggie disse: «Sarà meglio che andiamo in ospedale. Bailey ormai potrebbe essere già morto».

Era il primo accenno a Bailey da ore.

«L'ospedale resta aperto tutta la notte» disse Roger. «Non chiude mai. Cosa credi? Che la sera chiudano e mandino tutti a casa?» Per dimostrare il proprio accordo, Calvin scoppiò in una sana risata, come se avesse trovato la battuta spassosissima.

«Allora volete fermarvi al Desperado?» domandò Aggie, stando al gioco.

«Perché no?» fece Roger.

«Per me va bene» disse Calvin, bevendo un sorso di birra e cercando di immaginare Tiffany durante il suo numero.

«Ci fermiamo per un'ora e poi corriamo in ospedale» disse Roger. Per essere uno che si era fatto dieci birre, era notevolmente coerente.

Il buttafuori del club li scrutò sospettoso. «Fammi vedere un documento» ringhiò a Calvin, il quale sembrava più giovane dei suoi ventun anni. Aggie dimostrava la sua età. Il ventisettenne Roger poteva passare per un quarantenne.

«Mississippi, eh?» fece il buttafuori, con evidente pregiudizio nei confronti degli abitanti di quello Stato.

«Già» confermò Roger.

«Dieci dollari d'ingresso.»

«Solo perché veniamo dal Mississippi?» domandò Roger.

«No, spiritoso, tutti pagano l'ingresso. E se l'idea non ti piace, puoi sempre saltare sul tuo trattore e tornartene a casa.»

«Sei così gentile con tutti i clienti?» domandò Aggie.

«Sì.»

I tre ragazzi si allontanarono di qualche passo, si raggrupparono, discussero dei dieci dollari d'ingresso e se entrare o meno. Roger disse che c'era un altro club non molto lontano, ma avvertì che con ogni probabilità avrebbero dovuto pagare comunque l'ingresso. Mentre gli altri due sussurravano e riflettevano, Calvin cercò di sbirciare all'interno per una rapida visione di Tiffany. Votò per entrare e alla fine il voto fu unanime.

Una volta all'interno, vennero esaminati da altri

due massicci, torvi buttafuori e poi guidati nella sala, al centro della quale c'era un palcoscenico rotondo. E sul palcoscenico, in quel momento, c'erano due signorine, una bianca e una nera. Tutte e due nude e tutte e due che si agitavano e si muovevano in ogni direzione.

Non appena le vide, Calvin si immobilizzò di colpo. I dieci dollari d'ingresso vennero istantaneamente dimenticati.

Il loro tavolo era a circa cinque metri dal palcoscenico. Il club era pieno per metà, un pubblico giovane e di classe operaia. Calvin, Aggie e Roger non erano i soli ragazzi di campagna che erano andati in città quella sera. La loro cameriera indossava soltanto un perizoma e, quando si fermò al tavolo con un secco: «Cosa prendete? Minimo tre drink», Calvin per poco non svenne. Non aveva mai visto tanta carne proibita.

«Tre drink?» domandò Roger, cercando di mantenere il contatto visivo.

«Proprio così» confermò la ragazza.

«Quanto costa una birra?»

«Cinque dollari.»

«E dobbiamo ordinarne tre?»

«Tre a testa. Regola della casa. E se la cosa non vi piace, andate a discuterne con il buttafuori laggiù.» Indicò con un cenno del capo la porta, ma gli occhi dei ragazzi non si staccarono dal suo seno.

Ordinarono tre birre a testa e poi studiarono l'ambiente. Adesso sul palcoscenico c'erano quattro ballerine e tutte e quattro si contorcevano al ritmo di un rap che faceva vibrare i muri. Le cameriere si muovevano velocissime fra i tavoli, quasi avessero paura di essere toccate nel caso si fermassero troppo. Molti clienti erano ubriachi e chiassosi e non passò molto tempo prima che partisse un ballo sul tavolo. Una cameriera salì su un tavolo vicino e cominciò il suo numero, mentre un gruppo di camionisti le infilava banconote nel perizoma. Nel giro di pochi minuti l'elastico in vita era zeppo di dollari.

Sul tavolo dei ragazzi atterrò un vassoio con nove bicchieri molto alti e molto stretti pieni di birra, birra più leggera dell'aria e annacquata al punto da sembrare limonata diluita. «Quarantacinque dollari» annunciò la cameriera, informazione che provocò una prolungata e affannosa ricerca in tasche e portafogli. Alla fine i contanti vennero messi insieme.

«Fate ancora la lap dance?» chiese Roger alla cameriera.

«Dipende.»

«Lui non ha mai provato» disse Roger, indicando Calvin, il cui cuore si fermò.

«Venti» disse la ragazza.

Roger trovò una banconota da venti dollari e la passò alla cameriera. Dopo pochi secondi Amber sedeva in grembo a Calvin, che con i suoi centoventitré chili forniva abbastanza grembo per una piccola troupe di ballerine. La musica rimbombava, Amber si contorceva e rimbalzava e Calvin, a occhi chiusi, si chiedeva semplicemente come fosse il vero amore.

«Accarezzale le gambe» lo istruì Roger, la voce dell'esperienza.

«Non è permesso toccare» ammonì severa Amber, con il sedere saldamente piazzato tra le cosce massicce di Calvin. Alcuni bruti a un tavolo vicino guardavano divertiti e ben presto cominciarono a incitare Amber con ogni tipo di suggerimento osceno. La ragazza si esibì per il suo pubblico.

"Quanto durerà questa canzone?" si chiedeva Calvin. L'ampia fronte piatta era bagnata di sudore.

D'improvviso Amber si voltò di fronte a lui senza perdere un colpo e, per almeno un minuto, Calvin ebbe un'avvenente, fremente donna nuda in grembo. Fu una di quelle esperienze che cambiano la vita. Calvin non sarebbe mai più stato lo stesso.

Purtroppo la canzone finì. Amber scattò in piedi e si allontanò per andare a controllare i suoi tavoli.

«Sai, se vuoi, più tardi la puoi rivedere» disse Roger. «Uno contro uno.»

«Cioè?» domandò Aggie.

«Ci sono delle stanzette sul retro dove puoi incontrare le ragazze quando staccano dal lavoro.»

«Non ci credo.»

Calvin era ancora senza parole, totalmente muto, e guardava Amber muoversi veloce nella sala per prendere le ordinazioni. Però ascoltava e, durante una breve pausa della musica, sentì cosa stava dicendo Roger. Amber poteva essere sua, solo loro due in una qualche meravigliosa stanzetta nel retro.

Sorseggiando le rispettive birre annacquate, i tre osservarono i nuovi clienti che arrivavano. Per le undici il locale era pieno e altre spogliarelliste e ballerine erano al lavoro sul palcoscenico e tra il pubblico. Calvin guardò con rabbiosa gelosia Amber che faceva la lap dance a un altro cliente, a meno di tre metri di distanza. Notò però, con un certo orgoglio, che il numero del faccia a faccia durò solo pochissimi secondi. Pensò che, se avesse avuto un mucchio di soldi, li avrebbe infilati con gioia nel perizoma di Amber e si sarebbe fatto fare la lap dance per tutta la notte.

Il denaro stava diventando un problema. Durante un'altra pausa tra canzoni e spogliarelli, Calvin il disoccupato confessò: «Non so per quanto tempo ancora posso restare. Questa birra costa parecchio».

Le birre nei bicchieri da meno di un quarto erano quasi finite e i tre ragazzi avevano studiato abbastanza a lungo le cameriere da essersi resi conto che i vuoti non restavano a lungo sui tavoli. Era previsto che i clienti bevessero parecchio, elargissero mance generose e regalassero soldi alle ragazze per i balli personali. A Memphis il mercato della carne era molto redditizio.

«Io ho un po' di contanti» disse Aggie.

«Io ho le carte di credito» dichiarò Roger. «Ordinate un altro giro, mentre io vado a pisciare.» Si alzò in piedi e, per la prima volta, sembrò barcollare leggermente, poi sparì nel fumo e nella folla. Calvin chiamò Amber con un cenno e ordinò un altro giro. La ragazza gli sorrise e gli strizzò l'occhio con approvazione. Ciò che Calvin voleva, molto di più di quell'acqua sporca che stavano bevendo, era ulteriore contatto fisico con la sua ragazza, ma non era possibile. In quel momento giurò a se stesso di raddoppiare gli sforzi per trovare un lavoro, risparmiare e diventare cliente abituale del Desperado. Per la prima volta nella sua giovane vita, Calvin aveva un obiettivo.

Aggie stava fissando il pavimento sotto la sedia vuota di Roger. «L'idiota ha perso di nuovo il portafoglio» annunciò, e raccolse da terra un malconcio portafoglio di canapa.

«Tu credi davvero che abbia delle carte di credito?» chiese Calvin.

«No.»

«Diamo un'occhiata.» Aggie si guardò intorno per assicurarsi che non ci fosse segno di Roger, poi aprì il portafoglio. Conteneva una carta sconti del supermercato, scaduta, e una collezione di biglietti da visita: due di avvocati, due di garanti per le cauzioni, uno di una clinica per la disintossicazione e uno di un funzionario della libertà vigilata. Piegata con cura e parzialmente nascosta, c'era anche una banconota da venti dollari. «Che sorpresa» disse Aggie. «Niente carte di credito, niente patente.»

«E si è quasi fatto sparare per quella roba» aggiunse Calvin.

«È un idiota, okay?» Aggie chiuse il portafoglio e lo posò sulla sedia di Roger.

Le birre arrivarono nel momento in cui arrivava anche Roger, che ritrovò il suo portafoglio. I ragazzi misero insieme i quarantacinque dollari e riuscirono ad aggiungere una mancia di tre dollari. «Possiamo pagare una lap dance con la carta di credito?» strillò Roger a Amber.

«No, solo contanti» strillò in risposta la ragazza, allontanandosi.

«Che carte di credito hai?» chiese Aggie.

«Di ogni tipo» rispose Roger, il pezzo grosso.

Calvin, il grembo ancora in fiamme, osservava la sua amata Amber fare lo slalom tra la ressa. Pure Aggie guardava le ragazze, ma teneva d'occhio anche l'ora. Non aveva idea di quanto tempo ci volesse per dare mezzo litro di sangue. La mezzanotte si stava avvicinando. E anche se cercava di evitarlo, non poteva fare a meno di pensare alla sua ragazza e al casino che avrebbe scatenato, se in qualche modo fosse venuta a sapere di quella piccola deviazione.

Roger stava partendo rapidamente. Le palpebre si erano abbassate e la testa ciondolava. «Bevete» disse agli altri due con la lingua impastata, cercando di ravvivare la compagnia. Ma le sue luci si stavano spegnendo. Tra una canzone e l'altra, Calvin chiacchierò con due tizi a un altro tavolo e nel corso di una breve conversazione venne a sapere che Tiffany, la leggendaria spogliarellista, il giovedì non lavorava.

Finite le birre, Aggie annunciò: «Io me ne vado. Venite con me?».

Roger non riusciva a stare in piedi, così Calvin e Aggie dovettero quasi trascinarlo via di peso dal tavolo. Mentre puntavano verso l'uscita, Amber passò accanto a loro e chiese a Calvin: «Mi lasci?».

Calvin annuì perché non riusciva a parlare.

«Torna più tardi» gli disse Amber, invitante. «Penso che tu sia molto carino.»

Uno dei buttafuori afferrò Roger e diede una mano

a trasportarlo fuori. «A che ora chiudete?» gli domandò Calvin.

«Alle tre» rispose l'uomo, che poi indicò Roger. «Lui però non riportatelo.»

«Senti, dov'è l'ospedale?» gli chiese Aggie.

«Quale?»

Aggie guardò Calvin e Calvin guardò Aggie e fu immediatamente evidente che nessuno dei due ne aveva la minima idea. Il buttafuori aspettò impaziente e poi disse: «Ci sono dieci ospedali in questa città. Quale cercate?».

«Uh, il più vicino» rispose Aggie.

«Allora è il Lutheran. Conoscete la città?»

«Certo.»

«Ci scommetto. Prendete la Lamar fino alla Parkway, poi la Parkway fino alla Poplar. L'ospedale è subito dopo l'East High School.»

«Grazie.»

Il buttafuori li liquidò con un cenno della mano e scomparve all'interno. Aggie e Calvin trascinarono Roger fino al pickup, lo buttarono dentro e poi vagarono per mezz'ora nella semiperiferia di Memphis alla vana ricerca del Lutheran Hospital. «Sei sicuro che sia l'ospedale giusto?» domandò Calvin più volte.

Aggie rispose in diversi modi: «Sì», «Certo», «Probabilmente», «Naturalmente».

In pieno centro Aggie si fermò lungo il marciapiede e svegliò un tassista che stava schiacciando un pisolino seduto al volante. «Non c'è nessun Lutheran Hospital» lo informò l'uomo. «Abbiamo un Baptist, un Methodist, un Catholic, un Central, un Mercy e qualche altro. Ma nessun Lutheran.»

«Lo so, ne avete dieci» disse Aggie.

«Sette, per l'esattezza. Tu di dove sei?»

«Mississippi. Senta, dov'è l'ospedale più vicino?»

«Il Mercy dista quattro isolati, in Union Avenue.»

«Grazie.»

Trovarono il Mercy Hospital e lasciarono Roger, comatoso, sul pickup. Il Mercy era l'ospedale pubblico della città, principale destinazione delle vittime di crimini notturni, abusi domestici, sparatorie con la polizia, scontri fra gang, overdose e incidenti stradali dovuti all'alcol. La maggior parte di dette vittime era nera. Ambulanze e auto della polizia sciamavano intorno all'ingresso del pronto soccorso. Branchi di parenti frenetici vagavano smarriti lungo i tetri corridoi alla ricerca delle rispettive vittime. Urla e grida echeggiavano ovunque mentre Aggie e Calvin percorrevano chilometri cercando il banco delle informazioni. Alla fine lo trovarono, rannicchiato in un angolo come se fosse stato nascosto intenzionalmente. A presidiare il banco c'era una ragazza messicana che leggeva una rivista, masticando chewing-gum.

«Prendete anche bianchi, qui da voi?» le domandò cortesemente Aggie.

L'impiegata reagì con freddezza: «Chi cercate?».

«Siamo venuti per dare il sangue.»

«Il servizio trasfusioni è in fondo al corridoio» disse la ragazza, indicando con il dito.

«Sono aperti?»

«Ne dubito. Per chi volete donare il sangue?»

«Uh… Bailey» rispose Aggie, guardando inespressivo Calvin.

«Nome di battesimo?» L'impiegata cominciò a picchiettare sulla tastiera, studiando il monitor.

I due ragazzi si guardarono, aggrottando la fronte. «Io pensavo che Bailey fosse il nome di battesimo» disse Calvin.

«Io pensavo che fosse il cognome. Lo chiamavano tutti Buck, no?»

«Certo, ma sua mamma di cognome fa Caldwell.»

«Ma quante volte si è sposata?»

La ragazza seguiva il dialogo a bocca aperta. Aggie si voltò verso di lei e le chiese: «Ha qualcuno che si chiama Bailey di cognome?».

L'impiegata digitò, aspettò e poi rispose: «Un certo Jerome Bailey, anni quarantotto, nero, ferita d'arma da fuoco».

«Nessun altro?»

«No.»

«Nessuno che si chiami Bailey di nome?»

«Non registriamo i pazienti per nome di battesimo.»

«Perché no?»

La sparatoria era uno scontro fra gang cominciato un'ora prima in un complesso di case popolari nella zona nord di Memphis. Per una qualche ragione, la battaglia era ripresa nel parcheggio del Mercy Hospital. Roger, morto per il mondo, venne strappato di colpo dal suo blackout da una serie di spari, molto vicini. Il cervello impiegò un paio di secondi per reagire, ma subito dopo Roger si rese conto che, di nuovo, c'era qualcuno che gli stava sparando. Sollevò la testa e, tenendosi basso, sbirciò fuori dal finestrino del passeggero. Rimase colpito dal fatto che non aveva la minima idea di dov'era. C'erano file di vetture parcheggiate intorno a lui, un alto autosilo non molto lontano, edifici dappertutto e, in lontananza, luci rosse e blu lampeggianti.

Altri spari, e Roger si abbassò di nuovo, perse l'equilibrio e si ritrovò sul pavimento del pickup, dove cominciò a tastare freneticamente sotto il sedile in cerca di un'arma di qualsiasi tipo. Aggie, come ogni altro ragazzo di Ford County, non sarebbe mai andato da nessuna parte senza protezione e Roger sapeva che doveva esserci una pistola. La trovò sotto il posto di guida, un'automatica Husk nove millimetri con un caricatore da dodici colpi. Carica. Roger l'afferrò, l'accarezzò, baciò la canna e poi abbassò in fretta il finestrino del passeggero. Sentì voci rabbiose e poi vide quella che quasi certamente era un'auto carica di gangster avanzare lenta e sospettosa nel parcheggio.

Roger fece fuoco due volte, non colpì niente, ma riuscì a cambiare la strategia della sparatoria fra gang. Il Dodge di Aggie venne immediatamente spruzzato di pallottole, esplose da un fucile da assalto. Il lunotto posteriore eruttò frammenti di vetro in tutto l'abitacolo e tra i lunghi capelli di Roger, che si buttò sul pavimento e cominciò ad arrancare verso la salvezza. Scivolò all'esterno dalla portiera del conducente e, tenendosi basso, prese a zigzagare tra le file di auto in sosta. Dietro di lui, ancora voci rabbiose, poi un altro sparo. Roger non si fermò, le cosce e le caviglie che ormai urlavano di dolore per la posizione acquattata, con la testa all'altezza degli pneumatici. Prese male le distanze tra due auto e andò a sbattere la testa contro il paraurti anteriore di una vecchia Cadillac. Rimase seduto per un momento sull'asfalto, ascoltando, ansimando, sudando e imprecando, ma senza perdere sangue. Lentamente, rialzò la testa, vide che nessuno lo stava inseguendo, ma decise di non correre rischi. Riprese ad avanzare fra le vetture parcheggiate finché raggiunse una strada. Stava arrivando un'auto, così si cacciò la pistola in una tasca dei pantaloni.

Era evidente, perfino a Roger, che quella parte della città era zona di guerra. Le finestre erano protette da grosse sbarre. Le recinzioni erano sormontate da filo spinato tagliente. I vicoli erano bui e minacciosi e Roger, in un momento di lucidità, si chiese: "Cosa accidenti ci faccio qui?". Solo la pistola gli impediva di piombare nel panico totale. Camminando sul marciapiede, rifletté sulla strategia da adottare e decise che la cosa migliore da fare era tornare al pickup e aspettare i suoi amici. Gli spari erano cessati: forse la polizia era arrivata sulla scena, che adesso era in sicurezza. Sentì delle voci dietro di sé, sul marciapiede, e un'occhiata veloce gli rivelò un gruppetto di ragazzi neri che, sul suo stesso lato della strada, stavano guadagnando terreno. Roger accelerò il passo. Un sasso atterrò vicino a lui e rimbalzò per alcuni metri. Alle sue spalle, i ragazzi neri lanciavano urla. Roger estrasse la pistola dalla tasca, mise il dito sul grilletto e prese a camminare ancora più in fretta. C'erano delle luci più avanti e, quando svoltò l'angolo, si ritrovò nel piccolo parcheggio di un drugstore aperto tutta la notte.

C'era un'auto parcheggiata davanti al negozio e, accanto all'auto, un uomo e una donna bianchi che litigavano strillando. Mentre Roger entrava in scena, l'uomo sferrò un gancio destro e colpì la donna in faccia. Il suono della carne pestata fu nauseante. Roger si fermò di colpo, mentre la mente intontita cominciava a registrare la scena che aveva davanti.

La donna comunque aveva incassato bene il colpo e contrattaccò con una combinazione incredibile. Sferrò un destro che spaccò le labbra dell'avversario e poi colpì basso, con un potente uppercut sinistro che gli distrusse i testicoli. L'uomo strillò come un animale avvolto dalle fiamme e crollò a terra in un mucchietto. Roger si avvicinò di un passo. La donna lo guardò, guardò la pistola e poi vide la gang che stava arrivando dalla strada buia. Se nel raggio di quattro isolati c'era un'altra persona bianca sana di mente, doveva essere chiusa in casa.

«Sei nei guai?» domandò la donna.

«Credo di sì. E tu?»

«Ho avuto momenti più tranquilli. Hai la patente?»

«Certo» rispose Roger, che fu quasi sul punto di tirar fuori il portafoglio.

«Allora andiamo.» Salì in auto e Roger si mise al volante. Stridio di pneumatici e, nel giro di pochi istanti, l'auto sfrecciava lungo Poplar Avenue in direzione ovest.

«Chi era quel tizio?» domandò Roger, spostando continuamente lo sguardo dalla strada allo specchietto retrovisore.

«Il mio spacciatore.»

«Il tuo spacciatore!»

«Già.»

«Lo lasciamo là così?»

«Perché non metti giù quella pistola?» chiese la donna. Roger si guardò la mano sinistra e si rese conto che stava ancora impugnando l'arma. La posò sul sedile, tra sé e la ragazza, che l'afferrò immediatamente, gliela puntò contro e ordinò: «Sta' zitto e guida».

La polizia se n'era già andata, quando Aggie e Calvin tornarono al pickup. Guardarono a bocca aperta i danni e poi imprecarono a profusione non appena si resero conto che Roger era sparito. «Si è preso la mia Husk» annunciò Aggie, dopo aver cercato sotto il sedile.

«Stupido figlio di puttana» continuava a dire Calvin. «Spero che sia morto.»

Ripulirono il sedile dai frammenti di vetro e si allontanarono immediatamente, ansiosi di lasciare il centro di Memphis. Ci fu una rapida consultazione su un'eventuale ricerca di Roger, ma tutti e due non ne potevano più di lui. La ragazza messicana al banco delle informazioni aveva fornito le indicazioni per raggiungere il Central Hospital, il posto più probabile dove trovare Bailey.

L'impiegata del Central spiegò che di notte il centro trasfusionale era chiuso, che avrebbe riaperto alle otto di mattina e che comunque seguiva una rigida politica di rifiuto delle donazioni da parte di soggetti palesemente intossicati. L'ospedale al momento non aveva un paziente che si chiamasse Bailey, di nome o di cognome. Mentre la donna li stava congedando, una guardia di sicurezza in uniforme si materializzò dal nulla e chiese ai due ragazzi di andarsene. Aggie e Calvin collaborarono e la guardia li scortò fino all'ingresso. Dopo avere augurato la buonanotte, Calvin domandò: «Senta, lei ha idea di dove potremmo andare a vendere mezzo litro di sangue?».

«C'è una banca del sangue sulla Watkins, non molto lontano da qui.»

«Pensa che sia aperta?»

«Sì, resta aperta tutta la notte.»

«Come ci si arriva?» chiese Aggie

La guardia diede le indicazioni e poi aggiunse: «Però state attenti: è là che vanno tutti i tossici quando hanno bisogno di soldi. Brutto posto».

La banca del sangue fu l'unica destinazione che Aggie trovò al primo tentativo e, quando il pickup si fermò, tutti e due speravano che fosse chiusa. Non lo era. La sala d'attesa era una stanzetta squallida, con una fila di sedie di plastica e riviste sparse ovunque. Rannicchiato in posizione fetale in un angolo, sul pavimento sotto un tavolino, c'era un tossico che stava chiaramente morendo. Alla scrivania sedeva un tipo dalla faccia triste in tenuta ospedaliera che li accolse con un brusco: «Cosa volete?».

Aggie si schiarì la gola, lanciò un'altra occhiata al tossico nell'angolo e riuscì a chiedere: «Comprate sangue qui dentro?».

«Lo paghiamo e lo accettiamo anche gratis.»

«Quanto?»

«Cinquanta dollari per mezzo litro.»

Per Calvin, che in tasca aveva sei dollari e venticinque centesimi, quella somma significava l'ingresso al Desperado, tre birre annacquate e un'altra memorabile lap dance con Amber. Per Aggie, che possedeva diciotto dollari e nessuna carta di credito, la transazione avrebbe significato un'altra visita veloce allo strip club e abbastanza benzina per tornare a casa. Tutti e due avevano dimenticato il povero Bailey.

A entrambi fu consegnato un portablocco. Mentre

compilavano il modulo, l'impiegato domandò: «Che tipo di sangue?».

La domanda produsse due facce inespressive.

«Che tipo di sangue?» ripeté l'uomo.

«Rosso» rispose Aggie, e Calvin rise fragorosamente. L'uomo non accennò neppure un sorriso.

«Voi ragazzi avete bevuto?» domandò.

«Ci siamo fatti qualche birra» ammise Aggie.

«Però non vi addebiteremo un sovrapprezzo per l'alcol» aggiunse subito Calvin, e tutti e due ruggirono una risata.

«Che misura di ago volete?» chiese l'uomo. Il buonumore svanì di colpo.

Calvin e Aggie giurarono per iscritto di non essere affetti da allergie o malattie. «Chi è il primo?»

Nessuno dei due si mosse. «Mr Agnor» disse l'uomo. «Mi segua.» Aggie lo seguì. Varcarono una porta ed entrarono in una vasta stanza quadrata, con due letti sulla destra e tre a sinistra. Distesa sul primo letto a destra, c'era una pettoruta donna bianca in tuta da ginnastica e scarponcini da trekking. Dal suo braccio sinistro partiva un tubicino che scendeva fino a un sacchetto di plastica trasparente, pieno per metà di liquido rosso scuro. Aggie guardò il tubo, la sacca, il braccio e poi si rese conto che c'era un ago piantato nella carne della donna. Svenne, cadde di testa e atterrò con un tonfo sul pavimento di piastrelle.

Calvin, seduto su una sedia di plastica vicino all'ingresso, sfogliava nervosamente una rivista, con un occhio sul tossico moribondo. Sentì un tonfo rumoroso, ma non ci badò.

Acqua fredda e ammoniaca fecero riprendere i sensi a Aggie, che alla fine riuscì ad arrancare fino a uno dei letti. Una minuscola asiatica con la bocca coperta da una mascherina di garza bianca cominciò a spiegargli con un accento marcato che sarebbe stato benissimo e che non c'era proprio niente di cui preoccuparsi. «Tenga gli occhi chiusi» gli raccomandò più volte.

«Non ho bisogno di cinquanta dollari» le disse Aggie, con la testa che gli girava. La donna non capì e gli posò accanto un vassoio pieno di attrezzi strani. Aggie diede un'occhiata e si sentì svenire di nuovo.

«Chiuda gli occhi, per favore» ripeté la donna, mentre disinfettava il braccio sinistro con l'alcol. A Aggie quell'odore fece venire la nausea.

«Potete tenervi i soldi» disse. La donna afferrò una larga benda nera, gliela piazzò sulla faccia e d'improvviso il mondo di Aggie si fece completamente buio.

Quando l'impiegato tornò nella sala d'attesa, Calvin balzò in piedi. «Mi segua» gli disse l'uomo, e Calvin ubbidì. Entrò nella stanza quadrata, vide la donna con gli scarponcini da una parte, Aggie con una strana maschera dall'altra e collassò anche lui, afflosciandosi quasi nello stesso punto dove qualche minuto prima era crollato il suo amico.

«Chi sono questi due idioti?» chiese la donna con gli scarponcini.

«Mississippi» spiegò l'inserviente, che cominciò pazientemente a lavorare su Calvin perché si riprendesse. Acqua fredda e ammoniaca si dimostrarono di nuovo efficaci. Aggie sentì tutto da dietro il suo sudario.

Due mezzi litri vennero finalmente estratti e cento dollari cambiarono di mano. Alle due e dieci minuti, il Dodge con tutte le sue ferite di guerra si fermò nel parcheggio del Desperado e i due giovani eroi si presentarono in tempo per l'ultima ora di festeggiamenti. Con meno sangue in circolo, ma più testosterone, pagarono l'ingresso e cercarono subito il buttafuori bugiardo che li aveva spediti a caccia del Lutheran Hospital. Non c'era. All'interno il pubblico era diminuito e le ragazze erano esauste. Una stripper un po' in età faceva stancamente il suo numero sul palcoscenico.

Aggie e Calvin vennero guidati a un tavolo vicino a quello della prima volta e, come previsto, dopo pochi secondi comparve Amber. «Cosa vi porto, ragazzi? Minimo tre drink.»

«Siamo tornati» la informò Calvin con orgoglio.

«Stupendo. Cosa prendete?»

«Birra.»

«Arrivo subito» disse la ragazza, e svanì.

«Non credo che si ricordi di noi» disse Calvin, ferito.

«Mollale venti dollari e vedrai che si ricorda subito di te» disse Aggie. «Non avrai intenzione di buttare soldi in una lap dance, vero?»

«Forse.»

«Sei stupido come Roger.»

«Nessuno è così stupido. Chissà dov'è.»

«Sta galleggiando lungo il fiume con la gola tagliata.»

«Cosa dirà suo papà?»

«Dovrebbe dire: "Quel ragazzo è sempre stato uno stupido". Come accidenti faccio a sapere cosa dirà? A te interessa davvero?»

Sull'altro lato della sala c'erano alcuni manager vestiti di scuro, ormai sbronzi. Uno di loro passò un braccio intorno alla vita di una cameriera, che si scostò immediatamente. Arrivò subito un buttafuori, che puntò un dito contro il cliente e gli disse con durezza: «Non si toccano le ragazze!». I vestiti scuri scoppiarono a ridere. Era tutto molto divertente.

Quando Amber arrivò con i sei bicchieri di birra, Calvin ebbe l'impressione di non riuscire a chiederle abbastanza in fretta: «Cosa ne dici di una lap dance?».

La ragazza aggrottò la fronte e poi rispose: «Magari più tardi. Sono parecchio stanca». E scomparve.

«Sta cercando di farti risparmiare i soldi» disse Aggie. Calvin era devastato. Per ore aveva rivissuto il breve momento in cui Amber si era messa a cavalcioni sul suo enorme grembo e si era agitata felice a tempo di musica. Gli sembrava ancora di sentirla, di toccarla, addirittura di annusare il suo profumo da quattro soldi.

Sul palcoscenico si presentò una ragazza piuttosto grossa e flaccida che cominciò a ballare, molto male. Ben presto rimase nuda, ma richiamò scarsa attenzione. «Deve essere il turno di notte» commentò Aggie. Calvin non lo sentì. Seguiva con lo sguardo Amber che zigzagava nel club. In effetti la ragazza si muoveva più lenta. Era quasi ora di andare a casa.

Con grande sgomento di Calvin, uno dei manager riuscì a convincere Amber a fargli una lap dance. La ragazza ritrovò l'entusiasmo e si diede subito da fare, mentre gli amici dell'uomo facevano ogni tipo di commento. Amber era circondata da ubriachi su di giri. E quello sul quale stava ballando evidentemente perse il controllo. Contro la politica del club, e anche in violazione di un'ordinanza municipale di Memphis, allungò entrambe le mani e le afferrò i seni. Fu un errore enorme.

In una frazione di secondo, accaddero molte cose contemporaneamente. Ci fu il lampo di un flash, qualcuno gridò: «Buoncostume, lei è in arresto!». E mentre avveniva tutto questo, Amber saltò giù dal cliente e strillò qualcosa a proposito delle sue sudice mani. I buttafuori, che stavano già tenendo attentamente d'occhio i manager, arrivarono al tavolo in un attimo. Due poliziotti in borghese si avvicinarono di corsa. Uno impugnava una macchina fotografica e l'altro continuava a urlare: «Buoncostume, buoncostume!».

Qualcuno gridò: «Sbirri!». Ci furono spinte e urti e un mucchio di bestemmie. La musica si interruppe di colpo. La folla arretrò. La situazione rimase sotto controllo per i primi secondi, ma poi Amber inciampò in una sedia e cadde a terra. Questo fece sì che lanciasse un alto, affettato lamento, molto drammatico, e fece anche sì che Calvin si gettasse nella mischia e sferrasse il primo pugno. Lo mollò al tizio che aveva palpeggiato la sua ragazza, colpendolo duro sulla bocca. In quel momento almeno undici maschi adulti, metà dei quali sbronzi, cominciarono a sferrare pugni in ogni direzione e contro qualsiasi bersaglio. Calvin venne colpito da un buttafuori e a quel punto anche Aggie si buttò nella mischia. I manager tiravano pugni a caso ai buttafuori, ai poliziotti e ai bifolchi. Qualcuno scagliò un bicchiere di birra, che attraversò in volo la sala e atterrò vicino al tavolo di alcuni motociclisti di mezza età che fino a quel momento si erano limitati a urlare incoraggiamenti a quelli che si picchiavano. Ma il bicchiere rotto li irritò. Si lanciarono alla carica. I due agenti in uniforme che, all'esterno del Desperado, stavano pazientemente aspettando di aiutare i colleghi della buoncostume a portare via le loro vittime, vennero allertati e si precipitarono all'interno. Si resero subito conto che la rissa era in pratica una rivolta e, d'istinto, impugnarono i manganelli e cominciarono a cercare qualche cranio da spaccare. Il primo fu quello di Aggie che, una volta a terra, venne pestato da un poliziotto finché non perse i sensi. Ci furono vetri infranti. Tavoli e sedie a buon mercato vennero fatti a pezzi. Due motociclisti afferrarono ognuno la gamba di una sedia rotta e partirono all'attacco dei buttafuori. La megarissa proseguì con alleanze che cambiavano rapidamente e corpi che crollavano a terra. I caduti continuarono ad aumentare finché poliziotti e buttafuori ebbero la meglio e riuscirono a domare i manager, i motociclisti, i ragazzi di Ford County e qualche altro che si era unito alla festa. C'era sangue dappertutto: sul pavimento, su giacche e camicie e, specialmente, su facce e braccia.

Arrivarono altri poliziotti, poi le ambulanze. Aggie era privo di sensi e continuava a perdere sangue. Le sue condizioni allarmarono i paramedici, che lo caricarono sulla prima ambulanza. Venne portato al Mercy Hospital. Anche uno dei manager aveva ricevuto diversi colpi di manganello e pure lui era privo di conoscenza. Venne caricato sulla seconda ambulanza. Calvin, invece, venne ammanettato e assicurato sul retro di un'auto della polizia, dove venne raggiunto da un arrabbiato signore in abito grigio e camicia bianca inzuppata di sangue.

L'occhio destro di Calvin era così gonfio da essere chiuso, ma il sinistro colse una rapida visione del pickup Dodge di Aggie, abbandonato nel parcheggio.

Cinque ore più tardi, da un telefono a pagamento nel carcere di Shelby County, Calvin ebbe finalmente il permesso di chiamare sua madre a Box Hill, telefonata a carico del destinatario. Senza entrare nei particolari, la informò che al momento era in prigione, che era accusato di aggressione aggravata a pubblico ufficiale, cosa che secondo i suoi compagni di cella comportava fino a dieci anni di carcere, e infine che Aggie era ricoverato al Mercy Hospital con il cranio spaccato. Non aveva idea di dove fosse Roger. Non ci fu alcun accenno a Bailey.

La notizia si diffuse rapidamente in tutta la comunità e, nel giro di un'ora, un'auto carica di amici e parenti puntava in direzione di Memphis per valutare di persona i danni. Vennero informati che Aggie era sopravvissuto all'operazione per la rimozione di un grumo di sangue dal cervello e che anche lui era accusato di aggressione aggravata a pubblico ufficiale. Un medico spiegò alla famiglia che sarebbe rimasto in ospedale per almeno una settimana. La famiglia non aveva assicurazione. Il pickup era stato sequestrato dalla polizia e le procedure richieste per recuperarlo sembrarono subito impenetrabili.

I parenti di Calvin vennero informati che la cauzione ammontava a cinquantamila dollari, una somma irrealistica anche solo da prendere in considerazione. Calvin sarebbe stato rappresentato da un difensore d'ufficio, a meno che non fossero riusciti a mettere insieme abbastanza denaro da assumere un avvocato di Memphis. Nel tardo pomeriggio di venerdì, uno zio ottenne finalmente l'autorizzazione a parlare con il ragazzo nella sala visite del carcere. Calvin indossava una tuta arancione, calzava ciabatte di gomma arancione e aveva un aspetto orribile. La faccia era gonfia e piena di lividi, l'occhio destro ancora chiuso. Era spaventato e depresso e fornì pochi dettagli.

Ancora nessuna notizia di Roger.

Dopo due giorni in ospedale, i progressi di Bailey erano notevoli. La gamba destra era fratturata, non polverizzata, e le altre ferite erano solo tagli, ammaccature e un torace molto dolorante. Il suo datore di lavoro diede disposizioni per un'ambulanza e sabato a mezzogiorno Bailey lasciò il Methodist Hospital e venne trasportato direttamente a casa di sua madre a Box Hill, dove venne accolto come un prigioniero di guerra. Passarono ore prima che gli venissero raccontati gli sforzi compiuti dai suoi amici per donargli il loro sangue.

Otto giorni dopo, Aggie tornò a casa per la convalescenza. Il suo medico prevedeva un totale recupero, ma ci sarebbe voluto tempo. L'avvocato era riuscito a far derubricare l'accusa in aggressione semplice. Alla luce dei danni inflitti dai poliziotti, era sembrato giusto concedere qualcosa al ragazzo. La sua fidanzata passò a trovarlo, ma solo per mettere fine alla loro storia. La leggenda della gita e della rissa nello strip club di Memphis avrebbe perseguitato entrambi per sempre, e lei non voleva saperne. Inoltre giravano voci attendibili secondo le quali Aggie poteva aver riportato un qualche danno cerebrale e lei, in ogni caso, aveva già messo gli occhi su un altro ragazzo.

Tre mesi più tardi anche Calvin tornò a Ford County. Il suo avvocato aveva patteggiato per ridurre l'aggressione da aggravata a semplice, ma il patteggiamento aveva comportato comunque tre mesi nella fattoria penale di Shelby County. A Calvin l'accordo non era piaciuto, ma la prospettiva di essere processato in un tribunale di Memphis e di trovarsi di fronte la polizia di Memphis l'aveva attratto ancora meno. Se l'avessero giudicato colpevole, avrebbe passato anni in galera.

Nei giorni seguenti il disastro, con sorpresa di tutti, il corpo insanguinato di Roger Tucker non venne trovato in un qualche vicolo buio di Memphis. Anzi, Roger non venne trovato per niente; non che qualcuno lo cercasse attivamente. Un mese dopo il viaggio, chiamò suo padre da un telefono pubblico di Denver. Disse che stava girando il paese in autostop da solo e che si stava divertendo moltissimo. Due mesi più tardi venne arrestato per taccheggio a Spokane e scontò sessanta giorni nel carcere della città.

Passò quasi un anno prima che Roger tornasse a casa.

COMPORTATI DA UOMO

Mr McBride aveva il suo laboratorio nella vecchia fabbrica del ghiaccio in Lee Street, a qualche isolato dalla piazza nel centro di Clanton. Per trasportare avanti e indietro divani e poltrone, si serviva di un furgone Ford bianco con la scritta TAPPEZZERIA MCBRIDE in grossi caratteri neri, sotto la quale comparivano il numero di telefono e l'indirizzo. Il furgone era sempre pulito, non andava mai di fretta ed era una vista abituale a Clanton, dove Mr McBride era abbastanza conosciuto, dato che era l'unico tappezziere della città. Prestava raramente il suo furgone, anche se le richieste erano più frequenti di quanto gli facesse piacere. La sua risposta standard era un educato: «No, ho delle consegne da fare».

Però aveva detto di sì a Leon Graney, e lo aveva fatto per due ragioni. Prima di tutto le circostanze che motivavano la richiesta erano estremamente insolite e, in secondo luogo, il capo di Leon alla fabbrica di lampadari era terzo cugino di Mr McBride. Visto che in una piccola città i rapporti di parentela sono quello che sono, Leon Graney si presentò come concordato al negozio del tappezziere alle quattro in punto di un caldo mercoledì pomeriggio di fine luglio.

Quasi tutti a Ford County stavano ascoltando la radio ed era noto che le cose non andavano molto bene per la famiglia Graney.

Mr McBride accompagnò Leon al furgone, gli diede le chiavi e gli disse: «Stacci attento».

Leon prese le chiavi e rispose: «Le sono molto grato».

«Ho fatto il pieno. Dovrebbe essercene più che abbastanza per andare e tornare.»

«Quanto le devo?»

Mr McBride scosse la testa e sputò sulla ghiaia, accanto al furgone.

«Niente. Offro io. Basta che me lo riporti con il serbatoio pieno.»

«Mi sentirei più a mio agio, se potessi pagare qualcosa» protestò Graney.

«No.»

«Be', allora grazie.»

«Lo rivoglio per domani a mezzogiorno.»

«Ci sarò. Le dispiace se lascio qui il mio pickup?» Leon indicò un vecchio pickup giapponese, incuneato fra due auto nel parcheggio.

«Nessun problema.»

Graney aprì la portiera e salì sul furgone. Avviò il motore, poi regolò il sedile e gli specchietti. Mr McBride si avvicinò al finestrino, si accese una sigaretta senza filtro e guardò Leon. «Sai, ci sono persone alle quali questa storia non piace proprio.»

«Grazie, ma alla maggior parte della gente di qui non importa un accidente» ribatté Leon. Era preoccupato e non aveva voglia di chiacchierare.

«Per conto mio, sono convinto che sia sbagliato.»

«Grazie. Sarò di ritorno prima di mezzogiorno» disse Leon sottovoce, poi fece marcia indietro e scomparve lungo la strada. Si sistemò sul sedile, provò i freni, accelerò gradualmente per verificare la potenza del motore. Venti minuti dopo era già lontano da Clanton e si inoltrava fra le colline della parte settentrionale di Ford

County. Superato il villaggio di Pleasant Ridge, la strada diventò ghiaiosa e le case si fecero più piccole e più distanziate. Leon imboccò un corto vialetto d'accesso e si fermò davanti a una casa a forma di scatola, con erbacce che crescevano di fianco alle porte e un tetto con tegole d'asfalto che aveva bisogno di riparazioni. Era la casa dei Graney, il luogo dove Leon era cresciuto insieme ai suoi fratelli, l'unica costante nelle loro vite tristi e caotiche. Un'improvvisata rampa in compensato multistrato saliva fino alla porta laterale in modo che la madre, Inez Graney, potesse entrare e uscire di casa sulla sua sedia a rotelle.

Quando Leon spense il motore, la porta laterale era già aperta e Inez stava per scendere lungo la rampa. Alle sue spalle c'era la mole massiccia del figlio di mezzo, Butch, che viveva ancora con lei perché non aveva mai vissuto da nessun'altra parte, almeno non nel mondo libero. Sedici dei suoi quarantasei anni erano trascorsi dietro le sbarre e Butch in effetti aveva la faccia giusta per la parte del criminale professionista: lunga coda di cavallo, borchie alle orecchie, ogni tipo di pelo facciale, bicipiti massicci e una collezione di brutti tatuaggi che gli aveva fatto un artista carcerario in cambio di sigarette. Nonostante il suo passato, Butch maneggiava la madre e la sedia a rotelle con grande attenzione e tenerezza, parlandole sottovoce mentre scendevano la rampa.

Leon guardò e aspettò, poi si spostò sul retro del furgone e ne aprì i due sportelli. Insieme a Butch sollevò con cura la madre, che venne sistemata a bordo. Butch poi la spinse avanti, fino al pannello centrale che separava i due sedili anteriori fissati al pavimento. Leon infine bloccò la sedia a rotelle con delle corde elastiche da imballo che qualcuno della tappezzeria McBride aveva lasciato sul furgone. Quando Inez fu ben assicurata, i suoi ragazzi presero posto davanti e il viaggio ebbe inizio. Dopo pochi minuti erano di nuovo sulla strada asfaltata, pronti per una lunga notte.

Inez, che aveva settantadue anni, era madre di tre figli e nonna di almeno quattro nipoti, una donna sola e malata che non ricordava l'ultima volta in cui aveva avuto un po' di fortuna. Anche se si considerava single da una vita, non era, almeno per quanto ne sapeva, divorziata ufficialmente dalla miserabile creatura che l'aveva pressoché violentata a diciassette anni e sposata a diciotto, aveva generato i tre ragazzi e poi, grazie a Dio, era scomparsa dalla faccia della terra. Quando ogni tanto le capitava di pregare, Inez non mancava mai di buttare dentro anche l'ardente richiesta che Ernie restasse lontano da lei, che rimanesse ovunque la sua miserabile vita l'aveva portato. Sempre che la sua vita non fosse già finita in qualche modo molto doloroso, il che era in effetti ciò che Inez sognava, ma non si azzardava a chiedere al Signore. Era a Ernie che attribuiva la colpa di tutto: la sua cattiva salute e la povertà, il basso status sociale, l'isolamento, la mancanza di amici, perfino il generale disprezzo nei confronti della famiglia. Ma l'accusa più grave che Inez muoveva a Ernie riguardava il trattamento che quell'uomo aveva riservato ai tre figli. Abbandonarli era stato di gran lunga un gesto più tenero che picchiarli di continuo.

Arrivati sulla highway, tutti e tre ormai avevano bisogno di una sigaretta. «Pensate che a McBride dispiaccia, se fumiamo?» domandò Butch. A una media di tre pacchetti al giorno, aveva già la mano in tasca.

«Qualcuno di sicuro ha fumato qui dentro» disse Inez. «Questo furgone puzza come una cava di catrame. Leon, è accesa l'aria condizionata?»

«Sì, ma non si sente, se teniamo i finestrini aperti.»

Con scarse preoccupazioni per le preferenze di Mr McBride riguardanti il fumo a bordo del suo furgone, ben presto tutti e tre stavano fumando, con i vetri dei finestrini abbassati e il vento caldo che soffiava all'interno turbinando. Una volta entrato, il vento non aveva via d'uscita, nessun altro finestrino, nessuna ventola, niente che gli permettesse di uscire, per cui tornava vorticando davanti e avvolgeva i tre Graney, che fumavano assorti fissando di fronte a sé, apparentemente dimentichi di tutto mentre il furgone avanzava lungo la strada della contea. Butch e Leon gettavano la cenere fuori dai finestrini. Inez la faceva educatamente cadere nella mano sinistra a coppa.

«Quanto ha voluto Mr McBride?» domandò Butch dal sedile del passeggero.

Leon scosse la testa. «Niente. Ha addirittura fatto il pieno. Ha detto che non è d'accordo su questa cosa. Ha detto che non piace a un mucchio di gente.»

«Non sono sicuro di crederci.»

«Io non ci credo.»

Finite le tre sigarette, Leon e Butch chiusero i finestrini e armeggiarono con l'aria condizionata e le ventole, che cominciarono a sparare aria bollente. Passarono parecchi minuti prima che il caldo diminuisse. Tutti e tre stavano sudando.

«Stai bene lì dietro?» domandò Leon, guardando al di sopra della spalla e sorridendo a sua madre.

«Sto bene, grazie. Funziona l'aria condizionata?»

«Sì, sta già diventando più fresco.»

«Io non sento niente.»

«Vuoi fermarti a bere qualcosa?»

«No. Andiamo avanti.»

«A me andrebbe una birra» dichiarò Butch e, come se l'annuncio fosse stato previsto, Leon scosse immediatamente la testa e Inez reagì con un enfatico: «No».

«Oggi non si beve» aggiunse, e l'argomento fu chiuso. Quando anni prima Ernie aveva abbandonato la famiglia, con sé aveva preso soltanto il fucile, qualche indumento e tutti i liquori della sua scorta privata. Era stato un ubriacone violento e i suoi ragazzi ne portavano ancora le cicatrici, fisiche ed emotive. Leon, il maggiore, aveva vissuto la brutalità del padre più dei fratelli minori e fin da bambino aveva identificato l'alcol con gli orrori di un padre manesco. Non aveva mai bevuto un drink in vita sua, anche se con il tempo aveva scoperto altri vizi. Butch, invece, aveva cominciato a bere parecchio fin da ragazzino, anche se non aveva mai avuto la tentazione di introdurre alcolici di nascosto a casa di sua madre. Raymond, il più giovane, aveva deciso di seguire l'esempio di Butch, piuttosto che quello di Leon.

Per evitare quell'argomento sgradevole, Leon domandò alla madre notizie di una sua amica che viveva poco lontano, una vecchia zitella che stava morendo di cancro ormai da anni. Inez si ringalluzziva sempre quando poteva parlare delle malattie e delle cure dei vicini di casa, e anche delle proprie. L'aria condizionata ebbe finalmente la meglio e la pesante umidità all'interno del furgone cominciò a diminuire. Non appena smise di sudare, Butch infilò una mano in tasca, pescò una sigaretta, se l'accese e poi abbassò di poco il finestrino. La temperatura salì immediatamente. Poco dopo stavano fumando tutti e tre e i vetri dei finestrini si abbassarono sempre di più, finché l'aria fu di nuovo satura di calore e nicotina.

Finite le sigarette, Inez disse a Leon: «Raymond mi ha telefonato un paio d'ore fa».

Non era una sorpresa. Erano giorni ormai che Raymond telefonava, a carico del destinatario, e non solo a sua madre. Ultimamente il telefono di Leon squillava così spesso che sua moglie (la terza) si rifiutava di rispondere. Anche altri in città declinavano l'addebito della chiamata.

«Cos'ha detto?» domandò Leon, ma solo perché doveva rispondere alla madre. Sapeva esattamente cosa aveva detto Raymond, magari non parola per parola, ma di sicuro in generale.

«Ha detto che le cose si stanno mettendo davvero bene, ha detto che probabilmente dovrà licenziare la squadra di avvocati che ha adesso per assumerne un'altra. Lo sai anche tu com'è Raymond: è lui che dice agli avvocati cosa devono fare e loro devono scattare per stare al passo.»

Senza muovere la testa, Butch lanciò un'occhiata a Leon, che gli restituì lo sguardo. Non dissero nulla perché le parole non erano necessarie.

«Ha detto che questa nuova squadra di legali lavora in uno studio di Chicago che ha mille avvocati. Ci pensate? Mille avvocati al lavoro per Raymond. E lui che gli dice cosa devono fare.»

Un'altra occhiata fra conducente e passeggero. Inez aveva la cataratta e la sua visione periferica era scarsa. Se avesse visto le occhiate che passavano tra i figli maggiori non ne sarebbe stata contenta.

«Raymond dice anche che hanno appena scoperto delle nuove prove che avrebbero dovuto essere presentate al processo, ma che la polizia e il procuratore avevano nascosto. E, grazie a queste nuove prove, Raymond è molto ottimista per quanto riguarda la possibilità di un nuovo processo a Clanton, anche se non è proprio sicuro di volerlo fare a Clanton, forse deciderà di spostarlo da un'altra parte. Sta pensando a un qualche tribunale nel Delta, perché nelle giurie del Delta ci sono più neri e lui dice che i neri sono sempre più comprensivi in casi come il suo. Tu cosa ne pensi, Leon?»

«Che di certo nel Delta ci sono più neri» rispose Leon. Butch grugnì e borbottò, ma le sue parole risultarono incomprensibili.

«Raymond dice che non si fida di nessuno a Ford County, specialmente della legge e dei giudici. Dio solo sa che non ci hanno mai dato un attimo di respiro.»

Sia Leon sia Butch annuirono in silenzio. Tutti e due erano stati stritolati dalla legge di Ford County. Butch molto più di Leon. E anche se nel corso di tutti i vari patteggiamenti si erano dichiarati colpevoli, erano sempre stati convinti di essere incriminati solo perché erano Graney.

«Però io non so se riuscirò a sopportare un altro processo» disse Inez, e le sue parole sfumarono nel silenzio.

Leon avrebbe voluto dirle che le possibilità di Raymond di ottenere un nuovo processo erano meno di zero e che Raymond andava blaterando di un nuovo processo da più di dieci anni ormai. Butch avrebbe voluto dirle più o meno le stesse cose, ma avrebbe voluto aggiungere anche che non ne poteva più delle stronzate di Raymond su avvocati e processi e nuove prove, e che era arrivato il momento che quel ragazzo la smettesse di dare la colpa a tutti gli altri e buttasse giù la sua medicina come un vero uomo.

Ma nessuno dei due disse una parola.

«Raymond dice che nessuno di voi due gli ha mandato il suo spillatico il mese scorso» riprese Inez. «È vero?»

Passarono otto chilometri prima che venisse pronunciata un'altra parola.

«Mi avete sentito?» insistette Inez. «Raymond dice che non gli avete mandato lo spillatico di giugno e adesso siamo già in luglio. Ve ne siete dimenticati?»

Fu Leon il primo a esplodere. «Dimenticati? E come facciamo a dimenticarcene? Raymond parla solo di quello. Ricevo una lettera tutti i giorni, certe volte anche due, non che io le legga tutte, e in ogni lettera parla dello spillatico. "Grazie dei soldi, fratello." "Non scordare i soldi, Leon." "Conto su di te, fratellone." "Mi servono i soldi per pagare gli avvocati, lo sai anche tu quanto possono chiedere quelle sanguisughe." "Questo mese non ho visto lo spillatico, fratello."»

«Ma cosa accidenti è lo spillatico?» sbottò Butch dal lato destro, la voce improvvisamente irritata.

«Tra le altre cose, un piccolo pagamento regolare o a scadenze fisse, secondo il Webster» rispose Leon.

«Sono solo soldi, giusto?»

«Giusto.»

«E allora perché non può dire qualcosa tipo: "Mandatemi la maledetta grana?" oppure "Dove sono i soldi?". Perché deve usare quelle parole strane?»

«Abbiamo già avuto questa conversazione mille volte» intervenne Inez.

«Be', sei stato tu a mandargli un dizionario» disse Leon al fratello.

«È successo almeno dieci anni fa. E mi aveva implorato di mandarglielo.»

«Be', ce l'ha ancora e continua a consumare le pagine per cercare parole che nessuno ha mai sentito prima.»

«Mi chiedo spesso se i suoi avvocati siano all'altezza del suo vocabolario» disse Butch.

«Voi due state cercando di cambiare argomento» intervenne di nuovo Inez. «Perché non gli avete mandato lo spillatico il mese scorso?»

‹Mi sembrava d'averlo fatto» disse Butch, senza convinzione.

«Non ci credo» protestò la madre.

«L'assegno è nella posta» disse Leon.

«Non credo neanche a questo. Avevamo concordato tutti e tre di mandargli cento dollari a testa ogni mese, dodici mesi all'anno. È il minimo che possiamo fare. Lo so che è difficile, specie per me che vivo con l'assegno dell'assistenza sociale e tutto il resto. Ma voi ragazzi avete un lavoro e il minimo che potete fare è spremere cento dollari per uno in modo che vostro fratello minore possa comprarsi del cibo decente e pagarsi gli avvocati.»

«Dobbiamo proprio parlarne di nuovo?» chiese Leon.

«Questa storia la sento tutti i giorni» disse Butch. «Se non da Raymond per telefono o per lettera, allora la sento dalla mamma.»

«È una lamentela?» fece Inez. «Hai qualche problema con la tua sistemazione abitativa? Vivi in casa mia gratis e hai il coraggio di lamentarti?»

«Dai, andiamo» intervenne Leon.

«E chi è che si prende cura di te?» ribatté Butch a sua difesa.

«Piantatela, tutti e due. Sempre la solita storia.»

Tutti e tre fecero un respiro profondo e tutti e tre cercarono le sigarette. Dopo una lunga, tranquilla fumata, si prepararono a un altro round. Inez diede il via con un gentile: «Per conto mio, io non salto mai un mese. E, se ricordate, non ho mai saltato un mese neppure quando voi due eravate rinchiusi a Parchman».

Leon grugnì, diede una manata al volante e reagì arrabbiato: «Mamma, è successo venticinque anni fa, perché devi riparlarne adesso? Non ho preso neppure una multa per eccesso di velocità da quando sono uscito in libertà vigilata». Butch, la cui vita criminale era stata molto più pittoresca di quella del fratello, e che era ancora in libertà vigilata, non disse nulla.

«Mai saltato un mese» ribadì Inez.

«Uffa.»

«E certe volte erano duecento dollari al mese, perché a un certo punto vi ho avuto in galera tutti e due, se ben ricordo. Per fortuna non ho mai avuto tutti e tre dietro le sbarre contemporaneamente. Non avrei potuto pagare la bolletta della luce.»

«Pensavo che quegli avvocati lavorassero gratis» disse Butch nel tentativo di distogliere l'attenzione da sé e magari indirizzarla verso un bersaglio al di fuori della famiglia.

«È così» confermò Leon. «Lo chiamano lavoro pro bono e si suppone che tutti gli avvocati ne facciano un po'. Per quello che ne so, i grossi studi legali che accettano casi come questo non si aspettano di essere pagati.»

«Allora cosa ci fa Raymond con trecento dollari al mese, se non deve pagare gli avvocati?»

«Abbiamo già avuto questa conversazione» gli fece osservare Inez.

«Sono sicuro che spende una fortuna in penne, carta, buste e francobolli» disse Leon. «Dice che scrive dieci lettere al giorno. Cavolo, sono più di cento dollari al mese solo per quello.»

«In più ha scritto otto romanzi» aggiunse subito Butch. «O sono nove, mamma? Non mi ricordo.»

«Nove.»

«Nove romanzi, parecchi volumi di poesie, un mucchio di racconti, centinaia di canzoni. Pensate solo a tutta la carta che adopera» disse Butch.

«Stai prendendo in giro Raymond?» chiese Inez.

«Mai nella vita.»

«Una volta ha venduto un racconto» sottolineò la madre.

«Come no. Come si chiamava la rivista? "Hot Rodder"? Gli hanno dato quaranta dollari per una storia su un uomo che aveva rubato mille coprimozzi. Dicono che si scrive quello che si sa.»

«Tu quanti racconti hai venduto?» ribatté Inez.

«Nessuno, perché non ne ho mai scritto uno. E la ragione per cui non ho mai scritto un racconto, è che mi rendo conto di non avere il talento necessario per scrivere. Se anche mio fratello minore si rendesse conto di non avere assolutamente alcun talento artistico di nessun tipo risparmierebbe un po' di soldi e non affliggerebbe centinaia di persone con le sue sciocchezze.»

«Quello che dici è molto crudele.»

«No, mamma, è molto sincero. E se tu fossi stata sincera con Raymond molto tempo fa forse avrebbe smesso di scrivere. Invece no. Tu hai letto i suoi libri, le sue poesie e i suoi racconti e gli hai detto che era roba meravigliosa. E così lui ha continuato a scrivere, con parole sempre più lunghe, frasi sempre più lunghe, paragrafi sempre più lunghi, fino ad arrivare al punto che adesso non riusciamo quasi a capire una sola, maledetta parola di quello che scrive.»

«Quindi è tutta colpa mia?»

«No, non al cento per cento.»

«Raymond scrive per terapia.»

«Sono stato dentro anch'io. Non capisco come scrivere possa aiutare.»

«Lui dice che aiuta.»

«Tutti quei libri sono scritti a mano o a macchina?» li interruppe Leon.

«A macchina» rispose Butch.

«E chi glieli batte a macchina?»

«Deve pagare un tizio in biblioteca» spiegò Inez. «Un dollaro a pagina, e uno di quei libri era più di ottocento pagine. Io comunque l'ho letto tutto, ogni parola.»

«E hai capito ogni parola?» le chiese Butch.

«Quasi. Un vocabolario aiuta. Gesù, non so dove le trova, tutte quelle parole.»

«E Raymond ha mandato i suoi libri su a New York per farseli pubblicare, giusto?» affondò Leon.

«Sì, e loro glieli hanno rispediti subito indietro» disse Inez. «Immagino che neppure loro siano riusciti a capire tutte le parole.»

«Io pensavo che quella gente di New York fosse in grado di capire quello che dice Raymond» osservò Leon.

«Nessuno è in grado di capire quello che dice» sentenziò Butch. «È questo il problema di Raymond il romanziere, Raymond il poeta, Raymond il prigioniero politico, Raymond l'autore di canzoni e Raymond l'avvocato. Nessuna persona sana di mente può avere la minima idea di quello che Raymond dice quando comincia a scrivere.»

«Allora, se ho capito bene» disse Leon «gran parte dei soldi di Raymond è stata spesa per finanziare la sua carriera letteraria. Carta, francobolli, battitura a macchina, fotocopie, spedizioni a New York e ritorno. È esatto, mamma?»

«Immagino di sì.»

«Ed è dubbio che lo spillatico sia stato effettivamente usato per pagare gli avvocati» disse Leon.

«Molto dubbio» concordò Butch. «E non dimentichiamo la sua carriera musicale. Spende un mucchio di soldi in corde per la chitarra e fogli da musica. Inoltre adesso consentono ai detenuti di affittare cassette audio. È così che Raymond è diventato un cantante blues. Ha ascoltato B.B. King e Muddy Waters e, a sentire lui, adesso intrattiene con concerti blues notturni i suoi compagni nel braccio della morte.»

«Oh, lo so. Me lo ha raccontato nelle sue lettere.»

«Ha sempre avuto una bella voce» dichiarò Inez.

«Io non l'ho mai sentito cantare» disse Leon.

«Io neppure» aggiunse Butch.

Erano sulla circonvallazione di Oxford, a due ore da Parchman. Il furgone della tappezzeria sembrava marciare al meglio intorno ai cento chilometri all'ora: appena un po' più veloce, e le ruote anteriori cominciavano a vibrare leggermente. Ma non c'era fretta. A ovest di Oxford le colline cominciarono ad appiattirsi: il Delta non era lontano. Inez riconobbe una piccola chiesa bianca di campagna, sulla destra, vicino a un cimitero, e le venne in mente che non era affatto cambiata in tutti gli anni trascorsi dall'ultima volta che aveva fatto quel viaggio verso il penitenziario di Stato. Si chiese quante altre donne di Ford County avessero fatto altrettanti viaggi del genere, ma conosceva già la risposta. Leon aveva dato inizio alla tradizione molti anni prima con una detenzione di trenta mesi e, all'epoca, le regole le consentivano di andarlo a trovare solo la prima domenica di ogni mese. Certe volte l'accompagnava Butch e certe volte Inez pagava il figlio di un vicino di casa, ma non aveva mai saltato una visita e a Leon portava sempre caramelle al burro di noccioline e dentifricio extra. Sei mesi dopo aver ottenuto la libertà vigilata, era stato Leon ad accompagnarla in macchina in visita a Butch. Poi era stata la volta di Butch e Raymond, ma in carceri diversi, con regole diverse.

E poi Raymond aveva ucciso il vicesceriffo ed era stato rinchiuso nel braccio della morte, che aveva regole tutte sue.

Con l'allenamento, quasi tutti i compiti sgradevoli diventano sopportabili e Inez Graney aveva imparato ad aspettare con piacere le visite in carcere. I suoi figli erano stati condannati dal resto della contea, ma la loro mamma non li avrebbe mai abbandonati. Era stata presente quando erano nati ed era stata presente quando erano stati castigati. Aveva sofferto durante le udienze in tribunale e quelle per la concessione della libertà vigilata e aveva spiegato a chiunque fosse disposto ad ascoltarla che i suoi figli erano tre bravi ragazzi che erano stati maltrattati dall'uomo che aveva sposato. Era tutta colpa sua. Se avesse sposato un uomo perbene, forse i suoi figli avrebbero avuto una vita normale.

«Pensate che ci sarà anche quella donna?» domandò Leon.

«Gesù, Gesù» gemette Inez.

«Perché dovrebbe perdersi lo spettacolo?» disse Butch. «Sono sicuro che ci sarà.»

«Gesù, Gesù.»

La donna in questione, che si chiamava Tallulah, era una pazza che era entrata nelle loro vite qualche anno prima, riuscendo a peggiorare di parecchio una situazione già brutta. Tramite un gruppo per l'abolizione della pena di morte, aveva preso contatto con Raymond, il quale, al suo solito, le aveva risposto con una lunghissima lettera piena di proclami di innocenza e denunce di maltrattamenti, più la solita storia sulle sue promettenti carriere, letteraria e musicale. Poi le aveva mandato qualche poesia, dei sonetti d'amore, e in Tallulah era nata una vera ossessione per lui. I due si erano incontrati nella sala visite del braccio della morte e, attraverso una spessa rete metallica, si erano innamorati. Raymond aveva cantato qualche blues e lei era rimasta travolta. In seguito si era parlato di matrimonio, ma si era dovuto aspettare che il marito in carica di Tallulah venisse giustiziato dallo Stato della Georgia. Dopo un breve periodo di lutto, la donna era tornata a Parchman per una bizzarra cerimonia che non era stata riconosciuta da nessuna identificabile dottrina religiosa o legge dello Stato. In ogni caso Raymond era innamorato e, grazie a tale ispirazione, le sue prodigiose lettere avevano toccato nuovi vertici. La famiglia era stata avvertita del fatto che Tallulah era ansiosa di visitare Ford County e di conoscere i suoi nuovi parenti acquisiti. Ed effettivamente era arrivata, ma quando i Graney si erano rifiutati di riconoscerla si era presentata alla redazione del "Ford County Times", dove aveva dato voce ai suoi pensieri vaneggianti, alle sue riflessioni sulla lotta del povero Raymond Graney e alla promessa che nuove prove lo avrebbero scagionato dall'accusa di omicidio del vice. Aveva inoltre annunciato di essere incinta del figlio di Raymond, frutto di numerosi incontri coniugali, ora concessi anche ai detenuti nel braccio della morte.

Tallulah si era guadagnata la prima pagina con tanto di foto, ma il giornalista era stato abbastanza saggio da verificare la storia a Parchman. Non erano consentiti incontri coniugali ai detenuti, figurarsi a quelli nel braccio della morte. E non esisteva alcuna registrazione ufficiale di un matrimonio. Per niente scoraggiata,

Tallulah aveva continuato a sventolare la bandiera di Raymond, arrivando addirittura al punto di portare personalmente molti dei suoi voluminosi manoscritti a New York, dove erano stati di nuovo rifiutati da editori di vedute ristrette. Con il passare del tempo Tallulah era uscita di scena, anche se Inez, Leon e Butch erano vissuti nel terrore che da qualche parte potesse nascere un altro Graney. Nonostante le regole riguardanti gli incontri coniugali, conoscevano Raymond. Un modo riusciva sempre a trovarlo.

Due anni dopo Raymond aveva informato la famiglia che lui e Tallulah avrebbero chiesto il divorzio e che, per ottenerlo, aveva bisogno di cinquecento dollari. La richiesta aveva scatenato un'altra sgradevole serie di liti e offese e i soldi erano stati messi insieme solo dopo la minaccia di suicidio di Raymond, non la prima. Poco dopo l'invio degli assegni, Raymond aveva scritto per comunicare la splendida notizia che lui e Tallulah si erano riconciliati. Non si era offerto di restituire i soldi a Inez, Butch e Leon, nonostante tutti e tre l'avessero sollecitato in tal senso. Raymond si era rifiutato, sostenendo che la sua nuova squadra di avvocati aveva bisogno di denaro per ingaggiare periti e investigatori.

A irritare Leon e Butch era il fatto che il fratello minore ritenesse di avere diritto a tutto, come se loro, la famiglia, fossero stati in obbligo di dargli del denaro a causa della situazione in cui si trovava. All'inizio della sua detenzione, sia Leon sia Butch gli avevano ricordato che, quando erano stati loro due a trovarsi dietro le sbarre, lui non aveva mai mandato neppure un centesimo. Anche questo aveva provocato uno sgradevole episodio in cui la madre era stata costretta a fare da mediatrice.

Inez se ne stava un po' china, immobile sulla sua sedia a rotelle con una grande borsa di tela in grembo. Quando i pensieri su Tallulah cominciarono a sbiadire, estrasse dalla borsa l'ultima lettera di Raymond, la più recente. Aprì la semplice busta bianca, sulla quale si allargava il vorticoso corsivo del figlio, e spiegò i due fogli gialli strappati da un blocco.

Carissima madre,
è sempre più palese ed evidente che le implacabili, lente e, sì, addirittura letargiche macchinazioni del nostro iniquo, disonorevole e addirittura corrotto sistema giudiziario hanno inevitabilmente e irrevocabilmente puntato su di me i loro detestabili, spregevoli occhi.

Inez prese un respiro e poi lesse di nuovo la prima frase. La maggior parte delle parole aveva un'aria familiare. Dopo anni di lettura con un foglio in una mano e il dizionario nell'altra, era stupita da quanto si fosse ampliato il suo vocabolario.

Butch si voltò per darle un'occhiata, vide la lettera, scosse la testa, ma non disse niente.

Lo Stato del Mississippi, tuttavia, si ritroverà ancora una volta frustrato nei suoi tentativi, in enorme imbarazzo e in una situazione di totale e degradante umiliazione per ciò che concerne la sua intenzione di estrarre sangue da Raymond T. Graney. Io, infatti, mi sono procacciato e assicurato i servigi di un giovane legale che vanta competenze sbalorditive, uno straordinario avvocato da me saggiamente selezionato tra le innumerevoli schiere di legali che si stanno letteralmente gettando ai miei piedi.

Un'altra pausa, un'altra rapida rilettura. Inez teneva a malapena il passo.

Non può certo sorprendere che un giurista di tale squisita, superlativa e, sì, addirittura unica perizia e destrezza non possa operare e difendermi efficacemente senza adeguati emolumenti.

«Cosa vuol dire emolumenti?» domandò Inez.

«Dimmi come si scrive» disse Butch.

Inez sillabò lentamente la parola e tutti e tre ci rifletterono sopra. Quell'esercizio di lingua inglese era diventato un'abitudine come parlare del tempo.

«Com'è usata la parola?» domandò Butch. Inez lesse la frase.

«Soldi» disse Butch, e Leon concordò immediatamente. Le parole misteriose di Raymond avevano spesso a che fare con il denaro.

«Lascia che indovini: Raymond ha un nuovo avvocato e gli servono soldi extra per pagarlo.»

Inez lo ignorò e continuò a leggere.

È con grande riluttanza, e oserei dire con trepidazione, che ti prego e ti imploro disperatamente di racimolare la ragionevolissima somma di dollari 1500, importo che troverà immediata applicazione nella mia difesa e che senza alcun dubbio mi trarrà d'impaccio, mi libererà dalla schiavitù e comunque mi salverà il culo. Ti supplico, mamma: è questo il momento in cui la famiglia deve prendersi per mano e disporre metaforicamente i carri in cerchio. La tua eventuale riluttanza, o forse addirittura recalcitranza, verrà equiparata a un pernicioso abbandono.

«Cosa significa recalcitranza?» domandò Inez.

«Dimmi come si scrive» disse Leon.

La madre sillabò "recalcitranza", poi "pernicioso" e, dopo uno stanco dibattito, risultò evidente che nessuno dei tre aveva la minima idea del significato di quei termini.

Un'ultima annotazione prima che io passi ad altra, più urgente corrispondenza: Butch e Leon hanno di nuovo ignorato il mio spillatico. La loro ultima perfidia concerne il mese di giugno e siamo già a metà luglio. Per favore, sollecita, tormenta, opprimi, vessa e assilla quei due idioti finché non onoreranno il loro impegno riguardante il mio fondo difensivo.

Con affetto, come sempre, dal tuo figlio preferito e più caro,

Raymond

Ogni lettera inviata a un detenuto nel braccio della morte veniva letta da qualcuno dell'ufficio postale di Parchman, così come veniva controllata ogni lettera in uscita. Inez aveva spesso provato pietà per il povero disgraziato che doveva leggersi le missive di Raymond. Quelle lettere non mancavano mai di sfinirla, soprattutto perché richiedevano lavoro. Aveva sempre paura che potesse sfuggirle qualcosa di importante.

Le lettere la stremavano. Le liriche le facevano venire sonno. I romanzi le provocavano l'emicrania. Le poesie erano assolutamente impenetrabili.

Rispondeva a suo figlio due volte alla settimana, senza mai sgarrare, perché se lo avesse trascurato ritardando anche solo di un paio di giorni poi avrebbe dovuto aspettarsi un torrente di recriminazioni, quattro pagine o magari anche cinque di linguaggio frustrante, con parole spesso introvabili anche nel dizionario. E il minimo ritardo nell'invio dello spillatico avrebbe provocato sgradevoli telefonate a carico del destinatario.

Dei suoi tre figli, Raymond era stato lo studente migliore, anche se nessuno dei tre aveva finito il liceo. Leon era stato l'atleta migliore e Butch il musicista migliore, ma era il piccolo Raymond quello con il cervello. Ed era arrivato fino all'undicesima classe, prima che lo beccassero con una moto rubata e lo spedissero per sessanta giorni in un carcere minorile. All'epoca aveva sedici anni, cinque meno di Butch e dieci meno di Leon, ma i ragazzi Graney stavano già guadagnandosi la reputazione di abili ladri d'auto. Raymond era entrato nell'impresa di famiglia e aveva lasciato perdere la scuola.

«Allora, quanto vuole questa volta?» domandò Butch.

«Millecinquecento, per un nuovo avvocato. Dice che voi due non gli avete mandato lo spillatico il mese scorso.»

«Lascia perdere, mamma» disse Leon deciso, e per parecchio tempo non venne detto nient'altro.

Quando la prima operazione di furti d'auto era stata scoperta, Leon si era preso tutta la colpa e si era fatto i suoi mesi a Parchman. Una volta fuori, aveva sposato la sua seconda moglie e da allora era riuscito a rigare dritto. Butch e Raymond, invece, non avevano fatto alcuno sforzo per rigare dritto; anzi, avevano esteso le loro attività. Ricettavano armi ed elettrodomestici, si davano un po' da fare nel commercio della marijuana e nelle distillerie clandestine, e, naturalmente, rubavano auto per poi venderle a varie officine del Mississippi settentrionale che le cannibalizzavano. Butch era stato arrestato quando aveva rubato un Tir a diciotto ruote che si supponeva essere carico di televisori Sony e che invece trasportava rete metallica per recinzioni. I televisori erano facili da smerciare sul mercato nero. Piazzare recinzioni metalliche era risultato essere di gran lunga più difficile. Nel corso delle indagini lo sceriffo aveva trovato il nascondiglio di Butch nonché tutta la refurtiva, inutile com'era. Butch aveva patteggiato diciotto mesi, la sua prima detenzione a Parchman. Raymond aveva evitato l'incriminazione e aveva continuato a rubare. Era rimasto fedele al suo primo amore – auto e pickup – e se l'era cavata parecchio bene, anche se tutti i profitti erano svaniti in liquori, gioco d'azzardo e un'incredibile serie di donnacce.

Fin dall'inizio della loro carriera di ladri, i ragazzi Graney erano stati perseguitati da un odioso vicesceriffo di nome Coy Childers. Coy li sospettava di ogni reato, minore o maggiore che fosse, commesso a Ford County. Li teneva d'occhio, li seguiva, li minacciava, li tormentava e occasionalmente li arrestava, a ragione o meno. Tutti e tre erano stati picchiati da Coy nel segreto del carcere di Ford County. Avevano protestato con lo sceriffo, il capo di Coy, ma nessuno ascolta i lamenti di noti criminali. E i Graney erano diventati molto noti.

Per vendetta, Raymond aveva rubato l'auto di servizio di Coy e l'aveva venduta a un'officina cannibale di Memphis. Si era tenuto però la radio della polizia, che aveva rispedito a Coy in un pacco postale anonimo. Era stato arrestato e sarebbe stato picchiato, se non fosse intervenuto il suo avvocato d'ufficio. Non c'erano assolutamente prove contro di lui, niente che lo collegasse all'azione criminosa a parte qualche fondato sospetto. Due mesi più tardi, quando Raymond era già stato rilasciato, Coy aveva regalato a sua moglie una Chevrolet Impala nuova. Raymond l'aveva immediatamente rubata dal parcheggio della chiesa durante la riunione di preghiera del mercoledì sera e l'aveva venduta a un'officina nei dintorni di Tupelo. A quel punto Coy stava già giurando pubblicamente che avrebbe ucciso Raymond Graney.

Non ci furono testimoni dell'omicidio, o almeno nessuno disposto a farsi avanti. Accadde un venerdì notte, in una stradina di ghiaia non lontana dalla roulotte doppia in cui abitava Raymond con la sua ultima ragazza. La tesi dell'accusa era che il vicesceriffo avesse parcheggiato l'auto e si stesse avvicinando silenziosamente alla roulotte a piedi, da solo, con l'idea di affrontare Raymond e forse magari di arrestarlo. Coy era stato trovato poco dopo l'alba da alcuni cacciatori di cervi: gli avevano sparato due volte in fronte con un fucile molto potente. Il cadavere si trovava in un piccolo avvallamento della strada di ghiaia, il che aveva fatto sì che intorno al corpo si raccogliesse un'abbondante quantità di sangue. Le foto della scena del crimine fecero vomitare due giurati.

Raymond e la sua ragazza sostennero che la notte

in questione erano stati in una taverna, ma evidentemente dovevano essere stati gli unici due clienti perché non fu possibile trovare testimoni che confermassero l'alibi. I periti della balistica collegarono i proiettili a un fucile rubato e riciclato tramite un vecchio amico di Raymond anche lui dedito al crimine e, nonostante non ci fosse alcuna prova che lo stesso Raymond avesse mai posseduto, rubato o preso in prestito quel fucile, il solo sospetto fu sufficiente. L'accusa convinse la giuria che Raymond aveva il movente: odiava Coy e, dopotutto, era un noto criminale già condannato in passato; che ne aveva avuto l'opportunità: la vittima era stata trovata non lontano dalla roulotte di Raymond e nel raggio di diversi chilometri non viveva nessun altro; e che aveva avuto il mezzo: la presunta arma del delitto venne esibita in aula, completa del mirino dell'esercito che forse aveva consentito al killer di vedere al buio, anche se non c'erano prove del fatto che il mirino fosse effettivamente montato sul fucile nel momento in cui l'arma era stata utilizzata per uccidere Coy.

L'alibi di Raymond era debole. Anche la sua ragazza aveva la fedina penale sporca e come testimone faceva schifo. L'avvocato d'ufficio chiamò a deporre tre persone che avrebbero dovuto testimoniare di aver sentito Coy giurare di uccidere Raymond Graney. Tutti e tre, però, sentirono la pressione del banco dei testimoni e dello sguardo fisso dello sceriffo e di almeno dieci dei suoi vice e risultarono incerti ed esitanti. Era comunque una strategia difensiva molto discutibile. Se Raymond aveva creduto che Coy volesse ucciderlo, aveva agito per legittima difesa? Raymond stava quindi ammettendo di avere commesso l'omicidio? No, per niente. L'imputato insisteva nell'affermare di non sapere assolutamente nulla e che lui stava ballando in un bar quando qualcun altro aveva fatto fuori Coy.

Nonostante l'enorme pressione dell'opinione pubblica perché Raymond venisse condannato, la giuria impiegò due giorni per decidere in tal senso.

Un anno dopo i federali scoprirono un giro di metanfetamina e, a seguito di una decina di frettolose richieste di patteggiamento, appurarono che il vicesceriffo Coy Childers era stato coinvolto nell'organizzazione per lo spaccio di droga. Altri due omicidi, molto simili a quello del vice, erano stati commessi a Marshall County, a un centinaio di chilometri. La reputazione stellare di Coy tra gli abitanti della zona risultò drasticamente ridimensionata. Cominciarono a diffondersi diverse chiacchiere su chi l'aveva effettivamente ucciso, anche se Raymond restava il sospetto preferito.

La condanna di Raymond Graney e la relativa sentenza di morte furono in seguito confermate all'unanimità dalla Corte Suprema dello Stato. Successivi appelli avevano prodotto solo altre conferme e adesso, undici anni dopo, la spinta propulsiva del caso stava ormai esaurendosi.

A ovest di Batesville le colline cedevano finalmente il passo alla pianura e la highway correva dritta fra i campi appesantiti dal cotone di metà estate e dalla soia. A bordo dei loro John Deere verdi, gli agricoltori arrancavano lenti lungo la highway come se fosse stata costruita per i trattori e non per le automobili. Ma i Graney non avevano fretta. Il furgone continuò il suo viaggio, passando di fianco a una sgranatrice di cotone al momento inattiva, ad alcuni capanni da caccia abbandonati, a una serie di nuove roulotte doppie con parabole satellitari e grossi pickup davanti alle porte e, ogni tanto, a una qualche bella casa più arretrata per tenere il traffico lontano dai proprietari. Raggiunta la cittadina di Marks, Leon puntò verso sud e il furgone si inoltrò più in profondità nel Delta.

«Immagino che ci sarà anche Charlene» disse Inez.

«Sicuramente» disse Leon.

«Non se lo perderebbe per niente al mondo» disse Butch.

Charlene era la vedova di Coy, una donna che del dolore aveva fatto un'arte e che aveva abbracciato la causa del martirio di suo marito con singolare entusiasmo. Nel corso degli anni era entrata a far parte di ogni gruppo di vittime del crimine che fosse riuscita a trovare, nello Stato e in tutto il paese. Minacciava cause legali contro il quotidiano locale e chiunque altro mettesse in dubbio l'integrità di Coy. Aveva scritto lunghe lettere al direttore del giornale reclamando a gran voce una giustizia più veloce nei confronti di Raymond Graney. E non si era mai persa un'udienza in tribunale, spingendosi addirittura fino a New Orleans quando la causa era stata discussa dalla quinta Corte d'appello federale.

«Charlene non ha fatto che pregare per questo giorno» aggiunse Leon.

«Be', allora può continuare a pregare» disse Inez «perché Raymond dice che non succederà. Mi ha assicurato che i suoi avvocati sono molto più in gamba degli avvocati dello Stato e che in questi giorni stanno depositando documenti a vagonate.»

Leon lanciò un'occhiata a Butch, che lo ricambiò, e poi spostò lo sguardo sui campi di cotone. Attraversarono le comunità agricole di Vance, Tutwiler e Rome mentre il sole cominciava finalmente a sbiadire. Il crepuscolo portò sciami di insetti che andavano a schiacciarsi sul cofano e sul parabrezza. I tre fumavano con i finestrini abbassati e parlavano poco. L'avvicinamento a Parchman deprimeva sempre i Graney: Butch e Leon per ovvie ragioni, Inez perché si ritrovava a riflettere sulle proprie carenze come madre.

Parchman era un carcere infame, ma era anche una piantagione, settemilatrecento ettari di fertile terra nera che avevano prodotto cotone ed entrate per lo Stato per decenni, finché non erano state chiamate in causa le Corti federali che in pratica avevano abolito i lavori forzati. In occasione di un'altra causa, una diversa Corte federale aveva messo fine alla segregazione razziale. Successive controversie legali avevano reso un po' migliore la vita all'interno del carcere, anche se la violenza era peggiorata.

Trenta mesi a Parchman erano stati sufficienti perché Leon voltasse definitivamente le spalle al crimine, ed era questo che i cittadini rispettosi della legge chiedevano a una prigione. Per quanto riguardava Butch, la prima pena detentiva non aveva fatto che dimostrargli che avrebbe potuto sopportarne una seconda. Nessuna auto e nessun camion erano al sicuro a Ford County.

La highway 3 correva dritta e piatta e il traffico era scarso. Era quasi buio, quando il furgone superò il piccolo cartello stradale verde che annunciava semplicemente "Parchman". Più avanti c'erano luci, movimento, qualcosa di insolito. Sulla destra c'erano i cancelli principali del carcere e, sul lato opposto della highway, in un appezzamento ghiaioso, c'era una specie di circo. I dimostranti contro la pena di morte erano indaffaratissimi. Alcuni se ne stavano inginocchiati in cerchio a pregare. Altri marciavano avanti e indietro in formazione compatta inalberando cartelli improvvisati a sostegno di Ray Graney. Un gruppo stava cantando un inno. Un altro era inginocchiato intorno a un sacerdote e tutti avevano una candela accesa in mano. Un po' più in giù, un gruppo meno numeroso scandiva slogan a favore della pena di morte e urlava insulti ai sostenitori di Graney. Vicesceriffi in uniforme mantenevano l'ordine e troupe dei notiziari televisivi filmavano il tutto.

Leon si fermò alla postazione delle guardie all'ingresso, affollata di agenti carcerari e ansioso personale della sicurezza. Una guardia con un portablocco tra le mani si avvicinò alla portiera del conducente e domandò: «Nome?».

«Graney, parenti di Mr Raymond Graney. Leon, Butch e nostra madre, Inez.»

La guardia non scrisse niente, fece un passo indietro, disse: «Aspettate un attimo» e si allontanò. Davanti al furgone, accanto alla transenna sulla strada d'accesso, c'erano altri tre agenti.

«È andato a chiamare Fitch» disse Butch. «Vuoi scommettere?»

«No» rispose Leon.

Fitch era una specie di vicedirettore del carcere, un impiegato di carriera il cui lavoro privo di sbocchi veniva illuminato solo da una fuga o da un'esecuzione. In stivali da cowboy, falso Stetson e una grossa pistola al fianco, se ne andava in giro impettito per tutta Parchman come se il carcere fosse di sua proprietà. Fitch era durato più a lungo di una decina di direttori ed era sopravvissuto ad altrettante cause legali. Mentre si avvicinava al furgone, disse a voce alta: «Bene, bene, i ragazzi Graney sono tornati dove dovrebbero stare. Siete venuti a sistemarci un po' di mobili, ragazzi? Abbiamo una vecchia sedia elettrica che avrebbe bisogno di una tappezzeria nuova». Rise alla sua battuta, e dietro di lui ci furono altre risate.

«'Sera, Mr Fitch» disse Leon. «C'è nostra madre con noi.»

«Buonasera, signora» salutò Fitch, dando un'occhiata all'interno del veicolo. Inez non rispose.

«Dove avete preso questo furgone?»

«Ce l'hanno prestato» rispose Leon. Butch teneva lo sguardo fisso davanti a sé e si rifiutava di guardare Fitch.

«Prestato un cazzo. Quand'è stata l'ultima volta che voi ragazzi avete chiesto qualcosa in prestito? Sono sicuro che in questo momento Mr McBride sta cercando il suo furgone. Magari gli do un colpo di telefono.»

«Faccia pure, Fitch» disse Leon.

«È Mr Fitch per te.»

«Come vuole.»

Fitch sputò per terra. Con un cenno del capo indicò la strada davanti a sé, come se fosse lui e lui soltanto a controllare ogni dettaglio. «Immagino che sappiate dove dovete andare» disse. «Dio solo sa se non siete stati qui dentro abbastanza. Seguite quell'auto fino all'unità di massima sicurezza. Vi perquisiranno là.» Agitò una mano verso le guardie davanti alla transenna. Venne aperto un varco e i Graney lasciarono Fitch senza un'altra parola. Seguirono per alcuni minuti un'auto priva di contrassegni, carica di uomini armati. Passarono davanti a un'unità dopo l'altra, ognuna completamente isolata, ognuna circondata da una recinzione metallica sormontata da filo spinato tagliente. Butch guardò quella dove aveva lasciato parecchi anni della sua vita. In un'area aperta e bene illuminata - il "cortile", come veniva chiamata – vide l'inevitabile partita di basket tra uomini a torso nudo fradici di sudore, sempre a un solo fallo dall'ennesima, stupida rissa. Vide i detenuti più calmi seduti sui tavoli da picnic, in attesa dell'appello delle dieci di sera, in attesa che l'afa diminuisse un po' perché i condizionatori dei reparti funzionavano raramente, specie in luglio.

Come al solito, anche Leon lanciò un'occhiata alla sua vecchia unità, ma non si soffermò a pensare al tempo che aveva trascorso là dentro. Dopo tanti anni era riuscito a seppellire le cicatrici emotive degli abusi fisici. La popolazione carceraria era per l'ottanta per cento nera e Parchman era uno dei pochi posti in Mississippi dove non erano i bianchi a dettare le regole.

L'unità di massima sicurezza era un edificio anni Cinquanta a un solo piano, in mattoni e con il tetto piatto, molto simile a innumerevoli scuole elementari costruite in quel decennio. Come le altre, era circondata da una recinzione con filo spinato tagliente e sorvegliata da guardie sulle torrette, anche se quella sera tutti quelli che indossavano un'uniforme erano molto svegli ed eccitati. Leon parcheggiò dove gli venne detto e poi, insieme a Butch, fu perquisito a fondo da un piccolo battaglione di guardie accigliate. Inez venne sollevata fuori dal furgone, spinta sulla sua sedia a rotelle fino a un improvvisato posto di controllo e scrupolosamente perquisita da due guardie donne. I tre Graney vennero poi scortati all'interno dell'edificio attraverso una serie di porte massicce e, sfilando davanti ad altre guardie, vennero accompagnati in una piccola stanza che non avevano mai visto prima. La sala visite era da tutt'altra parte. Due guardie restarono con loro mentre si sistemavano. La stanza, arredata con un divano, due sedie pieghevoli e una fila di vecchi classificatori metallici, aveva tutta l'aria di essere l'ufficio di un qualche burocrate che era stato cacciato via per quella notte.

Le due guardie pesavano almeno centodieci chili l'una, avevano colli da sessanta centimetri e l'obbligatoria testa rasata. Dopo cinque sgradevoli minuti, Butch ne ebbe abbastanza. Fece qualche passo avanti e sfidò i due con un arrogante: «Voi due cosa ci fate qui, esattamente?».

«Eseguiamo gli ordini.»

«Ordini di chi?»

«Del direttore.»

«Vi rendete conto di quanto sembrate stupidi? Noi, i familiari del condannato, stiamo aspettando di passare qualche minuto con nostro fratello in questo buco merdoso di stanza senza finestre, con le pareti di cemento e un'unica porta, e voi due ci fate la guardia come se fossimo pericolosi. Non vi rendete conto di quanto sia idiota questa cosa?»

Entrambi i colli sembrarono gonfiarsi. Entrambe le facce diventarono scarlatte. Se Butch fosse stato un detenuto, lo avrebbero pestato. Ma non lo era. Era un cittadino, un ex detenuto che aveva odiato ogni poliziotto, guardia, agente e membro della sicurezza che aveva visto in vita sua. Ogni uomo in uniforme era suo nemico.

«Per favore, signore, si sieda» disse freddamente uno dei due.

«Nel caso voi deficienti non ve ne siate accorti, potete sorvegliare questa stanza dall'altro lato di quella porta con la stessa facilità con cui lo fate da qui. Ve lo giuro: è davvero così. So che probabilmente non siete stati addestrati abbastanza per capirlo, ma se varcate quella porta e parcheggiate i vostri grossi culi dall'altra parte, be', la situazione sarebbe ugualmente in sicurezza e noi avremmo un po' di privacy. Potremmo parlare con nostro fratello più piccolo senza doverci preoccupare che voi pagliacci ci stiate ad ascoltare.»

«Farai meglio a darci un taglio, amico.»

«Forza, varcate quella porta, chiudetela, guardatevela e fatele la guardia. So che voi ragazzi potete farcela. So che potete tenerci al sicuro qui dentro.»

Naturalmente le guardie non si mossero e, dopo un po', Butch si sedette su una sedia pieghevole accanto alla madre. Dopo trenta minuti che sembrarono eterni entrò il direttore, seguito dal suo entourage. L'uomo si presentò e poi disse: «L'esecuzione è tuttora programmata per un minuto dopo la mezzanotte». Il tono era ufficiale, come se il direttore stesse parlando di una riunione di routine con il suo staff. «Ci è stato detto di non aspettarci una telefonata dell'ultimo minuto dall'ufficio del governatore.» Nella voce non c'era la minima traccia di compassione.

Inez si coprì il viso con le mani e cominciò a piangere in silenzio.

Il direttore continuò: «Gli avvocati si stanno dando

da fare con tutte le mosse dell'ultimo minuto, come fanno sempre, ma i nostri legali ci dicono che una sospensione è molto improbabile».

Leon e Butch fissavano il pavimento.

«In occasione di questi eventi, allentiamo un po' le regole. Potete restare qui finché volete e tra un po' faremo venire Raymond. Mi dispiace che si sia arrivati a questo punto. Se posso fare qualcosa, ditemelo.»

«Mandi fuori quei due idioti» disse Butch, indicando le due guardie. «Vorremmo un po' di privacy.»

Il direttore esitò, si guardò intorno e poi disse: «Nessun problema». Uscì, accompagnato dalle due guardie. Quindici minuti più tardi la porta si riaprì. Raymond entrò con un grande sorriso e puntò dritto sulla madre. Dopo un lungo abbraccio e qualche lacrima, abbracciò anche i fratelli e li informò che le cose si stavano mettendo bene. Accostarono le sedie al divano e si sedettero tutti molto vicini, con Raymond che stringeva le mani di Inez.

«Li fregheremo, questi figli di puttana» dichiarò, continuando a sorridere, il ritratto dell'assoluta sicurezza. «Proprio mentre noi stiamo parlando, i miei avvocati stanno presentando una camionata di petizioni per l'*habeas corpus*. Sono sicurissimi che la Corte Suprema degli Stati Uniti accetterà il ricorso nel giro di un'ora.»

«Cosa vuol dire?» domandò Inez.

«Vuol dire che la Corte Suprema accetterà di riesaminare il caso, cosa che comporta automaticamente la sospensione. Vuol dire che con ogni probabilità avremo un nuovo processo a Ford County, anche se non sono sicuro di volere che venga celebrato lì.»

Raymond indossava la casacca e i pantaloni bianchi della prigione e calzava un paio di dozzinali sandali di plastica, **senza calzini**. Ed **era** chiaro che era ingrassato. Le guance erano rotonde e gonfie. Al di sopra della cintura sporgeva una specie di pneumatico. I suoi familiari non lo vedevano da quasi sei settimane e l'aumento di peso era notevole. Come al solito, Raymond vaneggiava di cose che loro non capivano e alle quali non credevano, perlomeno Butch e Leon. Raymond era nato con una fervida immaginazione, una parlantina facile e un'innata incapacità di dire la verità.

Quel ragazzo sapeva raccontare balle.

«Ho una ventina di avvocati che in questo momento si stanno dando da fare come matti per me. Lo Stato non può stare al passo con loro.»

«Quand'è che sapremo qualcosa dalla Corte?» domandò Inez.

«Da un momento all'altro, ormai. Ho giudici federali a Jackson, a New Orleans e a Washington pronti a entrare in azione e a prendere a calci in culo lo Stato.»

Dopo undici anni di calci in culo da parte dello Stato, era difficile credere che adesso, all'ultimo momento, Raymond riuscisse a invertire la rotta. Leon e Butch annuirono con aria grave, come se il fratello li avesse convinti che l'inevitabile non stava per accadere. Sapevano da molto tempo che Raymond aveva teso un'imboscata a Coy e gli aveva fatto saltare la testa con un fucile rubato. Diversi anni prima, parecchio tempo dopo essere finito nel braccio della morte, Raymond aveva confessato a Butch che quella notte era così strafatto da ricordarsi a malapena l'omicidio.

«In più ho due o tre grandi avvocati di Jackson che stanno facendo pressioni sul governatore, nel caso la Corte Suprema dovesse di nuovo farsela sotto.»

Tutti e tre annuirono. Nessuno accennò al commento del direttore del carcere.

«Mamma, hai ricevuto la mia ultima lettera? Quella sul nuovo avvocato?»

«Certo. L'ho letta mentre venivamo qui» rispose Inez, annuendo.

«Vorrei assumerlo non appena riceviamo l'ordinanza

per il nuovo processo. È di Mobile ed è un diavolo d'avvocato, credimi. Comunque potremo parlarne più tardi.»

«Certo, figliolo.»

«Grazie. Senti, mamma, so che è difficile, ma devi avere fiducia in me e nei miei avvocati. È da un anno ormai che mi gestisco da solo la difesa dando precise istruzioni ai miei legali, perché è così che bisogna fare di questi tempi, e vedrai che le cose si risolveranno bene, mamma. Fidati di me.»

«Mi fido, mi fido.»

D'improvviso Raymond balzò in piedi e tese le braccia in alto, stirandosi a occhi chiusi. «Adesso faccio yoga, ve l'ho detto?»

Tutti e tre annuirono. Ultimamente le lettere di Raymond erano ricche di dettagli sulla sua ultima fascinazione. Nel corso degli anni la famiglia aveva subito i resoconti stupefacenti delle conversioni di Raymond al buddhismo, all'islamismo e all'induismo, nonché rapporti sulla sua scoperta della meditazione, del kung fu, dell'aerobica, del sollevamento pesi, del digiuno e, naturalmente, sulla sua lotta per diventare poeta, romanziere, cantante e musicista. Ben poco era stato risparmiato alla famiglia in quelle lettere.

Quale che fosse la passione del momento, era evidente che digiuno e aerobica erano stati abbandonati. Raymond era così grasso che il sedere tracimava dalla sedia.

«Mi hai portato i biscotti?» domandò alla madre. Adorava i biscotti al cioccolato e noce americana di Inez.

«No, tesoro, mi dispiace. Ero troppo agitata per via di tutta questa faccenda.»

«Mi porti sempre i biscotti.»

«Mi dispiace.»

Tipico di Raymond. Rimproverare la madre per una sciocchezza poche ore prima della sua ultima passeggiata.

«Be', non scordartene la prossima volta.»

«No, tesoro.»

«E un'altra cosa: da un momento all'altro dovrebbe arrivare Tallulah. Vorrebbe tanto incontrarvi, anche se voi l'avete sempre rifiutata. Lei fa parte della famiglia, comunque la pensiate. E, come favore in questo disgraziato momento della mia vita, chiedo a tutti voi di accettarla e di essere gentili con lei.»

Leon e Butch non risposero, ma Inez riuscì a dire: «Sì, caro».

«Quando uscirò da questo posto di merda, Tallulah e io ci trasferiremo alle Hawaii e avremo dieci bambini. Col cavolo che resto in Mississippi, dopo tutto quello che mi hanno fatto. Perciò da adesso in poi Tallulah farà parte della nostra famiglia.»

Per la prima volta da quando era arrivato, Leon diede un'occhiata all'orologio e pensò che mancavano solo poco più di due ore alla liberazione. Anche Butch stava riflettendo, ma i suoi pensieri erano diversi: l'idea di strozzare suo fratello prima che fosse lo Stato a ucciderlo poneva un interessante dilemma.

Raymond scattò di nuovo in piedi e annunciò: «Be', io devo andare a parlare con gli avvocati. Torno fra una mezz'ora». Andò alla porta, l'aprì e poi tese le braccia per farsi ammanettare. La porta si richiuse e Inez disse: «Andrà tutto bene».

«Senti, mamma, faremmo meglio a dare retta al direttore» suggerì Leon.

«Raymond si sta illudendo» aggiunse Butch. Inez ricominciò a piangere.

Il cappellano, padre Leland, era un sacerdote cattolico. Si presentò educatamente e i Graney lo invitarono ad accomodarsi.

«Mi dispiace moltissimo» disse il sacerdote con tristezza. «Questa è la parte peggiore del mio lavoro.»

I cattolici erano rari a Ford County e i Graney di sicuro non ne conoscevano nessuno. Guardavano con sospetto il collarino bianco di Leland.

«Ho cercato di parlare con Raymond» continuò il cappellano. «Ma sembra avere scarso interesse per la fede cristiana. Mi ha detto di non essere più andato in chiesa da quando era bambino.»

«Avrei dovuto portarcelo più spesso» si rimproverò Inez in tono lamentoso.

«In realtà Raymond dichiara di essere ateo.»

«Oh, Gesù, Gesù.»

Naturalmente i tre Graney sapevano da tempo che Raymond aveva rinunciato a ogni credo religioso, sostenendo che Dio non esisteva. Anche questo l'avevano letto in strazianti dettagli nelle lunghe lettere del congiunto.

«Noi non siamo gente di chiesa» ammise Leon.

«Pregherò per voi.»

«Raymond una volta ha rubato la macchina nuova della moglie del vicesceriffo nel parcheggio della chiesa» intervenne Butch. «Gliel'ha detto?»

«No, ultimamente abbiamo parlato molto e mi ha raccontato molte storie. Ma non questa.»

«Grazie, signore, per essere così gentile con mio figlio» disse Inez.

«Sarò accanto a lui fino alla fine.»

«Quindi lo faranno davvero?» chiese la donna.

«A questo punto ci vorrebbe un miracolo per fermare tutto.»

«Oh, Signore, aiutaci tu!» esclamò Inez.

«Preghiamo insieme» propose padre Leland. Chiuse gli occhi, giunse le mani e cominciò: «Padre nostro che sei nei cieli, in questa difficile ora ti preghiamo di volgere il tuo sguardo su di noi e di far sì che lo Spirito Santo entri in questo luogo e ci dia la pace. Dona forza e saggezza agli avvocati e ai giudici che in questo momento stanno lavorando con diligenza. E infondi coraggio in Raymond che ora si sta preparando spiritualmente». Il cappellano si interruppe per un attimo e socchiuse appena l'occhio sinistro. I tre Graney lo stavano fissando come se avesse avuto due teste. Innervosito, richiuse gli occhi e concluse in fretta: «E, Padre nostro, dona la grazia e il perdono ai funzionari e al popolo del Mississippi perché non sanno quello che fanno. Amen».

Padre Leland salutò e se ne andò. Dopo alcuni minuti rientrò Raymond. Aveva portato la chitarra e, non appena si sedette sul divano, suonò qualche accordo. Chiuse gli occhi, cominciò a canticchiare a bocca chiusa e poi attaccò:

I got the key to the highway,
and I'm billed out and bound to go
I'm gonna leave here runnin',
'cause walkin' is most too slow.

«È una vecchia canzone di Big Bill Broonzy» spiegò Raymond. «Una delle mie preferite.»

I'm goin' down to the border,
now where I'm better known
'Cause woman you don't do nothin',
but drive a good man way from home.

La canzone era diversa da qualunque cosa avessero mai sentito prima. Una volta Butch aveva strimpellato il banjo in un gruppo country, ma aveva rinunciato alla musica già da molti anni. Era completamente stonato, una caratteristica di famiglia condivisa anche dal fratello minore. Raymond canticchiava con una penosa voce gutturale nell'affettato tentativo di imitare un cantante nero di blues, apparentemente un bluesman in preda a seri dolori.

Now when the moon creeps over the mountain,
I'll be on my way
Now I'm gonna walk this old highway,
until the break of day.

Finita la canzone, Raymond continuò a pizzicare le corde e riuscì a suonare un motivo in modo passabile. Butch comunque non poté fare a meno di pensare che, dopo undici anni di esercizi musicali in cella, la tecnica chitarristica di suo fratello era ancora rudimentale.

«Bellissimo» disse Inez.

«Grazie, mamma. Adesso ve ne canto una di Robert Johnson, probabilmente il più grande di tutti. Johnson è di Hazlehurst, lo sapete?» Non lo sapevano. Come la maggior parte dei bianchi delle colline, non sapevano niente di blues e gliene importava ancora meno.

Il viso di Raymond si contorse di nuovo. Pestò le corde con maggiore forza.

I went to the crossroad,
Fell down on my knees
I went to the crossroad,
Fell down on my knees
Asked the Lord above, "Have mercy now,
Save poor Ray if you please".

Leon guardò di nuovo l'orologio. Erano quasi le undici. Non era sicuro di poter sopportare blues per un'altra ora, ma si rassegnò. Il canto di Raymond innervosiva anche Butch, che però riusciva a restarsene immobile a occhi chiusi, come accarezzato dalle parole e dalla musica.

Standin' at the crossroad,
Tried to flag a ride Whee-hee,
I tried to flag a ride
Didn't nobody seem to know me, babe
Everybody pass me by.

Da quel punto in poi Raymond non sapeva più le parole, ma continuò a canticchiare a bocca chiusa. Quando finalmente tacque, rimase immobile con gli occhi chiusi per circa un minuto, come se la musica l'avesse trasportato in un altro mondo, in un posto molto più piacevole.

«Che ore sono, fratello?» domandò a Leon.

«Le undici in punto.»

«Devo andare a sentire gli avvocati. Si aspettano una decisione più o meno a quest'ora.»

Sistemò la chitarra in un angolo, poi andò alla porta, bussò e uscì. Le guardie lo ammanettarono e lo portarono via. Dopo pochi minuti arrivò una squadra della cucina, protetta da una scorta armata. Con gesti veloci, aprirono un tavolo quadrato pieghevole su cui poi disposero una notevole quantità di cibo. Gli odori riempirono immediatamente la stanza e Leon e Butch si sentirono quasi svenire per la fame. Non mangiavano da mezzogiorno. Inez era troppo sconvolta per pensare al cibo, tuttavia esaminò l'esposizione. Al centro del tavolo c'erano piatti con pesce gatto fritto, patatine fritte, focaccine di farina di mais e insalata di cavolo. Sulla destra c'era un gigantesco cheeseburger con contorno di patatine fritte e anelli di cipolla. A sinistra c'era una pizza di dimensioni medie, con peperoni e formaggio ancora bollente e sfrigolante. Immediatamente sopra il piatto del pesce gatto, c'erano un'enorme fetta di quella che sembrava crostata al limone e un dolce al cioccolato. Sul bordo del tavolo era incastrata una coppa di gelato alla vaniglia.

Mentre i tre Graney guardavano a bocca aperta il cibo, una delle guardie li informò: «Per l'ultimo pasto ha diritto di chiedere tutto quello che vuole».

«Oh, Gesù, Gesù» disse Inez, e ricominciò a piangere.

Rimasti soli con la madre, Butch e Leon cercarono di ignorare il cibo, che potevano quasi toccare, ma i vari aromi erano soverchianti. Pesce gatto impanato fritto in olio di semi. Anelli di cipolla fritti. Peperoni. Nella stanzetta l'aria era densa di odori in competizione fra loro, ma tutti deliziosi.

Il banchetto sarebbe stato sufficiente per quattro persone.

Alle undici e un quarto Raymond fece un'entrata rumorosa. Stava brontolando con le guardie, lamentandosi dei suoi avvocati in modo incoerente. Non appena vide il cibo, dimenticò problemi e familiari e si accomodò sull'unica sedia al tavolo. Servendosi soprattutto delle dita, si cacciò in bocca un po' di patatine e anelli di cipolla e cominciò a parlare: «La quinta Corte ha appena respinto il nostro ricorso, quegli idioti. Era un bellissimo ricorso, l'avevo scritto io stesso. Adesso proviamo a Washington, con la Corte Suprema. Lassù ho un intero studio legale pronto a lanciarsi all'attacco. Le prospettive sono buone». Riusciva abilmente a cacciarsi cibo in bocca, masticarlo e contemporaneamente parlare. Inez si fissava i piedi e si asciugava le lacrime. Butch e Leon sembravano ascoltare pazienti mentre studiavano il pavimento di piastrelle.

«Si è vista Tallulah?» domandò Raymond, riprendendo a masticare dopo un sorso di tè ghiacciato.

«No» rispose Leon.

«Puttana. Vuole solo i diritti del libro sulla storia della mia vita. Nient'altro. Ma non li avrà. Lascerò tutti i diritti letterari a voi tre. Cosa ve ne pare?»

«Che bello» disse Leon.

«Stupendo» disse Butch.

L'ultimo capitolo della sua vita stava ormai per concludersi. Raymond aveva già scritto la sua autobiografia, duecento pagine, ed era stata rifiutata da ogni editore degli Stati Uniti.

Raymond continuava a ingozzarsi, seminando distruzione tra pesce gatto, hamburger e pizza senza alcun ordine particolare. Forchetta e dita si muovevano sul tavolo, spesso in direzioni diverse, sondando, pugnalando, afferrando e sbadilando cibo in bocca alla stessa velocità con cui Raymond riusciva a inghiottire. Un maiale affamato davanti al trogolo avrebbe fatto meno rumore. Inez non aveva mai dedicato molto tempo alle buone maniere a tavola e i suoi ragazzi avevano preso parecchie brutte abitudini. Ma undici anni nel braccio della morte avevano fatto raggiungere a Raymond nuove vette di comportamento brutale.

La terza moglie di Leon, però, era stata educata come si doveva. E Leon sbottò dopo dieci minuti dall'inizio dell'ultimo pasto: «Devi proprio mangiare facendo tutto quel casino?».

«Accidenti, figliolo, fai più chiasso tu di un cavallo che mangia il granturco» aggiunse immediatamente Butch.

Raymond si bloccò di colpo, guardò i suoi fratelli e, per qualche lungo secondo di tensione, il confronto avrebbe potuto prendere qualsiasi direzione. Sarebbe potuto esplodere in una classica lite Graney, con un mucchio di imprecazioni e di insulti. In tutti quegli anni c'erano stati parecchi brutti litigi nella sala visite del braccio della morte, tutti sgradevoli, tutti memorabili. Ma Raymond, va detto a suo merito, optò per un approccio più morbido.

«È il mio ultimo pasto» disse. «E i miei familiari mi danno addosso.»

«Io no» protestò subito Inez.

«Grazie, mamma.»

Leon allargò le mani in un gesto di resa e disse: «Scusami. Siamo tutti un po' tesi».

«Tesi?» ripeté Raymond. «Pensi di essere tu quello teso?»

«Ti chiedo scusa, Ray.»

«Anch'io» disse Butch, ma solo perché doveva.

«Vuoi una focaccina?» chiese Raymond, offrendone una a Butch.

Solo qualche minuto prima, l'ultimo pasto era un banchetto irresistibile. Ma adesso, dopo l'assalto frenetico di Raymond, il tavolo era coperto di macerie. Nonostante questo Butch moriva dalla voglia di un po' di patatine fritte, però declinò. C'era qualcosa di sinistro e di sbagliato nello spiluccare assaggi dell'ultimo pasto di un condannato. «No, grazie» rispose.

Ripreso fiato, Raymond si rituffò nel cibo, anche se a un ritmo più lento e tranquillo. Finì la crostata al limone e il dolce al cioccolato con il gelato, ruttò, rise del suo rutto e poi dichiarò: «Questo non è il mio ultimo pasto, ve lo posso assicurare».

Qualcuno bussò alla porta, poi nella stanza entrò una guardia che disse: «Mr Tanner vorrebbe parlarti».

«Mandamelo qui» disse Raymond. «È il mio avvocato capo» annunciò orgogliosamente alla famiglia.

Mr Tanner era un giovanotto esile, con pochi capelli, una giacca blu sbiadita, un vecchio paio di pantaloni cachi e, ai piedi, scarpe da tennis ancora più vecchie. Niente cravatta. Con sé aveva un grosso fascio di carte. Pallido e teso, aveva l'aria di chi ha bisogno di un lungo riposo. Raymond lo presentò rapidamente ai parenti, ma Mr Tanner non dimostrò alcun interesse nel conoscere gente nuova in quel particolare momento.

«La Corte Suprema ha appena respinto il nostro ricorso» annunciò in tono grave al suo cliente.

Raymond deglutì a fatica. Nella stanza scese il silenzio.

«E il governatore?» domandò Leon. «E tutti quegli avvocati che stanno parlando con lui?»

Tanner rivolse un'occhiata interrogativa a Raymond, che disse: «Li ho licenziati».

«E cosa ci dici degli avvocati di Washington?» chiese Butch.

«Ho licenziato anche loro.»

«E quel grande studio di Chicago?» insistette Leon.

«Licenziati anche loro.»

Tanner spostava lo sguardo da un Graney all'altro.

«Mi sembra un brutto momento per licenziare gli avvocati» osservò Leon.

«Quali avvocati?» intervenne Tanner. «Io sono l'unico legale che si sta occupando di questo caso.»

«Sei licenziato anche tu» disse Raymond, e sbatté con forza un bicchiere di tè sul tavolo, spruzzando ghiaccio e liquido giallo sulla parete. «Forza, ammazzatemi!» gridò. «Non m'importa più.»

Per qualche secondo nessuno respirò, poi d'improvviso la porta si aprì e ricomparve il direttore, accompagnato dal suo seguito. «È ora, Raymond» annunciò con una certa impazienza. «Gli appelli sono finiti e il governatore è andato a dormire.»

Ci fu una lunga pausa, mentre tutti assimilavano il carattere definitivo di ciò che era stato detto. Inez piangeva. Leon fissava inespressivo la parete lungo la quale tè e ghiaccio colavano verso il pavimento. Butch guardava con aria disperata le ultime due focaccine. Tanner sembrava sul punto di svenire.

Raymond si schiarì la voce. «Vorrei vedere quel tizio cattolico. Dobbiamo pregare.»

«Te lo mando a chiamare» disse il direttore. «Puoi restare ancora un momento con la tua famiglia, poi dobbiamo andare.»

Il direttore uscì, accompagnato dai suoi assistenti. Tanner li seguì in fretta.

Le spalle di Raymond si erano afflosciate, il viso era pallido. Tutti gli atteggiamenti di sfida e arroganza erano svaniti. Si avvicinò lentamente a sua madre, si inginocchiò davanti a lei e le posò la testa in grembo. Inez cominciò ad accarezzargliela e si asciugò gli occhi, continuando a ripetere: «Oh, Gesù, Gesù».

«Mi dispiace tanto, mamma» mormorò Raymond. «Mi dispiace tantissimo.»

Piansero insieme per un momento, mentre Leon e Butch guardavano in silenzio. Padre Leland entrò nella stanza e Raymond si alzò lentamente in piedi. Gli occhi erano arrossati e colmi di lacrime, la voce bassa e debole. «Immagino che sia finita» disse al sacerdote, che annuì comprensivo, dandogli qualche colpetto sulla spalla. «Sarò con te nella cella d'isolamento» disse il cappellano. «Potremo recitare insieme l'ultima preghiera, se lo vorrai.»

«Probabilmente non è una cattiva idea.»

La porta si aprì di nuovo e rientrò il direttore, che si rivolse ai Graney e a padre Leland: «Statemi a sentire, per favore. Questa è la mia quarta esecuzione e ormai ho imparato due o tre cose. La prima è che è una pessima idea che la madre assista all'esecuzione. Le raccomando caldamente, Mrs Graney, di restare qui, in questa stanza, per la prossima ora circa, finché non sarà tutto finito. Abbiamo un'infermiera che potrà restare con lei ed eventualmente darle un sedativo, cosa che io le consiglio. La prego». Guardò Leon e Butch e li implorò con gli occhi. Tutti e due capirono il messaggio.

«Io ci sarò fino alla fine» protestò Inez, e poi emise un lamento così straziante che perfino il direttore ebbe un brivido.

Butch si avvicinò alla madre e le accarezzò una spalla.

«Devi restare qui, mamma» disse Leon. Inez gridò di nuovo.

Leon si rivolse al direttore: «Rimarrà qui. Faccia solo in modo che abbia quella pillola».

Raymond abbracciò i fratelli e, per la prima volta in assoluto, disse a ognuno dei due che gli voleva bene, un gesto che gli risultò difficile perfino in quel momento terribile. Diede l'addio a sua madre con un bacio sulla guancia.

«Comportati da uomo» lo esortò Butch a denti stretti e con gli occhi pieni di lacrime. Si abbracciarono per l'ultima volta.

Raymond venne portato via e nella stanza entrò l'infermiera, che porse a Inez una pillola e un bicchiere d'acqua. Nel giro di pochi minuti l'anziana donna si afflosciò sulla sua sedia a rotelle. L'infermiera le si sedette accanto, dicendo a Butch e a Leon: «Mi dispiace moltissimo».

A mezzanotte e un quarto la porta si riaprì e una guardia disse: «Venite con me». I due fratelli vennero guidati lungo il corridoio, affollato di guardie, funzionari e molti altri curiosi così fortunati da aver ottenuto l'accesso, e poi fatti uscire dall'ingresso principale. L'aria all'esterno era ancora pesante, il caldo non era diminuito. I due Graney si accesero immediatamente una sigaretta e si avviarono lungo lo stretto marciapiede accanto all'ala ovest dell'unità di massima sicurezza. Passando davanti alle finestre aperte protette da grosse sbarre nere, sentirono gli altri condannati sbattere oggetti sulle porte delle celle, urlare, protestare, fare ogni tipo di rumore possibile in un ultimo saluto a uno di loro.

Butch e Leon fumavano furiosamente e avrebbero voluto gridare qualcosa anche loro, qualcosa a sostegno dei detenuti. Ma nessuno dei due disse una parola. Svoltarono un angolo e videro un piccolo edificio piatto in mattoni; davanti alla porta c'erano guardie e altre persone. Di fianco alla costruzione aspettava un'ambulanza. La scorta fece entrare i due fratelli da una porta laterale e li guidò fino a un'affollata sala testimoni. Appena entrati, Butch e Leon videro le facce che si erano aspettati, ma che non tenevano affatto a vedere. Lo sceriffo Walls era presente perché glielo imponeva la legge. Il pubblico ministero era presente per propria scelta. Charlene, la sempre addolorata vedova di Coy, sedeva accanto allo sceriffo. Con lei c'erano due ragazze paffute, senza dubbio le figlie. Il lato della sala riservato alle vittime era separato da un divisorio di plexiglas che consentiva di vedere i familiari del condannato, ma impediva di parlare o di maledire. Butch e Leon si sedettero sulle sedie di plastica. Dietro di loro si accomodarono degli estranei e, quando tutti si furono sistemati, la porta venne chiusa. La sala testimoni era affollata e caldissima.

I presenti guardavano il nulla. Le vetrate davanti a loro erano schermate da tende nere, in modo che nessuno potesse vedere i sinistri preparativi in corso dall'altra parte. Si sentivano dei rumori, movimenti indecifrabili. Poi, d'improvviso, le tende vennero tirate e comparve la stanza della morte, un locale di tre metri e sessanta per quattro e cinquanta. Il pavimento di cemento era stato riverniciato da poco. Al centro c'era la camera a gas, una struttura argentea a pianta ottagonale dotata di finestre per consentire l'osservazione e la constatazione del decesso.

E poi c'era Raymond, legato con cinghie alla sedia dentro la camera a gas, la testa bloccata da una specie di orribile tirante che lo costringeva a guardare fisso davanti a sé, impedendogli di vedere i testimoni. In quel momento, mentre il direttore gli parlava, sembrava guardare verso l'alto. Erano presenti l'avvocato del carcere, alcune guardie e, naturalmente, il boia e il suo assistente. Tutti erano presi dai rispettivi compiti, quali che fossero, e tutti avevano un'espressione cupa e determinata, quasi fossero turbati da quel rituale. In realtà erano tutti volontari, a eccezione del direttore e dell'avvocato.

Nella sala testimoni, un piccolo altoparlante appeso a una parete avrebbe trasmesso gli ultimi suoni.

L'avvocato si avvicinò alla porta della camera a gas e disse: «Raymond, per legge sono tenuto a leggerle la sentenza di morte». Sollevò un foglio e lesse: «A seguito del verdetto di colpevolezza e della sentenza emessa nei suoi confronti dalla Corte di Ford County, lei verrà ora giustiziato con gas letale nella camera a gas del penitenziario di Parchman dello Stato del Mississippi. Possa Dio avere pietà della sua anima». L'avvocato si allontanò di qualche passo e sollevò il ricevitore di un telefono fissato alla parete. Ascoltò, poi disse: «Nessun rinvio».

Il direttore del carcere domandò: «Ci sono ragioni per cui non si debba procedere all'esecuzione?».

«No» rispose l'avvocato.

«Le tue ultime parole, Raymond?»

La voce di Raymond era a malapena udibile, ma nel

silenzio perfetto della sala testimoni la sentirono tutti: «Mi dispiace per quello che ho fatto. Chiedo perdono alla famiglia di Coy Childers. Sono stato perdonato dal mio Signore. E adesso facciamola finita».

Le guardie uscirono dalla stanza della morte, dove lasciarono il direttore e l'avvocato che, arretrando, si allontanarono quanto più possibile da Raymond. Il boia si fece avanti e chiuse la porticina della camera a gas. L'assistente controllò i sigilli intorno alla porta. Non appena la camera fu pronta, i due si guardarono intorno nella stanza della morte per una rapida ispezione. Nessun problema. Il boia scomparve all'interno di una specie di ripostiglio, la camera chimica, da dove controllava le sue valvole.

Trascorsero lunghi secondi. I testimoni guardavano, in preda all'orrore e al tempo stesso affascinati, e trattenevano il fiato. Anche Raymond trattenne il fiato, ma non a lungo.

Il boia inserì un contenitore di plastica pieno di acido solforico in un tubo che, dalla camera chimica, scendeva fino a una ciotola all'interno della camera a gas, esattamente sotto la sedia ora occupata da Raymond. Il boia alzò una leva per rilasciare il contenitore. Si sentì un *clic* e quasi tutti i testimoni sobbalzarono. Anche Raymond sobbalzò. Le dita artigliarono i braccioli della sedia. La spina dorsale si irrigidì. Passarono i secondi, poi l'acido solforico si mescolò alle compresse al cianuro già nella ciotola e cominciò a formarsi il vapore letale. Raymond, che non riusciva più a trattenere il fiato, finalmente espirò e a quel punto inspirò quanto più veleno possibile per accelerare le cose. Il corpo reagì all'istante con sussulti e contrazioni. Le spalle scattarono all'indietro. Il mento e la fronte lottarono disperatamente contro le cinghie in pelle. Le mani, le braccia e le gambe presero a tremare con violenza, mentre il vapore si alzava e diventava sempre più denso.

Il corpo lottò per circa un minuto, poi il cianuro ne prese il controllo. Le convulsioni rallentarono. La testa si immobilizzò. Le dita allentarono la stretta sui braccioli. Il gas continuò a addensarsi mentre il respiro di Raymond diventava sempre più lento, fino a cessare. Qualche contrazione finale, un sussulto dei muscoli del petto, una vibrazione nelle mani e fu finita.

Raymond Graney venne dichiarato morto a mezzanotte e trentuno minuti. Le tende nere vennero tirate di nuovo e i testimoni si affrettarono a uscire dalla sala. Una volta fuori, Butch e Leon si appoggiarono al muro dell'edificio in mattoni e fumarono una sigaretta.

Dalla stanza della morte, venne aperta una valvola sopra la camera a gas e il gas uscì nell'aria appiccicosa di Parchman. Quindici minuti dopo, alcune guardie che indossavano i guanti slegarono Raymond e lo trasportarono fuori dalla camera. Lo svestirono tagliando gli indumenti, che in seguito sarebbero stati bruciati. Il cadavere venne lavato con un getto d'acqua fredda, asciugato con strofinacci, rivestito con l'uniforme bianca del carcere e infine deposto in una bara di pino a buon mercato.

Leon e Butch sedevano con la madre e aspettavano il direttore. Inez era ancora sedata, ma chiaramente consapevole di ciò che era avvenuto poco prima. Teneva il viso sepolto nelle mani e piangeva piano, mormorando qualcosa ogni tanto. Entrò una guardia, che chiese le chiavi del furgone di Mr McBride. Trascinandosi lenta, passò un'ora.

Fresco dell'annuncio alla stampa, finalmente arrivò il direttore. Espresse le sue stupide condoglianze, riuscendo a sembrare triste e solidale, e chiese a Leon di firmare alcuni moduli. Spiegò che Raymond aveva lasciato quasi mille dollari sul suo conto in carcere e assicurò che il relativo assegno sarebbe stato inviato per posta entro una settimana. Disse inoltre che sul furgone, insieme alla bara, erano state caricate quattro casse di effetti personali di Raymond: la chitarra, indumenti, libri, corrispondenza, documenti legali e manoscritti. I Graney erano liberi di andare.

La bara venne spostata su un lato in modo che Inez potesse essere issata nel retro del furgone. La donna la toccò e ricominciò a piangere. Leon e Butch risistemarono le casse, assicurarono la sedia a rotelle e poi spostarono di nuovo la bara. Quando tutto fu a posto, seguirono un'auto carica di guardie fino al cancello principale, lo varcarono e si immisero sulla highway 3, passando di fianco agli ultimi dimostranti. Le troupe televisive se n'erano già andate. Leon e Butch si accesero una sigaretta, ma Inez era troppo sconvolta per fumare. Nessuno parlò per chilometri mentre il furgone sfrecciava tra i campi di cotone e di soia. Nei pressi della cittadina di Marks, Leon vide un drugstore aperto tutta la notte e si fermò per comprare una bibita per Butch e un caffè doppio per sé e per la madre.

Quando il Delta cedette il passo alle colline, tutti e tre cominciarono a sentirsi meglio.

«Cosa ha detto alla fine?» domandò Inez, la lingua ancora impastata.

«Ha chiesto scusa» rispose Butch. «Ha chiesto perdono a Charlene.»

«Quindi Charlene era lì a guardare?»

«Oh, sì. Non se lo sarebbe perso per niente al mondo.»

«Avrei dovuto esserci anch'io.»

«No, mamma» disse Leon. «Puoi ringraziare il cielo per il resto dei tuoi giorni di non aver visto l'esecuzione. Il tuo ultimo ricordo di Raymond è un lungo abbraccio e un bell'addio. Per favore, non credere di esserti persa qualcosa.»

«È stato orribile» disse Butch.

«Avrei dovuto esserci.»

A Batesville videro un fast food che pubblicizzava

sandwich al pollo e servizio ventiquattr'ore su venti-quattro. Leon si voltò verso la madre. «Potrei andare in bagno» disse Inez. Alle tre e un quarto di mattina non c'erano altri clienti nel locale. Butch spinse la sedia a rotelle della madre fino a un tavolo sul davanti. Mangiarono in silenzio. Il furgone con la bara di Raymond era a meno di dieci metri di distanza.

Inez mandò giù qualche boccone, ma poi perse l'appetito. Butch e Leon mangiarono come due profughi.

Entrarono a Ford County poco dopo le cinque. Era ancora buio e le strade erano deserte. Arrivati a Pleasant Ridge, al confine nord della contea, raggiunsero una piccola chiesa pentecostale, si fermarono nel parcheggio di ghiaia e si misero ad aspettare. Al primo accenno della luce del sole sentirono avviarsi un motore, da qualche parte in lontananza.

«Aspettami qui» disse Leon a Butch, poi scese dal furgone e scomparve. Dietro la chiesa c'era un cimitero, in fondo al quale un escavatore aveva appena cominciato a scavare la fossa. Il mezzo era di proprietà di un cugino del capo di Leon. Alle sei e mezzo arrivarono parecchi uomini della chiesa, che si raccolsero intorno alla fossa. Leon tornò al furgone, lo guidò lungo un sentiero sterrato e si fermò accanto all'escavatore che, concluso il suo lavoro, ora restava in attesa. Gli uomini scaricarono la bara dal furgone. Butch e Leon posarono delicatamente a terra la sedia a rotelle della madre e la spinsero, seguendo la bara.

La cassa venne calata nella fossa con delle funi e, quando si fermò sui sostegni dieci per dieci sul fondo, le corde vennero ritirate. Il predicatore lesse un breve versetto dalle Scritture e recitò una preghiera. Leon e Butch gettarono un po' di terra sulla bara e poi ringraziarono gli uomini per il loro aiuto.

I Graney ripartirono a bordo del furgone, mentre l'escavatore riempiva la fossa di terra.

La casa era deserta: nessun preoccupato vicino di casa in attesa, nessun parente con cui condividere il lutto. Butch e Leon scaricarono Inez e la portarono dentro, nella sua camera da letto. La donna si addormentò quasi subito. Le quattro casse vennero sistemate in un capanno per gli attrezzi, dove tutto ciò che contenevano sarebbe avvizzito e sbiadito insieme al ricordo di Raymond.

Si decise che quel giorno Butch sarebbe rimasto a casa per prendersi cura di Inez e tenere alla larga i giornalisti. Nell'ultima settimana c'erano state molte telefonate ed era probabile che arrivasse qualcuno con una telecamera. Butch lavorava in una segheria e il suo capo avrebbe capito.

Leon guidò fino a Clanton e si fermò in periferia per fare il pieno. Alle otto in punto entrò nel parcheggio della Tappezzeria McBride e restituì il furgone. Un impiegato lo informò che Mr McBride non era ancora arrivato, che probabilmente era al bar e che di solito si presentava al lavoro verso le nove. Leon restituì le chiavi, ringraziò l'impiegato e se ne andò.

Raggiunse la fabbrica di lampadari nella zona est della città e timbrò il suo cartellino alle otto e mezzo, come sempre.

NON VENIRE A CASA QUESTA SERA

Dopo diciassette anni passati ad arrabattarsi esercitando una professione legale che, per una qualsiasi dimenticata ragione, si era gradualmente ridotta a poco più di qualche fallimento e divorzio, era stupefacente constatare, perfino diversi anni dopo, come un'unica telefonata avesse potuto cambiare tutto. Nella sua veste di avvocato abituato a gestire d sperati problemi altrui, Mack Stafford aveva fatto e ricevuto ogni tipo di chiamata che poteva modificare una vita: telefonate per dare inizio a divorzi o per concordarli, telefonate per comunicare decisioni sfavorevoli della Corte sulla custodia di minori, telefonate per informare persone oneste e perbene che non sarebbero mai state risarcite. Telefonate spiacevoli, perlopiù. Mack non aveva mai pensato alla possibilità che una sola telefonata potesse determinare, in modo così veloce e drammatico, il suo stesso divorzio e il proprio fallimento.

Arrivò durante la pausa pranzo di un incolore, noioso e lento martedì d'inizio febbraio e, dato che era mezzogiorno passato da poco, fu Mack stesso a rispondere. Freda, la segretaria, era uscita per una commissione e un sandwich, e poiché il piccolo studio non aveva altri dipendenti era rimasto solo a guardia del telefono. Per come in seguito si erano sviluppate le cose, il fatto che fosse solo risultò cruciale. Se avesse risposto Freda ci sarebbero state domande, molte domande. Anzi, la maggior parte di ciò che accadde poi non sarebbe successa affatto, se la segretaria fosse stata al suo posto, nella reception accanto all'ingresso della piccola bottega nota come Studio legale di Jacob McKinley Stafford.

Dopo il terzo squillo del telefono sulla scrivania nel suo ufficio sul retro, Mack sollevò il ricevitore e rispose con il solito, brusco: «Studio legale». Riceveva una media di cinquanta chiamate al giorno, perlopiù da parte di coniugi in guerra tra loro o di creditori di pessimo umore, e da tempo aveva preso l'abitudine di camuffare la voce e non dare il proprio nome quando era costretto a rispondere a telefonate non filtrate da Freda. Detestava rispondere alla cieca, però aveva bisogno di lavorare. Come tutti gli altri avvocati di Clanton, e ce n'erano parecchi, pensava che non si poteva mai sapere se la prossima telefonata sarebbe stata quella decisiva, quella del colpo grosso, del caso importante che poteva comportare una lauta parcella e, magari, addirittura una via di fuga. Mack sognava una telefonata del genere da più anni di quanti gli piacesse ammettere.

E in quella fredda giornata d'inverno, con una vaga idea di neve nell'aria, la telefonata finalmente arrivò.

«Mr Mack Stafford, per favore.» La voce era maschile, l'accento del Nord.

Era una voce troppo raffinata e troppo lontana per essere motivo di preoccupazione, perciò Mack rispose: «Sono io».

«Mr Mack Stafford, l'avvocato?»

«Esatto. Chi parla, prego?»

«Mi chiamo Marty Rosenberg, dello studio legale Durban & Lang di New York.»

«New York City?» domandò Mack, troppo in fretta.

Ovvio che si trattava di New York City. Anche se la professione non l'aveva mai portato neppure nei dintorni della grande città, Mack ovviamente conosceva Durban & Lang. Ogni avvocato degli Stati Uniti ne aveva almeno sentito parlare.

«Sì, certo. Senti, posso chiamarti Mack?» La voce era sbrigativa ma educata e Mack d'improvviso visualizzò Mr Rosenberg seduto in uno splendido ufficio, con quadri d'autore alle pareti e associati e segretarie che correvano avanti e indietro per soddisfare ogni sua necessità. Eppure, con tutto il suo potere, Rosenberg voleva dimostrarsi amichevole. Mack si guardò intorno nel suo ufficetto squallido e si sentì travolgere da un'ondata di insicurezza. Si chiese se il collega newyorkese avesse già deciso che era il solito perdente di provincia, visto che aveva risposto personalmente al telefono.

«Sicuro, Marty.»

«Ottimo.»

«Scusa, Marty, se ho risposto io al telefono, ma la mia segretaria è in pausa pranzo.» Per Mack era importante sgombrare il campo da ogni eventuale equivoco e far capire a quel tizio che lui era un vero avvocato, con una vera segretaria.

«Sì, giusto. Avevo dimenticato che siete un'ora indietro rispetto a noi» disse Marty con una leggera nota sprezzante, il primo indizio del fatto che forse i due avvocati erano divisi da molto più di una semplice ora.

«Cosa posso fare per te?» domandò Mack, prendendo le redini della conversazione. Basta con le chiacchiere: tutti e due erano importanti legali, molto occupati. La mente intanto era andata fuori giri nello sforzo di individuare il caso, la pratica, la questione legale che poteva ragionevolmente meritare l'interesse di uno studio così grande e prestigioso.

«Ecco, noi rappresentiamo una società svizzera che

ha recentemente acquisito quasi tutto il gruppo Tinzo, nella Corea del Sud. Hai presente il gruppo Tinzo?»

«Naturalmente» rispose subito Mack, setacciando la memoria alla ricerca di un qualche ricordo della Tinzo. Il nome in effetti faceva suonare un campanello, ma molto, molto remoto.

«Secondo alcuni vecchi documenti d'archivio della Tinzo, tu a un certo punto hai rappresentato diversi taglialegna che sostenevano di avere riportato lesioni personali a causa di motoseghe difettose fabbricate da una divisione Tinzo nelle Filippine.»

Oh, quella Tinzo! Adesso Mack era in partita. Adesso ricordava, anche se di certo non rammentava tutti i dettagli. Quei casi erano vecchi, stantii e quasi dimenticati. Mack infatti aveva fatto del suo meglio per dimenticarli.

«Lesioni terribili» disse comunque. Per quanto terribili, però, non erano mai state così gravi da spingerlo a fare davvero causa. Aveva fatto firmare i potenziali attori anni prima, ma aveva perso rapidamente interesse quando aveva capito di non poter bluffare e arrivare a un accordo stragiudiziale in tempi brevi. La sua teoria sulla responsabilità civile della controparte era, nella migliore delle ipotesi, vacillante. Le motoseghe Tinzo in questione vantavano un'impressionante storia di esemplare sicurezza. E, cosa più importante, le cause per danni da prodotto difettoso erano complicate, costose, al di sopra delle sue competenze e di solito comportavano un processo con giuria, cosa che Mack aveva sempre cercato di evitare. C'era una certa confortante sicurezza nel depositare istanze di divorzio o di fallimento e nel redigere ogni tanto qualche scrittura legale o un testamento. Non un granché in termini di parcelle, ma Mack e la maggior parte degli avvocati di Clanton riuscivano a guadagnarsi da vivere evitando al tempo stesso quasi tutti i rischi della professione.

«Però non abbiamo trovato traccia di azioni legali» stava dicendo Marty.

«Non ancora» ribatté subito Mack, con tutta la sicurezza che riuscì a tirar fuori.

«Quanti casi hai?»

«Quattro» rispose Mack, anche se non era affatto sicuro del numero esatto.

«Sì, è quello che risulta anche dai nostri documenti. Abbiamo le quattro lettere che hai mandato alla società qualche tempo fa. Però non sembra esserci stata molta attività dopo quella corrispondenza.»

«I casi sono tuttora aperti» dichiarò Mack, anche se era in sostanza una bugia. Tecnicamente le pratiche erano ancora aperte, ma erano anni che lui non le toccava. Fish files, le chiamava, pratiche pesce: più se ne restavano lì ad ammuffire, più puzzavano. «Qui da noi il termine di prescrizione è di sei anni» aggiunse in tono compiaciuto, come se avesse potuto mettere in moto la macchina l'indomani mattina e dare inizio a tutta una serie di durissime azioni legali.

«Un po' insolito, se posso permettermi» osservò Marty. «Niente di nuovo nelle pratiche da più di quattro anni.»

Nel tentativo di deviare la conversazione dal tema della propria inattività, Mack decise di andare al punto: «Di cosa stiamo parlando, Marty?».

«Ecco, il nostro cliente svizzero vuole ripulire tutti i vecchi libri ed eliminare il maggior numero possibile di potenziali controversie relative alla responsabilità. Sono europei, naturalmente, e non capiscono il nostro sistema riguardante il risarcimento danni. Anzi, ne sono terrorizzati.»

«E hanno ragione» disse subito Mack, come se fosse stato abituato a estorcere enormi somme di denaro da malfattori societari.

«Vogliono eliminare tutta questa roba e mi hanno

dato istruzioni affinché esplori la possibilità di accordi stragiudiziali.»

Mack era in piedi, il ricevitore incuneato fra la mascella e la spalla, il battito cardiaco accelerato, le mani che frugavano nella pila di detriti sul ripiano un po' concavo della mensola dietro la scrivania, in una frenetica ricerca dei nomi di quei suoi clienti che, tanti anni prima, erano rimasti mutilati a causa della sciatta progettazione e produzione delle motoseghe Tinzo. Come? Accordo stragiudiziale? Tipo soldi che cambiano di mano, dal ricco al povero? Mack non riusciva a credere a quello che sentiva.

«Mack, sei ancora lì?» domandò Marty.

«Oh, sì. Stavo solo dando un'occhiata a una pratica. Vediamo… le motoseghe erano tutte uguali: modello 58X, ventiquattro pollici, nome commerciale LazerCut, un prodotto professionale che, per una qualche ragione, aveva uno scudo paracatena difettoso e pericoloso.»

«Esatto. Senti, non ti ho telefonato per discutere di eventuali difetti di fabbricazione, per quello ci sono i tribunali. Io sto parlando di un accordo. Mi segui?»

Ci puoi scommettere che ti seguo, fu sul punto di lasciarsi sfuggire Mack. «Certo. Sono ben contento di parlare di accordi stragiudiziali. È chiaro che hai qualcosa in mente. Sentiamo.» Di nuovo seduto, scorreva in fretta la pratica in cerca di date, pregando che il termine di prescrizione di sei anni non fosse scaduto per nessuno di quei casi, ora di importanza cruciale.

«Sì, Mack. Ho un po' di soldi da offrirti, ma devo avvertirti subito che il mio cliente mi ha dato istruzioni di non negoziare. Se riusciamo a risolvere questi casi in fretta, e senza far chiasso, allora ti compilo gli assegni. Ma se cominciano liti e discussioni, i soldi scompaiono. È chiaro?»

Oh, sì. Chiarissimo. Mr Marty Rosenberg, nel suo sontuoso ufficio ai piani alti di Manhattan, non aveva idea di quanto in fretta, senza chiasso e a buon mercato potesse far scomparire le pratiche pesce. Mack avrebbe accettato qualsiasi cifra. I suoi clienti gravemente feriti avevano smesso di telefonargli già da molto tempo. «D'accordo.»

Marty cambiò marcia e le parole diventarono ancora più secche e nette. «Riteniamo che ci costerebbe sui centomila dollari dibattere quei casi in una Corte federale giù da voi, sempre che fosse possibile riunirli in un unico processo. Si tratta ovviamente di un'ipotesi remota, visto che non ci sono state citazioni in giudizio e, in tutta franchezza, una causa mi sembra improbabile data l'inconsistenza della pratica. Aggiungiamo altri centomila per le lesioni, nessuna delle quali – nota bene – è stata documentata, anche se sappiamo che c'è gente che ha perso delle dita o una mano. Comunque siamo disposti a pagare centomila dollari per ogni pratica, ci aggiungiamo i costi della difesa e arriviamo a un totale di mezzo milione di dollari.»

Mack sentì cadergli la mascella e per poco non inghiottì il ricevitore. Si era preparato a chiedere almeno il triplo di qualsiasi somma Marty gli avesse proposto, la solita routine avvocatesca, ma per qualche secondo non riuscì né a parlare, né a respirare.

«Denaro immediato» riprese Marty. «Accordo confidenziale, nessuna ammissione di responsabilità, offerta valida trenta giorni, fino al dieci marzo.»

Una proposta di diecimila dollari per ogni richiesta sarebbe stata uno shock e anche una fortuna inaspettata. Mack boccheggiò in cerca d'aria e tentò di pensare a una risposta.

Marty proseguì: «Come ti dicevo, vogliamo semplicemente ripulire i bilanci della società. Allora, cosa ne pensi?».

"Cosa ne penso?" ripeté Mack a se stesso. "Penso che a me spetta il quaranta per cento e che il conto è facile.

109

Penso che l'anno scorso ho incassato novantacinquemila dollari e ne ho bruciati la metà in spese generali – lo stipendio di Freda e i costi dello studio – il che mi ha lasciato con quarantaseimila dollari prima delle tasse, somma che penso sia un po' inferiore a quella che ha guadagnato mia moglie come vicepreside della Clanton High School. In questo preciso momento penso un mucchio di cose per citarne alcune a caso: 1) È uno scherzo? 2) Chi, della mia classe alla scuola di legge, può esserci dietro tutto questo? 3) E, supponendo che sia vero, come posso tenere i lupi lontani da questa meravigliosa parcella? 4) Mia moglie e le mie due figlie sperpererebbero i soldi in meno di un mese. 5) Freda esigerebbe un bonus consistente. 6) Come faccio a contattare i miei clienti della motosega dopo tanti anni? E così via. Sto pensando a un sacco di cose, Mr Rosenberg."

«È un'offerta molto generosa, Marty» riuscì finalmente a dire. «Sono sicuro che i miei assistiti saranno contenti.» Dopo lo shock, il cervello stava ricominciando a funzionare.

«Bene. Allora abbiamo un accordo?»

«Be', vediamo. Naturalmente dovrò sottoporre la proposta ai miei assistiti e questo potrebbe richiedere qualche giorno. Posso richiamarti fra una settimana?»

«Sicuro. Però ricorda che siamo ansiosi di chiudere questa faccenda, perciò vediamo di sbrigarci. E, Mack, non enfatizzerò mai abbastanza il nostro desiderio di riservatezza. Siamo d'accordo sul fatto che queste transazioni resteranno sepolte sottoterra?»

Per tutti quei soldi, Mack si sarebbe dichiarato d'accordo su qualsiasi cosa. «Capisco benissimo» rispose. «Non una parola con nessuno.» E diceva sul serio. Stava già pensando a tutte le persone che non avrebbero mai saputo nulla di quel biglietto vincente.

«Perfetto. Mi richiami tra una settimana?»

«Sicuro. E senti, Marty, la mia segretaria è una gran

chiacchierona: sarà meglio che tu non mi chiami più qui in studio. Ti telefono io martedì prossimo. A che ora?»

«Facciamo verso le undici, ora della East Coast?»

«Okay.»

I due legali si scambiarono numeri di telefono e indirizzi e si salutarono. Secondo il timer digitale collegato al telefono di Mack, la conversazione era durata otto minuti e quaranta secondi.

Il telefono squillò di nuovo subito dopo, ma Mack si limitò a guardarlo. Non osava sfidare la fortuna. Passò invece nell'ufficio di Freda, si fermò davant᾽ alla vetrata con il suo nome sopra e guardò, sul lato opposto della strada, il tribunale di Ford County, dove in quel momento diversi avvocati, tutti mediocri e tutti impegnati solo in piccole cause, mangiucchiavano sandwich freddi nell'ufficio del giudice mentre cavillavano su cinquanta dollari in più al mese per il mantenimento dei figli o discutevano se alla moglie dovesse andare la Honda e al marito la Toyota. Mack sapeva che erano là perché erano sempre là, e spesso con loro c'era anche lui. E più giù nel corridoio, nell'ufficio del cancelliere, altri avvocati esaminavano pazientemente documenti del catasto e registri e vecchie mappe polverose, scambiandosi con stanco umorismo barzellette, aneddoti e battute che Mack aveva sentito mille volte. Un paio d'anni prima, qualcuno aveva contato ben cinquantuno legali nella cittadina di Clanton; praticamente tutti erano ammassati intorno alla piazza, gli studi rivolti verso il tribunale. Gli avvocati mangiavano nelle stesse tavole calde, si incontravano negli stessi caffè, bevevano negli stessi bar, inseguivano gli stessi clienti e, quasi tutti, nutrivano le stesse riserve e gli stessi rimpianti per la professione che si erano scelti. In qualche modo una piccola città di diecimila abitanti produceva abbastanza controversie da mantenere cinquantuno avvocati, anche se ne sarebbe bastata la metà.

Raramente Mack si era sentito necessario. Certo, era necessario a sua moglie e alle figlie, anche se spesso si chiedeva se non sarebbero state più felici senza di lui, ma la città e i suoi bisogni legali se la sarebbero cavata benissimo anche in sua assenza. Anzi, già da parecchio tempo si era reso conto che se d'improvviso avesse chiuso bottega, pochi se ne sarebbero accorti. Nessun cliente sarebbe rimasto privo di rappresentanza legale. I colleghi avrebbero sorriso in segreto perché avrebbero avuto un concorrente di meno. Nel giro di un mese, nessuno in tribunale avrebbe più sentito la sua mancanza. Questi pensieri lo avevano rattristato per molti anni. Ma ciò che lo deprimeva davvero non era il presente, e neppure il passato, bensì il futuro. La prospettiva di svegliarsi un giorno a sessant'anni e di ritrovarsi ad arrancare ancora verso lo studio – lo stesso studio, indubbiamente – per presentare istanze di divorzio consensuale o di fallimenti da quattro soldi per conto di gente che poteva a malapena pagare le sue modeste parcelle, be', bastava a metterlo di cattivo umore ogni giorno della sua vita. Bastava a fare di lui un uomo molto infelice.

Voleva uscirne. E voleva uscirne finché era ancora giovane.

Sul marciapiede passò un avvocato di nome Wilkins, che non degnò di un'occhiata la vetrata di Mack. Wilkins era uno stronzo che lavorava quattro porte più avanti. Anni prima, durante una bevuta del tardo pomeriggio con tre colleghi, uno dei quali era appunto Wilkins, Mack aveva parlato troppo, divulgando i dettagli del suo piano grandioso per il colpo grosso con la causa della motosega. Naturalmente il piano era finito nel nulla. Mack non era riuscito a convincere nessuno dei colleghi specializzati in risarcimenti danni più competenti dello Stato a unirsi a lui e le sue pratiche avevano cominciato a puzzare. Wilkins, il solito stronzo, aveva preso l'abitudine di sfotterlo in presenza di altri avvocati, dicendo cose come: «Ehi, Mack, come sta andando la tua class action della motosega?». Oppure: «Ehi, Mack, hai già chiuso quei casi della motosega?». Con il tempo, però, perfino Wilkins se n'era dimenticato.

"Ehi, Wilkins, da' un po' un'occhiata a questa transazione, vecchio mio! Mezzo milione di dollari sull'unghia e duecentomila finiscono in tasca a me. Come minimo, ma potrebbero essere anche di più. Ehi, Wilkins, tu non hai incassato duecentomila dollari in tutti gli ultimi cinque anni messi insieme."

Ma Mack sapeva che Wilkins non l'avrebbe mai saputo. Nessuno doveva sapere, e per lui andava benissimo.

Tra poco Freda avrebbe fatto il suo solito ingresso rumoroso. Mack tornò in fretta alla scrivania, chiamò il numero di New York, chiese di Marty Rosenberg, e quando gli rispose la segretaria, riattaccò e sorrise. Controllò il programma degli appuntamenti del pomeriggio ed ebbe la conferma che sarebbe stato deprimente come il tempo. Un nuovo divorzio alle quattordici e trenta, un divorzio già in corso alle sedici e trenta. C'era un elenco di quindici telefonate da fare, nessuna delle quali particolarmente eccitante. Le pratiche pesce sulla mensola marcivano neglette nell'abbandono. Mack afferrò il cappotto, ma non la valigetta, e sgusciò fuori dalla porta sul retro.

La sua auto era una piccola BMW con duecentocinquantamila chilometri. Il leasing sarebbe scaduto cinque mesi dopo e Mack si stava già tormentando su quale nuova vettura scegliere. Dato che gli avvocati, per quanto possano essere al verde, devono sempre guidare una macchina importante, Mack si stava guardando intorno già da un po', attento a tenere la cosa per sé. Qualunque auto avesse scelto, sua moglie non avrebbe approvato e lui semplicemente non era pronto per quel tipo di scontro.

Il suo sentiero della birra preferito iniziava al Parker's Country Store, tredici chilometri a sud della città, in una piccola comunità dove nessuno lo conosceva. Comprò una confezione da sei – bottiglie verde brillante, birra d'importazione, roba buona per quella giornata speciale – e proseguì in direzione sud lungo strette strade secondarie finché non si ritrovò praticamente solo. Ascoltava Jimmy Buffett che cantava qualcosa a proposito dell'andarsene in barca a vela, bere rum e vivere una vita che Mack sognava già da qualche tempo. L'estate prima di cominciare la facoltà di legge, aveva trascorso due settimane alle Bahamas a fare immersioni. Era stato il suo primo viaggio all'estero e non vedeva l'ora di ripetere l'esperienza. Con il passare degli anni, a mano a mano che il tedio della professione diventava sempre più opprimente e il suo matrimonio sempre meno gratificante, aveva cominciato ad ascoltare Buffett sempre più spesso. Avrebbe potuto vivere su una barca a vela. Si sentiva pronto.

Si fermò in un'isolata area picnic di Lake Chatolla, il più vasto specchio d'acqua nel raggio di ottanta chilometri. Lasciò il motore e il riscaldamento accesi e socchiuse un finestrino. Sorseggiò la birra e guardò il lago, un posto affollato in estate con motoscafi per lo sci d'acqua e piccoli catamarani, ma deserto in febbraio.

La voce di Marty risuonava ancora nitida e chiara. Il replay della conversazione era ancora facile da riascoltare, quasi parola per parola. Mack parlò da solo e poi cantò con Buffett.

Quello era il suo momento, un'occasione che con ogni probabilità non gli si sarebbe ripresentata mai più. Finalmente si convinse che non stava sognando, che i soldi erano già sul tavolo. Il conto venne calcolato e poi ricalcolato di nuovo.

Cominciò a cadere una neve leggera, fiocchi che si scioglievano non appena toccavano terra. La sola possibilità di qualche centimetro di neve emozionava sempre la città e, adesso che svolazzava qualche fiocco, Mack sapeva che a scuola i bambini erano tutti davanti alle finestre, eccitatissimi all'idea di uscire prima e andare a casa a giocare. Probabilmente sua moglie stava telefonando in studio per dargli istruzioni di andare a prendere le ragazze. Freda lo stava di sicuro cercando. Dopo la terza birra, Mack si addormentò.

Saltò l'appuntamento delle quattordici e trenta e non gliene importò. Saltò anche quello delle quattro e mezzo. Tenne da parte una birra per il viaggio di ritorno e alle cinque e un quarto entrò nello studio dalla porta sul retro. Si ritrovò subito faccia a faccia con una segretaria estremamente agitata.

«Dove sei stato?» gli domandò Freda.

«In giro in macchina» rispose Mack, togliendosi il cappotto e appendendolo nel corridoio. Freda lo seguì nell'ufficio e si fermò con le mani sui fianchi, esattamente come sua moglie. «Hai saltato due appuntamenti: i Madden e i Garner, che non sono per niente contenti. Puzzi come una fabbrica di birra.»

«Fanno la birra nelle fabbriche di birra, giusto?»

«Immagino di sì. Hai appena cacciato via mille dollari di parcelle.»

«E allora?» Mack si lasciò cadere sulla sua poltrona e buttò per terra alcuni fascicoli che aveva sulla scrivania.

«E allora? Allora abbiamo bisogno di tutte le parcelle che riusciamo a mettere insieme. Non sei nella posizione di mandare via i clienti. Il mese scorso non siamo riusciti a coprire le spese e questo mese va anche peggio.» La voce di Freda era acuta, stridula, rapida, incattivita dal veleno delle ore di attesa. «C'è una montagna di conti sulla mia scrivania e neanche un soldo in banca. E l'altra banca vorrebbe vedere un qualche progresso in quella linea di credito che per qualche ragione hai deciso di creare.»

«Freda, da quanto tempo lavori qui?»

«Cinque anni.»

«È più che abbastanza. Raccogli le tue cose e vattene. Subito.»

Freda boccheggiò. Le mani volarono a coprirle la bocca. Riuscì a dire: «Mi stai licenziando?».

«No. Sto tagliando le spese generali. Sto ridimensionando.»

Freda reagì rapidamente con una nervosa risata sardonica. «E chi risponderà al telefono, scriverà al computer, pagherà le fatture, organizzerà le pratiche, farà da baby-sitter ai clienti e ti terrà fuori dai guai?»

«Nessuno.»

«Sei ubriaco.»

«Non abbastanza.»

«Non puoi sopravvivere senza di me.»

«Per favore, vai via. Non ho intenzione di discutere.»

«Perderai anche il culo.»

«L'ho già perso.»

«Be', adesso stai perdendo anche la testa.»

«Già persa anche quella. Per favore.»

Freda uscì dall'ufficio e Mack mise i piedi sulla scrivania. Sentì la sua ex segretaria aprire e chiudere cassetti sbattendoli, muoversi rumorosamente nell'ufficio davanti per dieci minuti e poi urlare: «Sei un pidocchioso figlio di puttana, lo sai?».

«So anche questo. Addio.»

La porta d'ingresso sbatté e poi ci fu silenzio. Il primo passo era stato fatto.

Un'ora più tardi Mack uscì di nuovo. Era buio e faceva freddo, però non nevicava più. Aveva ancora sete, ma non voleva andare a casa e non voleva neppure essere visto in uno dei tre bar del centro di Clanton.

Il Riviera Motel era a est della città, sulla highway per Memphis. Era una topaia in stile anni Cinquanta con stanze minuscole, alcune delle quali note per essere disponibili anche a ore, un piccolo caffè e un bar altrettanto piccolo. Fu appunto nel bar che si piazzò Mack, ordinando una birra alla spina. C'era musica country dal jukebox, una partita di basket universitario sullo schermo in alto e il solito assortimento di viaggiatori a basso budget e annoiati abitanti della zona, tutti ben oltre la cinquantina. Mack non riconobbe nessuno a parte il barista, il cui nome però gli sfuggiva. Non era esattamente un cliente abituale del Riviera.

Comprò un sigaro, se lo accese, sorseggiò la sua birra e, dopo qualche minuto, estrasse un piccolo blocco per appunti e cominciò a scribacchiare. Per nascondere alla moglie la maggior parte del suo disastro finanziario, aveva trasformato lo studio legale in una società a responsabilità limitata, o S.r.l., di gran moda al momento tra gli avvocati. Mack era l'unico proprietario e quasi tutti i suoi debiti erano concentrati nello studio: una linea di credito di venticinquemila dollari che aveva ormai sei anni e che non dava segni di venire in qualche modo ridotta, due carte di credito dello studio utilizzate per le piccole spese, sia personali sia di lavoro, che erano state sfruttate fino al limite massimo di diecimila dollari e che venivano tenute a galla con pagamenti minimi, più i soliti debiti per le attrezzature da ufficio. La passività più importante della S.r.l. era l'ipoteca di centoventimila dollari sull'edificio che Mack aveva acquistato otto anni prima, nonostante le obiezioni piuttosto decise di sua moglie. Il mutuo mensile, che ammontava a millequattrocento dollari, non veniva minimamente alleviato dai locali vuoti al primo piano che Mack, quando aveva acquistato l'edificio, era certo di riuscire ad affittare.

In quel meraviglioso, tetro giorno di febbraio, Mack era indietro di due mesi con il mutuo dello studio.

Ordinò un'altra birra e ricapitolò le sue disgrazie. Poteva dichiarare fallimento, passare a un collega le pratiche di tutti i suoi clienti e poi andarsene da uomo libero, senza la minima traccia di imbarazzo o di umiliazione perché lui, Mack Stafford, non sarebbe stato lì a farsi indicare a dito dalla gente e a sentirne i mormorii.

Lo studio era facile. Il matrimonio era tutt'altra faccenda.

Bevve fino alle dieci e poi andò a casa. Fermò l'auto nel vialetto della sua modesta abitazione in un vecchio quartiere di Clanton. Spense il motore e le luci e, seduto dietro il volante, fissò la casa. Le luci del soggiorno erano accese. Sua moglie lo stava aspettando.

Avevano acquistato la casa dalla nonna di lei non molto tempo dopo essersi sposati, quindici anni prima, e da quindici anni Lisa voleva una casa più grande. Sua sorella, sposata con un medico, viveva in una splendida villa vicino al country club, dove abitavano tutti gli altri medici, i banchieri e anche qualche avvocato. La vita laggiù era molto migliore perché le case erano più nuove, avevano piscine e campi da tennis e il golf era proprio dietro l'angolo. Per gran parte della sua vita coniugale, Mack si era sentito ricordare che stavano facendo scarsi progressi nell'ascesa della scala sociale. Progressi? Mack sapeva che in realtà stavano scivolando verso il basso. Più a lungo restavano nella casa della nonna, più la casa diventava piccola.

La famiglia di Lisa era stata proprietaria per generazioni dell'unica fabbrica di cemento di Clanton e anche se questo li aveva mantenuti in cima alla scala sociale della città aveva fatto molto poco per i conti in banca. Lisa e tutti i suoi familiari soffrivano di "denaro di famiglia", uno status che aveva molto a che fare con lo snobismo e pochissimo con autentiche voci attive. Sposare un avvocato era sembrata una buona mossa all'epoca, ma quindici anni dopo Lisa aveva parecchi dubbi, e Mack lo sapeva.

La luce della veranda si accese.

Nel caso l'imminente lite si fosse svolta come la maggior parte delle precedenti, allora le ragazze, Helen e Margo, avrebbero avuto due posti in prima fila. Probabilmente la loro madre aveva fatto telefonate e scagliato oggetti in giro per parecchie ore e, nella sua furia, aveva di certo fatto in modo che le ragazze capissero bene chi aveva ragione e chi aveva torto. Tutte e due erano adolescenti e tutte e due mostravano ogni segno di diventare esattamente come Lisa. Mack voleva bene a entrambe, ma aveva già deciso, alla birra numero tre al lago, di poter vivere anche senza di loro.

La porta d'ingresso si aprì e comparve sua moglie. Lisa fece un passo avanti sulla piccola veranda, incrociò le braccia nude e, attraverso il prato gelato, guardò il marito dritto negli occhi vacui. Mack la fissò a sua volta e poi scese dall'auto. Richiuse la portiera sbattendola e Lisa partì all'attacco con un rabbioso: «Dove sei stato?».

«In studio» rispose Mack sgarbato. Fece un passo avanti, dicendosi di fare attenzione e di non barcollare come un ubriaco. Aveva la bocca piena di chewing-gum alla menta non che sperasse di riuscire a ingannare qualcuno. Dalla casa, il vialetto si sviluppava in leggera discesa verso la strada.

«Dove sei stato?» ripeté Lisa, a voce ancora più alta.

«Per favore, i vicini.» Mack non vide la lastra di ghiaccio tra la propria auto e quella di Lisa e, quando se ne accorse, la situazione era ormai fuori controllo. Cadde in avanti con un piccolo grido, andò a cozzare con la fronte contro il paraurti posteriore della macchina della moglie e per qualche istante il suo mondo diventò completamente nero. Quando riprese i sensi, sentì tre frenetiche voci femminili, una delle quali annunciò: «È ubriaco».

"Grazie, Lisa."

Si era ferito alla testa e gli occhi si rifiutavano di mettere a fuoco le immagini. Lisa era china su di lui e diceva cose del tipo: «Oh, mio Dio, c'è del sangue!». E: «Vostro padre è ubriaco!». E: «Chiamate il 911!».

Per fortuna Mack perse di nuovo conoscenza e quando ricominciò a sentire voci ne individuò una maschile che sembrava aver assunto il controllo della situazione. Era Mr Browning, il vicino della porta accanto. «Attenta al ghiaccio, Lisa. Passami quella coperta. C'è un mucchio di sangue.»

«Ha bevuto» lo informò Lisa, sempre in cerca d'alleati.

«Probabilmente non sente niente» disse collaborativo Mr Browning. Tra lui e Mack c'era una faida in corso da anni.

Anche se si sentiva stordito, Mack avrebbe potuto dire qualcosa ma, mentre se ne stava disteso al freddo sull'erba, decise di chiudere gli occhi e di lasciare che qualcun altro si prendesse cura di lui. Poco dopo sentì arrivare un'ambulanza.

In realtà gli piacque stare in ospedale. I farmaci avevano un effetto delizioso, le infermiere lo trovavano simpatico e la degenza era una scusa perfetta per non andare in studio. Sulla fronte aveva sei punti di sutura e un brutto livido, ma – come Lisa aveva informato qualcuno al telefono mentre pensava che lui dormisse – non risultavano "ulteriori danni cerebrali". Una volta accertato che le ferite erano lievi, Lisa evitò l'ospedale, tenendo lontane anche le ragazze. Mack non aveva alcuna fretta di andarsene e sua moglie non aveva alcuna fretta di riaverlo a casa. Ma dopo due giorni i medici lo dimisero. Mentre stava raccogliendo le sue cose e salutava le infermiere, Lisa entrò nella camera e chiuse la porta. Si sedette sull'unica sedia e incrociò braccia e gambe, come se avesse avuto in programma di trattenersi per ore. Mack si rilassò sul letto. L'ultima dose di Percocet stava facendo ancora effetto e la testa gli sembrava meravigliosamente leggera.

«Hai licenziato Freda» attaccò Lisa, mascelle strette e sopracciglia inarcate.

«Sì.»

«Perché?»

«Perché mi ero stancato delle sue chiacchiere. A te cosa importa? Hai sempre odiato Freda.»

«Cosa succederà allo studio?»

«Tanto per cominciare sarà un posto molto più tranquillo. Ho già licenziato segretarie in passato. Non è un grosso problema.»

Una pausa, mentre Lisa disincrociava le braccia e cominciava ad attorcigliarsi una ciocca di capelli intorno a un dito. Questo significava che stava meditando su questioni molto serie e stava per sganciare la bomba.

«Domani alle cinque abbiamo appuntamento con la dottoressa Juanita» annunciò. Tutto già stabilito. Niente da negoziare.

La dottoressa Juanita era una dei tre consulenti matrimoniali abilitati di Clanton. Mack li conosceva professionalmente tutti e tre per la sua attività di divorzista. Li conosceva anche di persona perché Lisa lo aveva trascinato da tutti e tre per una consulenza. Lui aveva bisogno di aiuto. Lei, naturalmente, no. La dottoressa Juanita si schierava sempre a favore delle donne, per cui la scelta di sua moglie non era una sorpresa.

«Come stanno le ragazze?» domandò Mack. Sapeva già che la risposta sarebbe stata sgradevole, ma se non avesse chiesto nulla Lisa in seguito se ne sarebbe lamentata con la dottoressa Juanita: "Non ha neppure chiesto delle ragazze".

«Umiliate. Il padre torna a casa ubriaco a notte fonda, cade nel vialetto, si rompe la testa e viene ricoverato in ospedale, dove scoprono che il suo tasso alcolemico è il doppio del limite legale. In città ormai lo sanno tutti.»

«Se lo sanno tutti, è perché tu hai diffuso la notizia. Perché non sei capace di tenere la bocca chiusa?»

La faccia di Lisa avvampò e gli occhi scintillarono di odio. «Tu... tu... sei patetico. Sei un miserabile ubriacone patetico, lo sai?»

«Non sono d'accordo.»

«Quanto stai bevendo?»

«Non abbastanza.»

«Tu hai bisogno di aiuto, Mack. Aiuto professionale.»

«E dovrei ricevere questo aiuto dalla dottoressa Juanita?»

Lisa scattò in piedi all'improvviso e andò rabbiosa verso la porta. «Non ho intenzione di litigare in ospedale.»

«Naturalmente no. Tu preferisci litigare a casa, davanti alle ragazze.»

Lisa spalancò la porta. «Domani alle cinque, e farai meglio a presentarti.»

«Ci penserò.»

«E non venire a casa questa sera.»

Lisa sbatté la porta e Mack sentì i suoi tacchi allontanarsi ticchettando collerici.

Il primo cliente di Mack nell'ipotetica class action della motosega era un taglialegna professionista di nome Odell Grove. Quasi cinque anni prima, il figlio diciannovenne di Mr Grove aveva avuto bisogno di un divorzio veloce e per caso era capitato nello studio di Mack. Durante gli incontri con il ragazzo, anche lui taglialegna, Mack era venuto a sapere dell'incontro di Odell con una motosega che era risultata essere più pericolosa del normale. Durante un'operazione di routine, la catena si era spezzata di colpo, il dispositivo di sicurezza non aveva funzionato e Odell aveva perso l'occhio sinistro. Adesso portava una benda e fu la benda che aiutò Mack a identificare il suo cliente negletto quando entrò nel caffè per camionisti alla periferia della cittadina di Karraway. Erano le otto passate da pochi minuti, il mattino dopo la dimissione di Mack dall'ospedale, il mattino dopo la notte passata nello studio. Si era intrufolato in casa di nascosto dopo che le ragazze erano andate a scuola e aveva preso qualche indumento. Per confondersi con la gente del posto, calzava stivali e indossava il completo mimetico che metteva ogni tanto quando andava a caccia di cervi. La ferita sulla fronte era coperta da un berretto di lana verde, che però non riusciva a nascondere tutti i lividi. Mack stava ancora assumendo antidolorifici che lo facevano sentire leggermente ubriaco. Le pillole comunque gli davano il coraggio di affrontare quel colloquio spiacevo 'e. Non aveva scelta.

Con la sua benda nera sull'occhio, Odell mangiava pancake e chiacchierava a voce alta a tre tavoli di distanza. Non lanciò una sola occhiata in direzione di Mack. In base ai documenti nel fascicolo, Mack lo aveva incontrato in quello stesso caffè quattro anni e dieci mesi prima, quando lo aveva informato che, a suo avviso, avevano tra le mani un'ottima, solida causa contro il fabbricante della motosega. L'ultimo contatto risaliva a quasi due anni prima, quando Odell gli aveva telefonato in studio con alcune domande piuttosto pungenti sui progressi della sua ottima, solida causa. Dopo di che la pratica aveva cominciato a puzzare.

Seduto al banco, Mack beveva caffè sfogliando un quotidiano, in attesa che la ressa del primo mattino se ne andasse al lavoro. Finalmente Odell e i suoi due colleghi finirono la colazione e passarono alla cassa. Mack lasciò un dollaro per il caffè e seguì i tre all'esterno. Mentre si avviavano verso il camion per il trasporto di legname, Mack deglutì e chiamò: «Odell». Tutti e tre si fermarono, mentre Mack si avvicinava per salutare con cordialità.

«Odell, sono io: Mack Stafford. Mi sono occupato del divorzio di tuo figlio Luke.»

«L'avvocato?» domandò Odell, confuso. Studiò gli

stivali, la tenuta da cacciatore, il berretto abbassato sugli occhi.

«Proprio io, da Clanton. Hai un minuto?»

«Cosa...?»

«Ci vorrà solo un minuto. Una piccola questione d'affari.»

Odell guardò gli altri due. Tutti e tre si strinsero nelle spalle. «Ti aspettiamo sul camion» disse un collega.

Come la maggior parte degli uomini che passano la vita nei boschi ad abbattere alberi, Odell aveva spalle e torace robusti, braccia massicce e mani di cuoio. E con il suo unico occhio buono riusciva a trasmettere più disprezzo di quanto molti riuscissero a fare con tutti due.

«Cosa c'è?» ringhiò, e poi sputò. Da un angolo della bocca spuntava uno stuzzicadenti. C'era una cicatrice sulla guancia sinistra, gentile omaggio della Tinzo. L'incidente gli era costato un occhio e un mese di raccolta legname.

«Smetto di esercitare» annunciò Mack.

«Cosa accidenti vuol dire?»

«Vuol dire che chiudo lo studio. Penso di poter riuscire a spremere un po' di soldi per il tuo caso.»

«Questa mi pare di averla già sentita.»

«Ecco la proposta: posso farti avere venticinquemila dollari in contanti entro due settimane, ma solo se tu terrai la faccenda assolutamente segreta. Intendo dire che dovrai essere muto come una tomba. Non potrai dirlo ad anima viva.»

Per un uomo che non aveva mai visto cinquemila dollari in contanti, la prospettiva risultò istantaneamente attraente. Odell si guardò intorno per assicurarsi che nessuno li sentisse. Si lavorò lo stuzzicadenti come se lo aiutasse a pensare.

«C'è qualcosa che mi puzza» dichiarò. La benda sull'occhio vibrava.

«Non è complicato, Odell. È un accordo stragiudiziale veloce perché la società che ha fabbricato la motosega sta per essere acquisita da un'altra società. Succede di continuo. E i nuovi proprietari vogliono dimenticarsi di tutte quelle vecchie denunce.»

«Tutto pulito e legale?» domandò Odell sospettoso, come se dell'avvocato che aveva davanti non ci si potesse fidare.

«Naturalmente. Pagheranno, ma solo se la cosa verrà tenuta segreta. Inoltre pensa ai problemi che avresti, se la gente venisse a sapere che hai incassato tutti quei soldi.»

Odell guardò il camion e i due amici seduti in cabina. Poi pensò alla moglie, alla madre di sua moglie, a suo figlio in galera per droga, all'altro figlio disoccupato e nel giro di pochi secondi aveva già pensato a un mucchio di gente che sarebbe stata felice di aiutarlo a spendere la grana. Mack, che sapeva cosa stava passando nella mente del suo cliente, aggiunse: «In contanti, Odell. Dalla mia tasca alla tua, e nessuno ne saprà niente. Nemmeno il fisco».

«Nessuna possibilità di avere qualcosa in più?»

Mack aggrottò la fronte e diede un calcio a un sasso. «Non un solo centesimo. Venticinquemila o niente. E dobbiamo muoverci in fretta. Potrei darti i contanti in meno di un mese.»

«Io cosa devo fare?»

«Vediamoci qui venerdì prossimo alle otto. Tu mi farai una firma e io incasserò.»

«Tu quanto prendi per questa storia?»

«Questo non ha importanza. Li vuoi i soldi o no?»

«Non è molto per un occhio.»

«Su questo hai ragione, ma è tutto quello che puoi ottenere. Sì o no?»

Odell sputò di nuovo e spostò lo stuzzicadenti sull'altro lato della bocca. «Direi di sì» disse finalmente.

«Bene. Venerdì mattina alle otto. E vieni da solo.» Durante il primo incontro di tanti anni fa, Odell aveva accennato a un altro taglialegna che aveva perso una mano mentre lavorava con una motosega Tinzo dello stesso modello. Questo secondo infortunio aveva fatto sì che Mack cominciasse a sognare un attacco su scala più vasta, una class action per conto di decine, forse centinaia di infortunati sul lavoro. Aveva quasi sentito il profumo dei soldi.

Il potenziale ricorrente numero due era stato rintracciato non molto lontano, a Polk County, in una desolata radura in mezzo a una foresta di pini. Jerrol Baker, trentun anni, era un ex taglialegna che non aveva più potuto continuare a fare quel lavoro con una mano sola. E così, insieme a un cugino, aveva messo in piedi un laboratorio di metanfetamina nella sua roulotte. Jerrol il chimico faceva molti più soldi di Jerrol il taglialegna. La sua nuova attività, però, si era dimostrata pericolosa quanto la prima e Jerrol era scampato a malapena alla morte quando il laboratorio era esploso, polverizzando l'attrezzatura, le scorte di magazzino, la roulotte e anche il cugino. Jerrol era stato condannato e spedito in carcere, da dove aveva scritto numerose lettere al suo avvocato della class action chiedendo aggiornamenti sulla sua ottima, solida causa contro la Tinzo. Le lettere erano rimaste tutte senza risposta. Era uscito in libertà vigilata dopo qualche mese e si diceva che fosse tornato in zona. Mack non gli parlava da almeno due anni.

E parlargli adesso sarebbe stato difficile, se non impossibile. La casa della madre di Jerrol era abbandonata. Un vicino si dimostrò poco collaborativo finché Mack non gli spiegò che doveva trecento dollari a Jerrol e voleva mandargli un assegno. Poiché era probabile che Jerrol dovesse denaro a quasi tutti i vicini di casa di sua madre, cominciò a emergere qualche dettaglio.

Mack di sicuro non aveva l'aria di essere un agente dell'antidroga, un ufficiale giudiziario o un funzionario della libertà vigilata. Il vicino indicò vagamente una strada su per la collina e Mack seguì le indicazioni, lasciando cadere altri accenni sulla restituzione di denaro a mano a mano che si inoltrava nelle foreste di pini di Polk County. Era quasi mezzogiorno quando la strada di ghiaia terminò nel nulla. Una vecchia casa mobile sedeva malconcia su blocchi di cemento avvolti da rampicanti selvatici. Mack, con una calibro .38 in tasca, si avviò cauto verso la roulotte. La porta si aprì lentamente, sghemba sui cardini.

Jerrol uscì sulla veranda malferma e guardò Mack, che si fermò a circa sei metri di distanza. Senza camicia, Jerrol era vestito soltanto d'inchiostro, le braccia e il petto decorati da un pittoresco assortimento di tatuaggi carcerari. I capelli erano lunghi e sporchi, il corpo sottile chiaramente devastato dalla metanfetamina. Grazie alla Tinzo aveva perso la mano sinistra, ma nella destra impugnava un fucile a canne mozze. Annuì, ma non disse nulla. Gli occhi erano infossati, come spiritati.

«Sono Mack Stafford, un avvocato di Clanton. Tu devi essere Jerrol Baker, giusto?»

Mack quasi si aspettava che il fucile si alzasse e facesse fuoco, invece non si mosse. Stranamente il suo cliente sorrise, con una bocca priva di denti più spaventosa dell'arma. «Sono proprio io» grugnì.

Parlarono per dieci minuti, un colloquio sorprendentemente civile dato l'ambiente e visti i precedenti. Non appena Jerrol capì che stava per incassare venticinquemila dollari in contanti e che nessuno ne avrebbe mai saputo niente, si trasformò in un ragazzino e arrivò addirittura a invitare il suo avvocato in casa. Mack declinò l'offerta.

Quando si sedettero sulle poltroncine in pelle di fronte alla consulente sul lato opposto della scrivania, la dottoressa Juanita era già ampiamente a conoscenza di tutti i problemi e in pratica faceva solo finta di avere la mente aperta. Mack fu quasi sul punto di chiederle quante volte avesse parlato con le ragazze, ma tutta la sua strategia consisteva nell'evitare qualsiasi conflitto.

Dopo qualche commento studiato per rilassare marito e moglie e per creare un clima di fiducia e serenità, la dottoressa invitò entrambi a dire qualcosa. Com'è ovvio fu Lisa a partire per prima. Parlò non stop per quindici minuti della sua infelicità, del suo senso di vuoto, delle sue frustrazioni e non si risparmiò nel descrivere la mancanza di affetto e di ambizioni del marito, nonché la sua crescente dipendenza dall'alcol.

La fronte di Mack era nera e azzurra e il bendaggio bianco ne copriva solo un terzo, perciò non solo veniva descritto come un ubriacone, ma ne aveva anche l'aspetto. Si morse la lingua, ascoltò e cercò di sembrare afflitto e depresso. Quando toccò a lui parlare, concordò su alcune affermazioni della moglie, ma non sganciò nessuna bomba. La maggior parte dei problemi della coppia era dovuta a lui e lui era pronto ad assumersene la colpa.

Quando finì di parlare, la dottoressa Juanita li separò. Lisa uscì per prima e tornò nella saletta d'attesa, a sfogliare riviste e a ricaricarsi. Mack si ritrovò da solo di fronte alla consulente. La prima volta che era stato sottoposto a quella tortura si era sentito nervoso, ormai però aveva subìto talmente tante sedute del genere che non gliene importava più niente. Nulla di ciò che avrebbe detto sarebbe servito a salvare il matrimonio, dunque perché parlare?

«Ho la sensazione che tu voglia farla finita con il tuo matrimonio» cominciò la dottoressa in tono sommesso e saggio, osservandolo con attenzione.

«Voglio farla finita perché vuole farla finita Lisa. Lei vuole una vita più grandiosa, una casa più grandiosa, un marito più grandioso. Io semplicemente sono troppo piccolo.»

«Tu e Lisa ridete mai insieme?»

«Magari se vediamo qualcosa di divertente alla televisione. Io rido, lei ride, le ragazze ridono.»

«Cosa mi dici del sesso?»

«Be', abbiamo tutti e due quarantadue anni e lo facciamo in media una volta al mese. Ed è abbastanza triste, perché il rapporto dura al massimo cinque minuti. Non c'è passione, non c'è sentimento, è solo qualcosa per rilassare un po' i nervi. Molto metodico, tipo completate il disegno unendo i puntini. Ho l'impressione che Lisa potrebbe fare benissimo a meno di tutta la faccenda.»

La dottoressa Juanita prese qualche appunto, più o meno come faceva Mack quando aveva davanti un cliente che non aveva detto niente, ma era comunque necessario scrivere qualcosa.

«Quanto stai bevendo?» gli domandò la dottoressa.

«Neanche lontanamente quello che dice Lisa. Lei viene da una famiglia di astemi, per cui tre birre in una serata significa sbronzarsi.»

«Tu però stai bevendo troppo.»

«L'altra sera, il giorno che è nevicato, sono arrivato a casa, sono scivolato sul ghiaccio e ho battuto la testa. Adesso quasi tutta Clanton sa che mentre barcollavo ubriaco lungo il vialetto sono caduto, mi sono spaccato il cranio e ora mi comporto in modo strano. Lisa sta cercando alleati, capisci? Sta dicendo in giro che verme sono perché vuole tutti dalla sua parte, quando chiederà il divorzio. I fronti della battaglia sono già tracciati. È inevitabile.»

«Stai rinunciando?»

«Mi sto arrendendo. Resa totale. Incondizionata.»

Si dava il caso che quella domenica fosse la seconda del mese, giorno che Mack odiava più di qualsiasi altro. Tutta la famiglia di Lisa, il clan dei Bunning, era tenuta per legge a riunirsi a casa dei genitori per il brunch dopo la funzione in chiesa la seconda domenica di ogni mese. Non erano ammesse scuse, a meno che un membro della famiglia fosse fuori città e anche in quel caso una simile mancanza veniva giudicata con disapprovazione e di solito faceva sì che l'assente fosse oggetto di commenti sprezzanti, naturalmente non in presenza dei bambini.

Mack, con la fronte di una tonalità blu scuro e il gonfiore ancora ben evidente, non resistette alla tentazione di un ultimo, spettacolare addio. Saltò la funzione in chiesa, decise di non farsi la doccia e neppure la barba, indossò un vecchio paio di jeans con una felpa macchiata e, per aumentare l'effetto drammatico, si tolse la garza bianca che gli copriva la ferita, in modo che il brunch venisse immediatamente rovinato non appena tutti i Bunning avessero visto i suoi spaventosi punti. Si presentò con qualche minuto di ritardo, comunque abbastanza presto per impedire agli adulti di godersi qualche round preliminare di chiacchiere al vetriolo. Lisa lo ignorò completamente, così come quasi tutti gli altri. Le figlie corsero a nascondersi nella veranda a vetri con i cugini, i quali ovviamente sapevano ogni cosa dello scandalo e volevano i dettagli del suo crollo.

A un certo punto, poco prima di andare a tavola, Lisa gli passò accanto e, a denti stretti, riuscì a sibilare: «Perché non te ne vai?». Al che Mack rispose allegramente: «Perché sto morendo di fame e non mangio pollo bruciato dalla seconda domenica del mese scorso».

Erano tutti presenti, sedici persone in totale. Quando il padre di Lisa, ancora in camicia bianca e cravatta dopo la chiesa, ebbe santificato la giornata con la sua petizione standard all'Onnipotente cominciarono a passarsi il cibo e il brunch ebbe inizio. Come sempre, trascorsero circa trenta secondi prima che il padre di Lisa cominciasse a parlare del prezzo del cemento. Le donne si rifugiarono in piccole enclave di pettegolezzi. Due dei nipoti di Mack, che gli sedevano di fronte, fissavano i punti in testa, senza riuscire a mangiare. Finalmente la madre di Lisa, la gran dama, arrivò all'inevitabile punto in cui non riuscì più a tacere. Durante una pausa nella conversazione, osservò a pieno volume: «Mack, la tua povera testa ha un aspetto spaventoso. Deve farti molto male».

Mack, che aveva previsto proprio quella salva d'apertura, rispose: «Non sento assolutamente niente. Sto prendendo dei farmaci meravigliosi».

«Ma cosa ti è successo?» La domanda arrivava dal cognato, il medico, l'unico individuo seduto a quel tavolo che poteva aver avuto accesso alla cartella clinica di Mack in ospedale. C'erano pochi dubbi sul fatto che avesse praticamente imparato a memoria i dati medici di Mack, che avesse fatto il terzo grado ai colleghi, alle infermiere e agli inservienti che si erano occupati di lui e che delle condizioni di Mack sapesse più di Mack stesso. Quando aveva elaborato i suoi piani di abbandono della professione legale, forse l'unico rimpianto era stato quello di non avere mai fatto causa al cognato per negligenza professionale. Altri certamente l'avevano fatto, e avevano incassato.

«Avevo bevuto» rispose Mack con orgoglio. «Sono arrivato a casa tardi, sono scivolato sul ghiaccio e ho battuto la testa.»

Intorno al tavolo, le schiene dell'indignata famiglia astemia si raddrizzarono all'unisono.

Mack continuò l'affondo: «Non ditemi che non sapete già tutti i particolari. Lisa è stata una testimone oculare. L'ha raccontato a tutti».

131

«Mack, per favore» disse Lisa, lasciando cadere la forchetta. Tutte le forchette erano improvvisamente immobili, tranne quella di Mack. La conficcò in una montagna di pezzetti di pollo gommoso e se ne cacciò uno in bocca.

«Per favore che cosa?» domandò con la bocca piena, il cibo ben visibile. «Ti sei assicurata che ogni persona seduta a questo tavolo ascoltasse la tua versione dei fatti.» Mack masticava, parlava e puntava la forchetta in direzione della moglie, che sedeva all'estremità opposta del tavolo accanto a suo padre. «E probabilmente hai raccontato a tutti anche della nostra visita alla consulente matrimoniale, giusto?»

«Oh, mio Dio» boccheggiò Lisa.

«E non lo sappiamo tutti che dormo in studio?» continuò Mack. «Non posso più tornare a casa perché, be', accidenti, potrei scivolare e cadere di nuovo. O chissà cosa. Potrei ubriacarmi e picchiare le ragazze. Chi può dirlo. Ho ragione, Lisa?»

«Basta così, Mack» intervenne il suocero, la voce dell'autorità.

«Sì, signore. Chiedo scusa. Questo pollo è praticamente crudo. Chi l'ha cucinato?»

La suocera si irrigidì, la spina dorsale si raddrizzò ancora di più, le sopracciglia si inarcarono. «L'ho cucinato io, Mack. Hai altre lamentele sul cibo?»

«Oh, migliaia, ma chi se ne frega.»

«Bada a come parli» disse il suocero.

«Vedete cosa intendevo dire?» chiese Lisa. «Sta andando in pezzi.» Quasi tutti i presenti annuirono con aria grave. Helen, la figlia minore, cominciò a piangere sottovoce.

«Adori dirlo, vero?» gridò Mack. «Hai detto la stessa cosa alla consulente. L'hai detta a tutti. Mack ha battuto la testa e adesso non fa che combinare cazzate.»

«Non intendo tollerare un simile linguaggio» dichiarò

severamente il padre di Lisa. «Ti prego di lasciare questa tavola.»

«Chiedo scusa. Me ne vado con piacere.» Mack si alzò in piedi, facendo cadere la sedia. «E sarete tutti lietissimi di sapere che non tornerò mai più. Questo vi dà un brivido eccitante, giusto?»

Si allontanò in un silenzio pesante. L'ultima cosa che sentì, fu Lisa che diceva: «Mi dispiace moltissimo».

Il lunedì Mack fece il giro della piazza fino al grande e indaffarato studio di Harry Rex Vonner, un amico e anche il divorzista più feroce di tutta Ford County. Harry Rex era un chiassoso, paffuto spaccone che masticava sigari neri, ringhiava alle sue segretarie, ringhiava ai cancellieri del tribunale, aveva il controllo del calendario delle udienze, intimidiva i giudici e terrorizzava ogni controparte in via di divorzio. Il suo studio era una discarica, con scatoloni pieni di fascicoli nell'ingresso, cestini della carta traboccanti, pile di vecchie riviste negli espositori, un denso strato azzurro di fumo di sigaretta immediatamente sotto il soffitto, un altro spesso strato di polvere su mobili e scaffali e, sempre, un variegato assortimento di clienti in triste attesa accanto alla porta d'ingresso. Quel posto era uno zoo, niente era mai in orario. C'era sempre qualcuno che strillava nel retro. I telefoni squillavano continuamente. La fotocopiatrice era sempre inceppata. E così via. Mack c'era già andato molte volte per lavoro e amava il caos di quel posto.

«Ho sentito che stai crollando, ragazzo» lo salutò Harry Rex sulla porta del suo ufficio. La stanza era vasta, priva di finestre e si trovava nella parte posteriore dell'edificio, lontano dai clienti in attesa. Era piena di scaffali carichi di libri, scatole d'archivio, reperti processuali, ingrandimenti fotografici e pile di deposizioni. Le pareti erano coperte da foto dozzinali, perlopiù di Harry Rex che, con il fucile in mano, sorrideva accanto ad animali uccisi. Mack non ricordava la sua ultima visita, ma da allora di sicuro niente era cambiato.

Si misero a sedere, Harry Rex dietro la massiccia scrivania con fogli che tracimavano ai lati, Mack su una vecchia poltroncina di tela che dondolava avanti e indietro.

«Ho solo battuto la testa, ecco tutto» disse Mack.

«Hai un aspetto orrendo.»

«Grazie.»

«Lisa ha già presentato istanza di divorzio?»

«No, ho appena controllato. Ha detto che si rivolgerà a un'avvocatessa di Tupelo, non si fida di nessuno qui in città. Non ho intenzione di combattere, Harry Rex. Lisa può tenersi tutto: le ragazze, la casa e tutto quello che c'è dentro. Io dichiaro fallimento, chiudo bottega e me ne vado.»

Harry Rex tagliò lentamente l'estremità di un altro sigaro nero, che poi sistemò in un angolo della bocca. «Stai crollando in pezzi, ragazzo.» Harry Rex aveva circa cinquant'anni, ma sembrava molto più vecchio e molto più saggio. Parlando con chiunque fosse più giovane di lui, di solito aggiungeva la parola "ragazzo" in segno d'affetto.

«Chiamala crisi della mezza età. Ho quarantadue anni e la nausea del mestiere di avvocato. Il mio matrimonio non funziona più. E nemmeno la carriera. È arrivata l'ora di un cambiamento, di uno scenario nuovo.»

«Senti, ragazzo, io di matrimoni ne ho avuti tre. Sbarazzarsi di una donna non è una buona ragione per scappar via con la coda tra le gambe.»

«Non sono qui per una consulenza professionale. Ti assumo per occuparti del mio divorzio e del mio fallimento. Ho già preparato tutti i documenti. Devi solo dire a uno dei tuoi tirapiedi di depositare il tutto e fare in modo che io sia protetto.»

«Dove hai intenzione di andare?»

«Da qualche parte, purché sia lontano. Non so ancora bene dove, ma te lo comunicherò non appena ci arrivo. Tornerò quando ci sarà bisogno di me. Sono ancora un padre, capisci?»

Harry Rex si rilassò sulla poltrona, sospirò e si guardò intorno, fermando lo sguardo sulle montagne di pratiche in equilibrio precario sul pavimento intorno alla scrivania. Guardò il telefono su cui lampeggiavano cinque spie rosse. «Posso venire con te?» domandò.

«No, mi dispiace. Tu devi restare qui per farmi da avvocato. Ho undici pratiche di divorzio aperte, sono quasi tutti consensuali, più otto fallimenti, un'adozione, due compravendite immobiliari, un incidente automobilistico, un infortunio sul lavoro e due piccole cause societarie. Parcelle per un totale di circa venticinquemila dollari nei prossimi sei mesi. Vorrei che tu mi togliessi tutto dai piedi.»

«È solo un mucchietto di merda.»

«Sì, la stessa roba che ho maneggiato per diciassette anni. Scaricala a uno dei tuoi piccoli associati e dagli un bonus. Credimi, non c'è niente di complicato.»

«Quanto puoi dare alle tue figlie?»

«Il massimo sono tremila al mese, che è un mucchio di più di quello che do adesso. Comincia con duemila e vedi come va. Lisa può chiedere il divorzio per divergenze inconciliabili, io mi adeguerò. Potrà avere l'affidamento delle ragazze, che io però potrò vedere ogni volta che verrò in città. Lisa si terrà la casa, l'auto, i conti correnti, tutto. Non è coinvolta nel fallimento. I beni comuni non sono compresi.»

«Per cosa dichiari fallimento?»

«Studio legale di Jacob McKinley Stafford, S.r.l. Riposi in pace.»

Harry Rex masticò il sigaro ed esaminò l'istanza di fallimento. Non c'era niente di speciale nel documento: le solite carte di credito in rosso, l'onnipresente linea di credito senza garanzie, la pesante ipoteca. «Non sei costretto al fallimento. Questa roba è tutta risolvibile.»

«L'istanza è già stata redatta. E la decisione è stata presa, unitamente a molte altre. Me ne vado, okay? Via da qui. Lontano.»

«Molto coraggioso.»

«No. La maggior parte della gente direbbe che andarsene è un atto di vigliaccheria.»

«Tu come la vedi?»

«Non potrebbe importarmene meno. Se non me ne vado adesso, allora resterò qui per sempre. Questa è la mia unica chance.»

«Bravo il mio ragazzo.»

Fu esattamente alle undici di martedì mattina, una splendida settimana dopo la prima telefonata, che Mack fece la seconda. Mentre digitava il numero, sorrise e si congratulò con se stesso per gli stupefacenti risultati degli ultimi sette giorni. Il piano stava funzionando alla perfezione. non un solo intoppo fino a quel momento, tranne forse la ferita sulla fronte, ma perfino quell'incidente era stato astutamente inserito nel piano di fuga: Mack si era fatto male ed era stato ricoverato in ospedale per un colpo alla testa. Nessuna meraviglia che si comportasse in modo strano.

«Mr Marty Rosenberg» disse educatamente, e poi aspettò che il grand'uomo venisse avvertito. Marty rispose quasi subito e i due avvocati si scambiarono i soliti preliminari. Rosenberg sembrava non avere fretta, più che disposto a lasciarsi andare a un flusso di chiacchiere insignificanti. D'improvviso Mack temette che quella scarsa efficienza potesse significare un cambiamento di programma, una qualche brutta notizia. Decise di andare al sodo.

«Senti, Marty, ho parlato con i miei quattro clienti e,

come puoi immaginare, sono tutti ansiosi di accettare la tua offerta. Metteremo a dormire il tuo bimbo per mezzo milione di dollari.»

«Sì, be'... era mezzo milione, Mack?» Rosenberg sembrava incerto.

Mack sentì il cuore stretto in una morsa e trattenne il fiato. «Certo, Marty» confermò, poi aggiunse una risatina forzata, come se il vecchio Marty su a New York stesse scherzando. «Hai offerto centomila per ognuno dei quattro, più altri cento per i costi della difesa.»

Mack sentì fruscio di fogli a New York. «Mmh, vediamo. Stiamo parlando dei casi Tinzo, giusto?»

«Giusto» confermò Mack con una certa dose di paura e frustrazione. E disperazione. L'uomo con il libretto degli assegni non era neppure sicuro di cosa stavano parlando. Una settimana prima era stato estremamente efficiente. Adesso era insicuro, in difficoltà. E poi la frase più orrenda di tutte: «Temo di aver confuso i tuoi casi con altri».

«Starai scherzando!» abbaiò Mack, troppo rabbioso. "Sta' calmo" si disse.

«Davvero abbiamo offerto così tanti soldi per quei casi?» domandò Rosenberg, che evidentemente stava controllando i suoi appunti mentre parlava.

«Puoi scommetterci. E io, in buona fede, ho comunicato l'offerta ai miei clienti. Abbiamo un accordo, Marty. Tu avevi fatto un'offerta ragionevole e noi l'abbiamo accettata. Adesso non puoi tirarti indietro.»

«È solo che mi sembra una somma un po' troppo alta, ecco tutto. In questi giorni sto lavorando su moltissimi casi di responsabilità prodotto.»

"Be', congratulazioni" fu sul punto di dire Mack. "Hai montagne di lavoro da sbrigare per conto di clienti che possono pagarti montagne di soldi." Si asciugò il sudore dalla fronte e vide scivolargli via tutto fra le dita. Si impose di non lasciarsi prendere dal panico. «Non è affatto una cifra alta, Marty. Dovresti vedere Odell Grove con un occhio solo, Jerrol Baker senza la mano sinistra, Doug Jumper con una mano menomata e inutilizzabile e Travis Johnson con dei moncherini dove una volta c'erano le dita. Se tu potessi parlare con quegli uomini, Marty, vedere come sono disgraziate le loro vite e quanto sono stati danneggiati dalle motoseghe Tinzo, sono convinto che saresti d'accordo con me che la tua offerta di mezzo milione è non solo ragionevole, ma forse addirittura un po' troppo bassa.» Mack lasciò uscire il fiato e quasi sorrise a se stesso: non una brutta arringa finale. Forse avrebbe dovuto passare più tempo nelle aule del tribunale.

«Non ho tempo di esaminare questi dettagli o di discutere di responsabilità, Mark, io...»

«Mi chiamo Mack. Mack Stafford, avvocato, Clanton, Mississippi.»

«Giusto, scusami.» Ancora fruscio di documenti a New York. Voci smorzate in sottofondo, mentre Mr Rosenberg impartiva istruzioni a qualcuno. Poi tornò in linea, la voce di nuovo attenta. «Mack, tu sai che la Tinzo è andata a processo quattro volte per questa storia della motosega e ha vinto tutte e quattro le cause. Vittoria netta, nessuna responsabilità.»

Naturalmente Mack non lo sapeva, perché aveva dimenticato tutto della sua piccola class action. Disperato, ribatté: «Sì, e ho studiato quei processi. Ma mi era sembrato di capire che tu non avessi intenzione di discutere di responsabilità».

«Okay, hai ragione. Ti manderò per fax i documenti dell'accordo stragiudiziale.»

Mack fece un sospiro profondo.

«Quanto ci metterai a rispedirmeli?» domandò Marty.

«Un paio di giorni.»

Cavillarono sulla formulazione dei documenti. Discussero come suddividere la somma. Rimasero al telefono per altri venti minuti, facendo quello che ci si aspetta che facciano gli avvocati.

Quando alla fine riattaccò, Mack chiuse gli occhi, mise i piedi sulla scrivania e quasi si sdraiò sulla poltroncina. Era svuotato, esausto, ancora spaventato, ma stava superando tutto rapidamente. Sorrise e poco dopo stava canticchiando una canzone di Jimmy Buffett.

Il telefono sulla scrivania continuava a squillare.

La verità era che non era riuscito a rintracciare né Travis Johnson, né Doug Jumper. Si diceva che Travis si fosse trasferito a ovest dove adesso faceva il camionista, lavoro che evidentemente poteva svolgere con sole sette dita intere. Travis si era lasciato alle spalle un'ex moglie, una casa piena di bambini e parecchie denunce per mancato mantenimento dei figli. La donna lavorava in un drugstore di Clanton, faceva il turno di notte ed ebbe poco da dire a Mack, del quale ricordava ancora la promessa di un po' di soldi all'epoca in cui suo marito aveva perso parte di tre dita. Secondo quanto affermavano alcuni poco loquaci amici, Travis aveva tagliato la corda un anno prima e non aveva in programma di tornare a Ford County.

Di Doug Jumper correva voce che fosse morto. Era finito in galera in Tennessee con una condanna per aggressione e nessuno lo vedeva da tre anni. Non aveva mai avuto un padre. Sua madre si era trasferita. C'era qualche parente sparso nella contea, ma avevano dimostrato tutti scarso interesse a parlare di Doug e un interesse ancora più scarso a parlare con un avvocato, perfino un avvocato in mimetica da cacciatore, o jeans sbiaditi e stivali, o qualunque altra tenuta Mack avesse adottato per confondersi con gli indigeni. Lo sperimentato stratagemma di far dondolare la carota di un qualche vago assegno pagabile a Doug Jumper non aveva funzionato. Niente aveva funzionato e, dopo due settimane di ricerche, Mack alla fine aveva rinunciato quando si era sentito ripetere per la terza o la quarta volta: «Quel ragazzo probabilmente è morto».

Si fece rilasciare le firme da Odell Grove e Jerrol Baker – quella di Jerrol poco più di un patetico tremolio della mano destra sul foglio – e poi commise il suo primo reato. L'autentica notarile sui moduli dell'accordo stragiudiziale era richiesta da Mr Marty Rosenberg di New York, ma si trattava comunque di una pratica standard. Mack però aveva licenziato il suo notaio, Freda, e procurarsi i servizi di un altro era troppo complicato.

Seduto alla sua scrivania, con tutte le porte chiuse a chiave, Mack imitò con grande cura la firma di Freda, pubblico notaio, e poi impresse il sigillo notarile con un timbro scaduto che conservava in un armadietto chiuso a chiave. Autenticò la firma di Odell, poi quella di Jerrol e poi si fermò per ammirare la propria opera. Aveva programmato quell'operazione per giorni e si era convinto che non l'avrebbero mai scoperto. I suoi falsi erano bellissimi, il timbro notarile a malapena visibile e nessuno a New York avrebbe mai perso tempo ad analizzare il tutto. Mr Rosenberg e la sua squadra d'assalto erano così ansiosi di chiudere le pratiche che si sarebbero limitati a dare un'occhiata veloce ai documenti, a controllare qualche dettaglio e poi avrebbero inviato l'assegno.

I reati di Mack si fecero più complicati quando falsificò le firme di Travis Johnson e Doug Jumper. Naturalmente si trattava di un'azione giustificata, dato che Mack aveva compiuto ogni sforzo possibile per rintracciare i due e, se mai fossero ricomparsi, sarebbe stato più che disposto a versare a entrambi gli stessi venticinquemila dollari che stava per consegnare a Odell e Jerrol. Sempre che lui fosse stato ancora in giro quando fossero ricomparsi.

Ma Mack non aveva in programma di essere in giro.

La mattina seguente si servì delle poste degli Stati

Uniti – un'altra possibile violazione della legge, federale questa volta, ma di nuovo nulla che lo turbasse – e inviò per espresso il plico a New York.

Poi depositò l'istanza di fallimento, operazione nel corso della quale riuscì a infrangere un'altra legge, non segnalando l'imminente incasso delle parcelle derivanti dal capolavoro della motosega. Sarebbe stato possibile sostenere – e forse così avrebbe sostenuto se l'avessero scoperto – che quelle parcelle non erano ancora state incassate, ma Mack non riusciva a vincere il dibattito neppure con se stesso. Non che in realtà ci provasse. Le parcelle in questione non sarebbero mai state viste da nessuno a Clanton, né, se era per quello, in tutto il Mississippi.

Non si radeva da due settimane e, a suo parere, la barba sale e pepe gli stava piuttosto bene. Smise di mangiare e smise di indossare giacca e cravatta. Lividi e punti di sutura erano scomparsi dalla fronte. Quando veniva avvistato in giro per la città, cosa che non accadeva molto spesso, la gente esitava e mormorava perché il pettegolezzo del giorno era che il povero Mack stava perdendo tutto. La notizia del suo fallimento si diffuse in un lampo in tribunale e, quando si seppe che Lisa aveva chiesto il divorzio, avvocati, impiegati e segretarie non parlarono praticamente d'altro. Lo studio di Mack restava chiuso in orario d'ufficio, e anche dopo. Nessuno rispondeva al telefono.

Il denaro della motosega venne versato tramite bonifico telegrafico su un conto aperto per l'occasione in una banca di Memphis e poi da lì silenziosamente disperso. Mack prelevò cinquantamila dollari in contanti, liquidò Odell Grove e Jerrol Baker e questo lo fece sentire molto in pace con se stesso. Certo, i due avevano diritto a una somma maggiore, perlomeno in base ai termini dei contratti da tempo dimenticati che Mack aveva cacciato sotto i loro nasi quando lo avevano ingaggiato. Ma, almeno a parere di Mack stesso, l'occasione richiedeva un'interpretazione più flessibile di detti contratti, e questo per numerose ragioni. Innanzitutto i suoi clienti erano molto contenti. Seconda cosa, i suoi clienti avrebbero di sicuro sperperato qualsiasi importo superiore ai venticinquemila dollari, perciò, al fine di preservare il denaro, Mack riteneva di doversi semplicemente trattenere la fetta più grossa. Terzo, venticinquemila dollari erano un risarcimento equo alla luce degli infortuni e soprattutto alla luce del fatto che quei due non avrebbero incassato proprio niente se Mack non fosse stato così astuto da elaborare il piano della causa della motosega, tanto per cominciare.

Le ragioni quattro, cinque e sei seguivano la stessa linea di pensiero. Mack si era già stancato di razionalizzare le proprie azioni. Stava fregando i suoi clienti e lo sapeva.

Ormai era un delinquente. Falsificazione di documenti, occultamento di beni, frode a clienti. Se si fosse consentito di riflettere su tali azioni, si sarebbe sentito malissimo. Ma la realtà era che Mack si sentiva talmente eccitato dalla sua fuga da sorprendersi a ridere da solo nei momenti più impensati. Una volta commessi i crimini, non si poteva più tornare indietro e anche quest'idea gli piaceva.

Consegnò a Harry Rex un assegno di cinquantamila dollari per gestire il fall out iniziale del divorzio e firmò tutti i documenti necessari affinché il suo avvocato potesse agire in sua vece per concludere le pratiche in sospeso. Il resto del denaro venne trasmesso telegraficamente a una banca in Centro America.

L'ultimo atto del suo distacco ben programmato e brillantemente eseguito fu l'incontro con le figlie. Dopo numerose, aspre conversazioni telefoniche, alla fine Lisa aveva ceduto, permettendogli di entrare in casa per un'ora, un giovedì sera. Lei sarebbe uscita, ma sarebbe stata di ritorno dopo sessanta minuti esatti.

Da qualche parte nelle regole non scritte del comportamento umano, un saggio una volta aveva stabilito che incontri di questo tipo sono obbligatori. Mack di sicuro ne avrebbe volentieri fatto a meno, però in tal caso sarebbe stato non solo un delinquente, ma anche un codardo. Nessuna regola era sicura. Immaginava che per le ragazze fosse importante avere la possibilità di esprimere la loro rabbia, di piangere, di chiedere perché. Non avrebbe dovuto preoccuparsi. Lisa le aveva indottrinate così bene che le due ragazze gli concessero a malapena un abbraccio. Mack promise di andarle a trovare il più spesso possibile, anche se stava per lasciare la città. Le figlie reagirono alla promessa con più scetticismo di quanto Mack avesse ritenuto possibile. Dopo trenta lunghi e imbarazzati minuti, Mack abbracciò i corpi rigidi delle figlie per l'ultima volta e si affrettò a salire in auto. Mentre si allontanava, si convinse che le tre donne stavano già programmando una nuova vita felice senza di lui.

E se si fosse permesso di soffermarsi sui suoi fallimenti e le sue mancanze, sarebbe caduto nella malinconia. Lottò contro l'impulso di pensare a quando le sue figlie erano ancora piccole e la vita più felice. Ma lui era mai stato veramente felice? Non era in grado di dirlo.

Entrò nello studio dalla porta posteriore, come sempre ormai, e fece un ultimo giro degli uffici. Tutte le pratiche aperte erano state passate a Harry Rex. Quelle vecchie erano state bruciate. I libri di legge, l'attrezzatura da ufficio, i mobili e i quadri da quattro soldi un tempo appesi alle pareti erano stati venduti o regalati. Caricò in auto una valigia di dimensioni medie il cui contenuto era stato attentamente selezionato. Niente abiti completi, cravatte, camicie bianche, giacche, scarpe elegan-

143

ti: tutta quella roba era stata data in beneficenza. Mack se ne stava andando con un bagaglio leggero.

Raggiunse Memphis in autobus, da lì volò a Miami e poi a Nassau, dove si fermò una notte prima del volo per Belize City, Belize. Lì attese per un'ora nel minuscolo bar del soffocante aeroporto locale, sorseggiando una birra, ascoltando alcuni vocianti canadesi che chiacchieravano eccitati di pesca al bonefish e sognando ciò che lo aspettava. Non sapeva bene cosa avesse in serbo il suo futuro, ma di sicuro era di gran lunga più attraente delle rovine che si era lasciato alle spalle.

Il denaro era in Belize, un paese con cui gli Stati Uniti avevano un trattato d'estradizione più formale che pratico. Se le sue tracce fossero state scoperte, e Mack era supremamente sicuro che non sarebbe mai successo, allora si sarebbe trasferito a Panama. A suo avviso, le probabilità di essere rintracciato e fermato erano meno che scarse e se qualcuno avesse cominciato a ficcanasare in giro a Clanton, Harry Rex sarebbe venuto subito a saperlo.

L'aereo per Ambergris Cay era un vecchio Cessna Caravan, un velivolo che poteva ospitare venti passeggeri e che quel giorno era carico di pasciuti nordamericani troppo grassi per le poltroncine strette. Ma a Mack non importava. Dal finestrino guardò l'acqua chiara e scintillante mille metri sotto di lui, la calda acqua salata nella quale tra poco avrebbe nuotato. Arrivato sull'isola, a nord della cittadina più importante di San Pedro, si trovò un alloggio in un bizzarro alberghetto di fronte al mare, il Rico's Reef Resort. Le stanze erano piccoli bungalow con il tetto di paglia, tutti dotati di una minuscola veranda. E su ogni veranda c'era una lunga amaca, il che lasciava pochi dubbi sulle priorità al Rico's Reef Resort. Mack pagò una settimana in contanti – mai più carte di credito – e si cambiò in fretta, indossando il suo nuovo abbigliamento: maglietta, vecchi short di jeans, berretto da baseball, niente scarpe. Trovò subito l'abbeveratoio locale, ordinò un rum e fece conoscenza con un uomo di nome Coz. Coz se ne stava ancorato a un'estremità del bancone di tek e dava l'impressione di essere seduto lì da parecchio tempo. I lunghi capelli grigi erano raccolti in una coda di cavallo, la pelle bruciata dal sole era color bronzo. L'accento era uno sbiadito New England. Non passò molto tempo prima che Coz, fumando in continuazione e bevendo rum scuro, accennasse al fatto che un tempo aveva avuto a che fare con un vago, indefinito studio di Boston. Tentò anche di sondare il passato di Mack, il quale però era troppo nervoso per svelare qualcosa.

«Quanto tempo ti fermi?» domandò Coz.

«Abbastanza per abbronzarmi.»

«Potrà volerci un po'. Stai attento al sole: qui è micidiale.»

Coz aveva consigli su un mucchio di cose riguardanti il Belize. Quando si rese conto che stava ottenendo ben poco dal suo compagno di bevuta, disse: «Sei in gamba. Non chiacchierare troppo da queste parti. Ci sono moltissimi yankee in fuga da qualcosa».

Più tardi, disteso sull'amaca, Mack si lasciava dondolare dal vento, guardava l'oceano, ascoltava il suono delle onde, sorseggiava rum e soda e si chiedeva se in effetti stesse realmente fuggendo. Non c'era alcun mandato d'arresto nei suoi confronti, nessuna ordinanza della Corte e nemmeno creditori che gli stessero dando la caccia. Almeno che lui sapesse. Né si aspettava niente del genere. Avrebbe potuto tornare a casa l'indomani, se avesse voluto, ma il solo pensiero lo disgustava. Casa non c'era più. Casa era qualcosa da cui era appena scappato. Lo shock del distacco era ancora notevole, ma il rum era certamente d'aiuto.

Trascorse la prima settimana disteso sull'amaca o a bordo piscina, impregnandosi di sole e tornando ogni tanto in veranda per una pausa di ombra. Quando non stava dormicchiando, prendendo il sole o ciondolando al bar, faceva lunghe passeggiate sulla riva. Gli sarebbe piaciuto avere compagnia. Chiacchierò con i turisti dei piccoli hotel e degli alloggi per pescatori e finalmente ebbe fortuna con una simpatica, giovane signora di Detroit. A volte si annoiava, ma essere annoiato in Belize era molto, molto meglio che essere annoiato a Clanton.

Il 25 marzo Mack si svegliò da un brutto sogno. Per una qualche orrenda ragione ricordava la data perché quel giorno a Clanton iniziava una nuova sessione del tribunale amministrativo e, in circostanze normali, Mack sarebbe stato presente alla lettura del ruolo delle udienze che si teneva nell'aula principale. Insieme ad altri venti colleghi, avrebbe risposto ogni volta che fosse stato chiamato il suo nome e avrebbe confermato al giudice che Mr e Mrs Tal dei Tali erano presenti e pronti per richiedere il divorzio. Mack aveva almeno tre divorzi in programma per quel giorno. Sfortunatamente ricordava ancora i nomi dei clienti. Non si trattava che di una catena di montaggio e Mack era solo un operaio mal pagato e molto sostituibile.

Nudo sotto le lenzuola sottili, chiuse gli occhi. Inspirò e sentì l'odore ammuffito di legno di quercia e pelle della vecchia aula di tribunale. Sentì le voci degli altri avvocati discutere con aria di importanza dettagli dell'ultimo minuto. Vide il giudice nella sua toga nera sbiadita seduto sul massiccio scranno, in impaziente attesa dei documenti da firmare per sciogliere l'ennesimo matrimonio contratto in paradiso.

Poi aprì gli occhi e, mentre guardava il lento, silenzioso roteare delle pale del ventilatore sul soffitto e ascoltava il suono dell'oceano al mattino, Mack Stafford d'improvviso si sentì completamente travolto dalla gioia della libertà. Indossò in fretta un paio di short da palestra, scese in spiaggia e corse fino a un molo che si protendeva in mare per sessanta metri. Sprintò sfrecciando lungo il molo senza mai rallentare. Stava ridendo, quando volò nell'aria e si tuffò con un gigantesco *splash*. Poi l'acqua calda come in una sauna lo spinse in superficie e Mack cominciò a nuotare.

INDIANI, COWBOY E GIOCO D'AZZARDO

Il faccendiere più ambizioso di Clanton era un concessionario di trattori di nome Bobby Carl Leach. Dalla sua vasta esposizione all'aperto di fianco alla highway, a nord della città, Bobby Carl si era costruito un impero che, a seconda dei momenti, aveva compreso o comprendeva un servizio ruspe ed escavatrici, una flotta di camion per il trasporto legname, due chioschi tutto-il-pesce-gatto-fritto-che-riesci-a-mangiare, un motel, un bosco nel quale lo sceriffo aveva trovato una coltivazione di marijuana e tutta una serie di immobili costituita perlopiù da edifici disabitati sparsi in giro per Clanton. La maggior parte di tali edifici prima o poi veniva distrutta dal fuoco. I sospetti di incendio doloso inseguivano Bobby Carl, così come le controversie legali. Leach non era estraneo alle aule di tribunale, anzi, gli piaceva vantarsi di tutti gli avvocati ai quali garantiva lavoro. Con la sua variegata storia di affari ambigui, divorzi, ispezioni del fisco, frodi alle assicurazioni e quasi incriminazioni, Bobby Carl era di per sé una piccola industria, perlomeno per quanto riguardava il locale ordine degli avvocati. E, anche se era sempre sull'orlo del baratro giudiziario, non era mai stato accusato formalmente. Con l'andare del tempo la sua abilità nell'eludere la legge non aveva fatto che accrescere la sua reputazione e quasi tutta Clanton amava raccontare e abbellire le storie riguardanti le gesta di Bobby Carl.

La sua auto preferita era la Cadillac DeVille, sempre marrone, sempre nuova e immacolata. Ogni anno ritirava l'ultimo modello in cambio del precedente. Nessun altro in città osava guidare la stessa vettura. Una volta si era comprato una Rolls-Royce, l'unica circolante nel raggio di trecento chilometri, ma l'aveva tenuta meno di un anno. Quando si era reso conto che un veicolo così esotico aveva scarso impatto sugli abitanti della zona se n'era sbarazzato. La gente del posto non aveva idea di dove la Rolls venisse fabbricata o di quanto costasse. Nessun meccanico in città era disposto a toccarla nemmeno con un dito; non che questo avesse importanza, dato che comunque non avrebbero mai trovato i pezzi di ricambio.

Bobby Carl calzava stivali da cowboy pericolosamente appuntiti e indossava camicie bianche inamidate sotto abiti scuri a tre pezzi, le cui tasche erano sempre gonfie di contanti. Ogni sua mise era completata da una stupefacente esibizione d'oro: grossi orologi da polso, catene massicce intorno al collo, braccialetti, fibbie della cintura, fermacolletti, fermacravatta. Bobby Carl ammassava oro come certe donne collezionano scarpe. C'erano decorazioni o finiture d'oro nelle sue auto, in ufficio, nella valigetta, sui coltelli, nelle cornici, perfino nei rubinetti. Gli piacevano anche i brillanti. Il fisco non era in grado di individuare una tale ricchezza mobile, il cui mercato nero era un naturale luogo di shopping per Bobby Carl.

Vistoso e pacchiano in pubblico, teneva però in modo fanatico alla sua vita privata. Viveva tranquillo in una bizzarra residenza moderna nelle colline a est di Clanton e il fatto che pochissimi fossero mai entrati in casa sua non faceva che alimentare le voci secondo le quali nell'abitazione si svolgeva ogni tipo di attività illegale e immorale. C'era una qualche verità in quelle voci. Un uomo di tale status attraeva naturalmente donne della più grande varietà, e a Bobby Carl le donne piacevano. Ne aveva sposate sette, sempre con successivo rammarico. Gli piaceva anche bere, ma mai in eccesso. C'erano feste sfrenate e amici scatenati, ma Bobby Carl Leach non aveva mai perso un'ora di lavoro a causa di un doposbornia. Il denaro era troppo importante.

Ogni mattina alle cinque, domenica compresa, la sua DeVille marrone effettuava un rapido giro intorno al tribunale di Ford County nel centro di Clanton. Negozi e uffici erano ancora chiusi e bui e a Bobby Carl questo piaceva moltissimo. Che dormissero pure. I banchieri, gli avvocati, gli agenti immobiliari e i negozianti che raccontavano storie su di lui e invidiavano i suoi soldi non erano mai al lavoro alle cinque di mattina. Leach si godeva il buio e la tranquillità, l'assenza di competizione di quell'ora. Dopo il quotidiano giro della vittoria intorno al tribunale, accelerava in direzione dell'ufficio, che si trovava nel suo punto vendita trattori e che era senza ombra di dubbio il più grande ufficio di tutta la contea. Occupava l'intero primo piano di un vecchio edificio in mattoni rossi costruito prima di Pearl Harbor e da dietro i vetri azzurrati delle finestre Bobby Carl poteva tenere d'occhio i suoi trattori e guardare il traffico sulla highway.

Solo e soddisfatto, cominciava la giornata con un bricco di caffè forte che si scolava leggendo i quotidiani. Era abbonato a tutti quelli su cui era riuscito a mettere le mani – di Memphis, di Jackson e di Tupelo – e anche ai settimanali delle contee confinanti. Leggendo e trancannando caffè come un disperato, setacciava i giornali alla ricerca non di notizie, ma di opportunità. Palazzi in vendita, terreni agricoli, fallimenti, fabbriche in difficoltà, vendite all'asta, bancarotte, liquidazioni, gare d'appalto, fusioni di banche, prossimi lavori pubblici.

Le pareti dell'ufficio erano rivestite da mappe catastali e foto aeree di città e contee. I dati del fisco riguardanti i terreni erano memorizzati nel computer. Leach sapeva chi era in arretrato con il pagamento delle tasse, da quanto tempo e per quale importo, e raccoglieva e immagazzinava le informazioni nelle ore che precedevano l'alba, mentre tutti gli altri dormivano.

La sua maggiore debolezza, che batteva di gran lunga quella per le donne e per il whisky, era il gioco d'azzardo. Bobby Carl aveva sgradevoli precedenti con Las Vegas, con vari club di poker e con diversi allibratori. Perdeva regolarmente parecchi soldi alle corse dei cani a West Memphis e una volta aveva addirittura sfiorato la bancarotta personale a bordo di una nave da crociera diretta a Bermuda. E quando, del tutto inaspettatamente, i casinò erano arrivati in Mississippi l'indebitamento del suo impero aveva raggiunto livelli preoccupanti. C'era comunque una sola banca locale disposta a trattare con lui e quando Leach aveva svuotato il conto per coprire le perdite al tavolo dei dadi era stato costretto a impegnare un po' d'oro a Memphis per pagare gli stipendi. Poi un suo palazzo era bruciato. Era riuscito a costringere al pagamento la compagnia di assicurazioni e la crisi di liquidità si era risolta, almeno per il momento.

L'unico casinò su terraferma in tutto il Mississippi era stato costruito dagli indiani choctaw. Si trovava a Neshoba County, due ore a sud di Clanton, e fu lì che una notte Bobby Carl lanciò i dadi per l'ultima volta. Perse una piccola fortuna e, guidando semiubriaco verso casa, giurò che non avrebbe mai più giocato d'azzardo. Il troppo era troppo. Quelli erano giochi fatti per fregare i sempliciotti. C'era una ragione se i tipi in gamba continuavano a costruire nuovi casinò.

Bobby Carl Leach si considerava un tipo in gamba.

Effettuò qualche ricerca e non ci mise molto a scoprire che il dipartimento dell'Interno riconosceva ufficialmente 562 tribù di nativi americani in tutti gli Stati Uniti, ma solo i Choctaw in Mississippi. Lo Stato un tempo aveva contato moltissimi indiani – almeno diciannove importanti tribù – ma la maggior parte di loro era stata trasferita a forza in Oklahoma negli anni Trenta dell'Ottocento. Ormai restavano solo tremila Choctaw e tutti e tremila prosperavano grazie al loro casinò.

C'era bisogno di concorrenza. Ulteriori ricerche rivelarono che, a un certo punto della storia, la seconda maggiore popolazione di nativi americani era stata quella degli Yazoo; molto prima che arrivasse l'uomo bianco, il loro territorio si estendeva virtualmente su tutta la parte settentrionale del Mississippi, Ford County compresa. Bobby Carl pagò qualche dollaro a una società specializzata in ricerche genealogiche, la quale produsse un sospetto albero di famiglia che pretendeva di dimostrare come il suo bis-bisnonno fosse stato per un sedicesimo Yazoo.

Un piano imprenditoriale cominciava a prendere forma.

Cinquanta chilometri a ovest di Clanton, al confine con Polk County, c'era una drogheria rurale il cui proprietario era un vecchio con la pelle leggermente scura, i capelli raccolti in una lunga treccia e anelli con turchesi a tutte le dita. Era noto come Capo Larry, sostanzialmente perché sosteneva di essere indiano purosangue e di avere documenti che lo dimostravano. Era Yazoo, orgoglioso di esserlo e, per convincere la gente della propria autenticità, oltre alle uova e alla birra ghiacciata vendeva ogni tipo di manufatto e souvenir indiano a buon mercato. Sul ciglio della highway si innalzava un tepee made in China e, di fianco alla porta del negozio, c'era una gabbia dentro la quale dormiva un esanime, geriatrico orso bruno. Dato che quello era l'unico negozio nel raggio di quindici chilometri, il Capo riusciva ad avere un decente giro d'affari grazie ai clienti locali, alla vendita di un po' di benzina e a qualche foto scattata dall'occasionale turista che aveva perso la strada.

Il Capo Larry era una specie di attivista. Sorrideva raramente e dava sempre l'impressione di un uomo che doveva sopportare da solo tutto il peso del suo popolo sofferente e dimenticato. Scriveva lettere arrabbiate a rappresentanti al Congresso, a governatori e a burocrati e le risposte erano fissate con puntine da disegno alla parete dietro alla cassa. Alla minima provocazione, si lanciava in un'amara diatriba contro la più recente serie di ingiustizie imposte al "suo popolo". La storia era l'argomento preferito e il Capo poteva andare avanti per ore parlando della pittoresca e dolorosa rapina della "sua terra". Quasi tutti i clienti abituali sapevano di dover parlare il meno possibile quando pagavano la spesa alla cassa. A qualcuno, però, piaceva mettersi a sedere e lasciare che il Capo si scatenasse.

Erano quasi due decenni ormai che il Capo Larry cercava di rintracciare altri discendenti yazoo in zona. Quasi tutti quelli ai quali aveva scritto non avevano il minimo sentore della loro discendenza indiana e comunque di certo non ne volevano sapere. Erano tutti completamente assimilati, mescolati, interconiugati e ignoravano la personale versione del Capo Larry riguardante il loro pool genetico. Loro erano bianchi! Quello, dopotutto, era il Mississippi e qualsiasi allusione a un po' di sangue contaminato significava qualcosa di molto più grave di qualche allegra capriola ancestrale con i nativi americani. Di coloro che si erano presi il disturbo di rispondere, quasi tutti avevano dichiarato di essere di origine anglosassone. Due avevano minacciato di fargli causa e uno di ucciderlo. Ma il Capo aveva continuato a lavorare e, non appena era riuscito a organizzare un eterogeneo gruppo di una ventina di anime disperate, aveva fondato la Nazione Yazoo e presentato regolare domanda di riconoscimento al dipartimento dell'Interno.

Erano passati anni. Il gioco d'azzardo era arrivato nelle riserve di tutto il paese e all'improvviso la terra degli indiani era diventata preziosa. Quando Bobby Carl decise di essere in parte Yazoo, si inserì silenziosamente nel quadro. Con l'aiuto di un prestigioso studio legale di Tupelo, vennero esercitate pressioni sui giusti personaggi di Washington e agli Yazoo venne riconosciuto ufficialmente lo status di tribù. Gli Yazoo non avevano un territorio, ma era anche vero che non era necessario averlo in base alle linee guida federali.

La terra comunque l'aveva Bobby Carl. Sedici ettari di cespugli e pini rigidi del Sud nei pressi della highway, poco più avanti del tepee del Capo Larry.

In occasione dell'arrivo da Washington dell'atto costitutivo, l'orgogliosa nuova tribù organizzò una cerimonia nel retrobottega del Capo. Avevano invitato il loro rappresentante al Congresso, ma era occupato in Campidoglio. Avevano invitato il governatore, ma non avevano ricevuto risposta. Avevano invitato altri funzionari dello Stato, che però erano presi da compiti più importanti. Avevano invitato i politici locali, ma anche loro stavano lavorando sodo da qualche altra parte. In rappresentanza del dipartimento dell'Interno si presentò solo un modesto, pallido sottosegretario di qualche tipo che consegnò i documenti ufficiali. Gli Yazoo, la maggior parte dei quali pallidi quanto il burocrate, rimasero comunque colpiti dalla solennità del momento. Naturalmente, Larry venne eletto all'unanimità capo a vita. Non venne fatto alcun cenno a uno stipendio, ma si parlò parecchio di una sede, un pezzo di terra sul quale poter costruire un ufficio o un quartier generale, un luogo di identità e di scopo.

Il giorno dopo la DeVille marrone di Bobby Carl si

fermò nel parcheggio di ghiaia del Capo. Leach non aveva mai incontrato Larry e non aveva mai messo piede nel suo negozio. Diede un'occhiata al tepee fasullo, notò la vernice che si scrostava dai muri esterni, fece una smorfia guardando le vecchie pompe della benzina, si fermò accanto alla gabbia giusto il tempo per capire se l'orso era ancora vivo e poi entrò per conoscere il suo fratello di sangue.

Fortunatamente il Capo non aveva mai sentito parlare di Bobby Carl Leach, in caso contrario gli avrebbe venduto la bibita senza zucchero e poi gli avrebbe detto addio. Ma dopo che il cliente ebbe bevuto qualche sorso della bibita, e quando risultò evidente che non aveva alcuna fretta di andarsene, il Capo gli domandò: «Lei è di qui?».

«Dell'altra parte della contea» rispose Bobby Carl, sfiorando una lancia taroccata che faceva parte del corredo di armi apache in mostra sull'espositore accanto alla cassa. «Congratulazioni per il riconoscimento federale.»

Il petto del Capo si gonfiò immediatamente e ci fu il primo sorriso. «Grazie. Come fa a saperlo? L'ha letto sul giornale?»

«No. Ne ho solo sentito parlare. Sono in parte Yazoo anch'io.»

Il sorriso svanì all'istante e gli occhi neri del Capo passarono sul costoso abito di lana di Bobby Carl, il panciotto, la camicia bianca inamidata, la cravatta vistosa, i braccialetti d'oro, l'orologio d'oro, i gemelli d'oro e la fibbia d'oro, fino ad arrivare agli stivali da cowboy appuntiti come giavellotti. Poi il Capo studiò i capelli: tinti e permanentati, con ciuffetti che si arricciavano intorno alle orecchie. Gli occhi erano verde-azzurri, irlandesi e infidi. Il Capo, naturalmente, preferiva gente che somigliasse a lui, gente che avesse almeno qualche tratto da nativo americano. Ma doveva accettare quello che gli capitava. Il pool genetico era diventato così poco profondo che definirsi Yazoo era tutto ciò che importava.

«È vero» insistette Bobby Carl, infilando una mano nella tasca interna della giacca. «Ho i documenti che lo provano.»

Il Capo rifiutò l'offerta con un gesto della mano. «No, non è necessario. Piacere di conoscerla, Mr...»

«Leach, Bobby Carl Leach.»

Mentre mangiavano un sandwich, Bobby Carl disse di conoscere molto bene il capo della nazione choctaw e suggerì un incontro fra i due grandi uomini. Da molto tempo il Capo Larry invidiava ai Choctaw la posizione che avevano raggiunto e gli sforzi che compivano per preservare la loro identità. Aveva anche letto del casinò, un'attività estremamente remunerativa i cui proventi servivano a mantenere la tribù, a costruire scuole e cliniche e a mandare i giovani al college con borse di studio. Bobby Carl, il filantropo, sottolineò i progressi sociali ottenuti dai Choctaw grazie alla loro saggezza nello strumentalizzare la bramosia dell'uomo bianco per il gioco d'azzardo e l'alcol.

Il giorno seguente Leach e il Capo Larry partirono per una visita alla riserva choctaw. Bobby Carl guidò parlando senza interruzione e quando arrivarono aveva già convinto il Capo Larry che loro, i fieri Yazoo, potevano benissimo copiare l'iniziativa e far prosperare la loro giovane nazione. Il capo choctaw era stranamente impegnato in altre faccende, ma un suo collaboratore li accompagnò in un distratto tour del casinò e dell'hotel, nonché dei due campi da golf da diciotto buche, del centro congressi e del campo d'aviazione privato, il tutto in una zona molto rurale e isolata di Neshoba County.

«Ha paura della concorrenza» sussurrò Bobby Carl al Capo Larry, mentre la loro guida li accompagnava in giro senza il minimo entusiasmo.

Durante il viaggio di ritorno, Bobby Carl propose

l'affare. Avrebbe donato agli Yazoo sedici ettari. Finalmente la tribù avrebbe avuto una casa! E su quella terra gli Yazoo si sarebbero costruiti un casinò. Bobby Carl conosceva un architetto, un impresario edile, un banchiere e anche i politici locali ed era chiaro che stava pianificando l'affare già da qualche tempo. Il Capo Larry era troppo stordito e troppo poco sofisticato per fare molte domande. Tutto a un tratto il futuro era pieno di grandi promesse. Il denaro c'entrava ben poco: ciò che contava era il rispetto. Il Capo Larry aveva sognato per anni una casa per il suo popolo, un posto ben definito dove i suoi fratelli e sorelle potessero vivere, prosperare e cercare di recuperare la loro identità e le loro tradizioni.

Anche Bobby Carl stava sognando, ma i suoi sogni avevano molto poco a che fare con la gloria di una tribù estinta da anni e anni.

L'accordo con il Capo Larry gli avrebbe assicurato metà degli utili del casinò e, in cambio, lui avrebbe donato i sedici ettari, reperito i finanziamenti e assunto gli avvocati per soddisfare i distratti, assenti burocrati incaricati del rispetto di norme e regole. Poiché il casinò sarebbe sorto in territorio indiano, in realtà c'era molto poco da regolare. Di sicuro né la contea, né lo Stato avrebbero potuto fermarli: questo era già stato stabilito con chiarezza da precedenti cause legali in tutto il paese.

Al termine di una lunga giornata, e davanti a una bibita analcolica nel retrobottega del Capo, i due fratelli di sangue si strinsero la mano e brindarono al futuro.

I sedici ettari cambiarono proprietario, i bulldozer ne spianarono ogni centimetro, gli avvocati partirono alla carica, il banchiere vide finalmente la luce e, nel giro di un mese, Clanton fu sconvolta dall'orrenda notizia che a Ford County stava per arrivare un casinò. Le voci infuriarono per giorni nei caffè intorno alla piazza. In tribunale e negli uffici del centro non si parlò d'altro. Il nome di Bobby Carl venne collegato allo scandalo fin dall'inizio e questo diede alle voci una sinistra credibilità. L'operazione gli si adattava a pennello, era esattamente il tipo di impresa immorale e lucrosa nella quale Leach si sarebbe lanciato a testa bassa. Bobby Carl negò in pubblico e confermò in privato, confidando la verità a chiunque ritenesse utile.

Due mesi dopo, quando venne colato il primo cemento, non ci fu alcuna cerimonia con politici locali che davano il simbolico colpo di vanga, nessun discorso con promesse di nuovi posti di lavoro, nessuna delle solite pose a favore di macchine fotografiche e telecamere. Fu un non-evento per scelta e, se non fosse stato per un giovane praticante giornalista che si trovava sul posto grazie a una soffiata, l'inizio dei lavori sarebbe passato del tutto inosservato. Ma l'edizione successiva del "Ford County Times" pubblicò in prima pagina la grande foto di una betoniera circondata da operai. Il titolo strillava: ARRIVA IL CASINÒ! Un breve articolo forniva scarsi dettagli, soprattutto perché nessuno voleva parlare. Il Capo Larry era troppo occupato dietro il banco frigo della carne. Bobby Carl Leach era fuori città per urgenti questioni di lavoro. L'ufficio Affari indiani del dipartimento dell'Interno si dimostrò pochissimo collaborativo. Comunque una fonte anonima dichiarò ufficiosamente che il casinò sarebbe stato inaugurato "tra circa dieci mesi".

L'articolo e la foto in prima pagina confermavano le voci, e la città esplose. I predicatori battisti si organizzarono e la domenica seguente riversarono sulle rispettive congregazioni tremende condanne del gioco d'azzardo e di tutti i peccati a esso collegati. Chiamarono la loro gente all'azione. Scrivete lettere! Telefonate ai vostri rappresentanti eletti! Tenete d'occhio i vostri vicini di casa per assicurarvi che non cadano nel peccato del gioco. Dovevano impedire che quel cancro si diffondesse nella loro comunità. Gli indiani stavano attaccando di nuovo.

L'edizione seguente del "Times" traboccava di lettere al direttore, non una delle quali a favore del casinò. Satana stava avanzando sulla loro comunità e tutte le persone perbene dovevano "disporre i carri in cerchio" per respingere e vanificare le sue intenzioni diaboliche. Il consiglio amministrativo della contea si riunì come al solito il lunedì mattina, ma si dovette trasferire nell'aula principale del tribunale per poter ospitare un pubblico numerosissimo e molto arrabbiato. I cinque supervisori si nascosero dietro il loro avvocato, il quale cercò di spiegare alla folla che la contea non poteva fare assolutamente niente per impedire l'apertura del casinò. Era una questione federale, punto e basta. Gli Yazoo erano stati riconosciuti ufficialmente ed erano proprietari del terreno. Gli indiani avevano aperto casinò in almeno altri ventisei Stati, quasi sempre con l'opposizione delle autorità locali. Gruppi di onesti cittadini avevano fatto causa e le avevano perse tutte.

Qualcuno domandò se era vero che la reale forza dietro il casinò era Bobby Carl Leach.

L'avvocato aveva bevuto in compagnia di Bobby Carl solo due sere prima. Non poteva negare ciò che tutta la città sospettava. «Credo di sì» rispose cauto. «Ma noi non abbiamo il diritto di conoscere ogni particolare di quel casinò. E d'altra parte Mr Leach è di origine yazoo.»

Una tremenda ondata di rauche risate spazzò la sala, seguita da boati e fischi.

«Bobby Carl direbbe di essere un nano pur di intascarsi un dollaro!» gridò qualcuno, suscitando altre risate e altri fischi.

La gente gridò e rumoreggiò per un'ora, ma alla fine la riunione esaurì la benzina. Ormai era chiaro che la contea non poteva fare niente per fermare il casinò.

Le cose andarono avanti. Altre lettere al direttore, altri

sermoni, altre telefonate ai rappresentanti eletti, qualche aggiornamento sul quotidiano. Ma, con il passare delle settimane e dei mesi, l'opposizione perse interesse. Bobby Carl manteneva un profilo basso e si faceva vedere raramente in città. Però ogni mattina alle sette era al cantiere, a strillare al capomastro e a minacciare licenziamenti.

Il Lucky Jack Casino venne terminato poco più di un anno dopo il riconoscimento ufficiale degli Yazoo da parte di Washington. Tutto nel casinò era dozzinale. La sala giochi vera e propria era costituita dalla fusione, frettolosamente progettata, di tre prefabbricati metallici saldati insieme, abbelliti sul davanti da false facciate di mattoni bianchi e un mucchio di luci al neon. Attaccato alla sala da gioco, c'era un hotel di cinquanta stanze, disegnato per sembrare il più alto possibile. Con sei piani di piccole, stipate stanzette a 49,95 dollari a notte, era l'edificio più alto della contea. Il motivo conduttore all'interno del casinò era il Selvaggio West: indiani e cowboy, carovane di pionieri, pistoleri, saloon e tepee. Le pareti erano decorate da quadri sgargianti di battaglie del West, con gli indiani in leggero vantaggio nella conta dei caduti, se mai qualcuno si fosse preso la briga di controllare. I pavimenti erano coperti da una sottile moquette di pessimo gusto con coloratissime immagini di cavalli e bestiame. L'atmosfera era quella di una chiassosa sala congressi messa insieme il più rapidamente possibile per attirare giocatori d'azzardo. Era stato Bobby Carl a occuparsi della maggior parte del design. Lo staff era stato sottoposto a un training accelerato. «Cento nuovi posti di lavoro» ribatteva Leach a chiunque criticasse il suo casinò. Il Capo Larry doveva indossare l'abito cerimoniale yazoo, o quella che era la sua versione, e aveva il compito di vagare per la sala e chiacchierare con i clienti, in modo che avessero l'impressione di trovarsi veramente in territorio indiano. Della ventina di Yazoo ufficiali, quindici avevano firmato per lavorare nel casinò. A tutti erano state date in dotazione la fascetta per la fronte e relativa penna ed era stato insegnato come gestire il blackjack, una delle attività più remunerative.

Il futuro era ricco di programmi: un campo da golf, un centro congressi, una piscina coperta eccetera. Ma prima dovevano fare un po' di soldi. Avevano bisogno di giocatori.

L'inaugurazione avvenne senza fanfare. Bobby Carl sapeva che telecamere, giornalisti e un'attenzione eccessiva avrebbero spaventato molti potenziali curiosi, perciò il Lucky Jack aprì in silenzio. Bobby Carl pubblicizzò il suo casinò sui quotidiani delle contee confinanti, promettendo probabilità di vincita più alte e slot machine più fortunate di quelle dei concorrenti, nonché "la più grande sala poker di tutto il Mississippi". Era una bugia sfacciata, ma nessuno avrebbe mai osato contestarla in pubblico. All'inizio gli affari andarono a rilento. La gente del posto in effetti si teneva alla larga. La maggior parte della clientela proveniva dalle contee vicine e ben pochi dei primi giocatori passarono la notte nell'hotel. Il similgrattacielo dell'albergo era vuoto. Il Capo Larry non aveva quasi nessuno con cui parlare nei suoi giri in sala.

Dopo la prima settimana, a Clanton cominciò a diffondersi la voce che il casinò era nei guai. Esperti in materia tenevano banco nei caffè intorno alla piazza. Alcuni dei più coraggiosi ammisero di essere andati al Lucky Jack e riferirono con gioia che il casinò era praticamente deserto. Dall'alto dei loro pulpiti, i predicatori dichiararono che Satana era stato sconfitto. Gli indiani, ancora una volta, erano stati schiacciati.

Dopo due settimane di affari fiacchi, Bobby Carl decise che era arrivato il momento di barare. Ripescò una sua vecchia fidanzata, una ragazza disposta a ritrovarsi la faccia sbattuta in prima pagina, e poi manomise le slot machine in modo da farle vincere l'incredibile somma di quattordicimila dollari con un gettone da un dollaro. Un'altra talpa, questa proveniente da Polk County, vinse ottomila dollari alle "slot machine più fortunate a est di Las Vegas". I due vincitori posarono per le foto con il Capo Larry, che consegnava cerimoniosamente due assegni di enormi dimensioni. Bobby Carl pagò annunci a tutta pagina in otto quotidiani, compreso il "Ford County Times".

Il richiamo di ricchezze istantanee fu irresistibile. Gli affari raddoppiarono, poi triplicarono. Dopo sei settimane il Lucky Jack era in pareggio. L'hotel cominciò a offrire stanze gratis con il pacchetto weekend e spesso era al completo. Iniziarono ad arrivare camper e fuoristrada da altri Stati. Grandi cartelloni pubblicitari in tutto il Mississippi settentrionale reclamizzavano la bella vita al Lucky Jack.

La bella vita stava passando di fianco a Stella senza fermarsi. A quarantotto anni, era madre di una figlia già adulta e moglie di un uomo che non amava più. Quando lo aveva sposato, tanti anni prima, era stata consapevole che Sidney era un uomo quieto, tranquillo, privo di ambizioni e non particolarmente bello e adesso, ormai prossima ai cinquant'anni, non riusciva a ricordare come o perché si fosse sentita attratta da lui. Romanticismo e desiderio non erano durati a lungo, e all'epoca in cui era nata la figlia tutto era già routine. Il giorno del suo trentesimo compleanno Stella aveva confidato alla sorella di non essere felice. La sorella, con un divorzio alle spalle e un altro in corso, le aveva consigliato di scaricare Sidney e di trovarsi un uomo con una personalità, qualcuno che amasse godersi la vita, preferibilmente qualcuno ben provvisto di soldi. Ma Stella si era concentrata sulla figlia che adorava e, in segreto, aveva cominciato a prendere la pillola. Il pensiero di un altro figlio che avesse anche solo qualche gene di Sidney non era esaltante.

Erano passati diciotto anni e la figlia ormai se n'era andata di casa. Sidney aveva messo su qualche chilo, cominciava ad avere i capelli grigi ed era più sedentario e noioso che mai. Lavorava come responsabile raccolta dati in un'assicurazione di medie dimensioni specializzata in polizze vita ed era più che soddisfatto di accumulare anni e sognare un qualche splendido pensionamento che, chissà perché, era convinto sarebbe stato molto più eccitante dei primi sessantacinque anni della sua vita. Stella la sapeva più lunga. Sapeva che Sidney, che lavorasse o fosse in pensione, sarebbe sempre stato lo stesso insopportabile noioso i cui stupidi, piccoli rituali quotidiani non sarebbero mai cambiati e prima o poi l'avrebbero fatta impazzire.

Stella voleva uscirne.

Sapeva che Sidney l'amava ancora, che l'adorava addirittura, ma non riusciva a ricambiare quei sentimenti. Per anni aveva cercato di convincersi che il suo matrimonio continuava a essere ancorato all'affetto e che era quel tipo di unione a lunga durata, non romantica e profondamente radicata, che sopravvive decennio dopo decennio. Ma alla fine aveva dovuto rinunciare a quest'idea.

Detestava dover spezzare il cuore a suo marito, ma era sicura che prima o poi Sidney avrebbe superato il dolore.

Stella perse dieci chili, si scurì i capelli, andò giù un po' più pesante con il trucco e contemplò l'idea di un paio di seni nuovi. Sidney osservò divertito la trasformazione. La sua bella moglie adesso dimostrava dieci anni di meno. Che uomo fortunato era!

La sua fortuna si esaurì la sera in cui rientrò in una casa deserta. La maggior parte dei mobili c'era ancora, ma sua moglie no. Gli armadi di Stella erano vuoti. Si era portata via un po' di biancheria e qualche accessorio da cucina, ma non era stata troppo avida. La verità era che Stella da Sidney non voleva proprio niente, a parte il divorzio.

I documenti erano sul tavolo della cucina: un'istanza di divorzio consensuale per divergenze inconciliabili. Già redatta da un avvocato! Era un'imboscata. Sidney pianse leggendo l'istanza e poi pianse ancora di più quando lesse le due secche pagine d'addio scritte da Stella. Per una settimana circa i due coniugi non fecero che discutere per telefono. Sidney implorava la moglie di tornare a casa. Stella si rifiutava, ribadiva che ormai tra loro era finita, perciò, per favore, firma quelle carte e piantala di piagnucolare.

I due avevano vissuto per anni alla periferia di Karraway, una minuscola cittadina desolata perfetta per un uomo come Sidney. Stella però ne aveva avuto abbastanza. Adesso viveva a Clanton, il capoluogo della contea, una città un po' più grande che vantava un country club e qualche bar. Abitava a casa di una vecchia amica, dormiva nel seminterrato e si stava cercando un lavoro. Sidney tentò di rintracciarla, ma lei riuscì a sfuggirgli. La figlia telefonò dal Texas e si schierò immediatamente a favore della madre.

La casa, che era sempre stata piuttosto silenziosa, adesso era diventata una vera tomba e Sidney non riusciva a sopportarlo. Prese l'abitudine di aspettare che facesse buio, poi saliva in macchina, raggiungeva Clanton, faceva il giro della piazza e pattugliava le strade della città, passando lo sguardo da un marciapiede all'altro, sperando ardentemente di vedere sua moglie e che sua moglie vedesse lui e che il cuore crudele di Stella si intenerisse e la vita tornasse a essere bella. Non la incontrò mai e continuò ad andarsene in giro in auto, spingendosi anche fuori città e in campagna.

Una sera passò davanti al negozio del Capo Larry e, poco più avanti, entrò nell'affollato parcheggio del Lucky Jack. Forse Stella era lì. Forse sua moglie desiderava così disperatamente le luci scintillanti e una vita spericolata da frequentare un posto tanto volgare. Era solo un'idea, ma anche una scusa per vedere quello di cui parlavano tutti. Chi avrebbe mai immaginato che un giorno ci sarebbe stato un casinò nel bigotto interno rurale di Ford County? Sidney vagolò sulla moquette da quattro soldi, scambiò due chiacchiere con il Capo Larry, osservò un gruppo di bifolchi ubriachi perdere lo stipendio ai dadi, sorrise con compatimento alla vista di vecchietti patetici che cacciavano tutti i loro risparmi in slot machine truccate e ascoltò per un attimo il tremendo cantante country che, sul piccolo palcoscenico in fondo alla sala, cercava di imitare Hank Williams. Due o tre donne a caccia di avventure, tutte di mezza età e tutte molto sovrappeso, si agitavano svogliate sulla pista da ballo davanti alla band. Stella non c'era. Non era al bar, né nella caffetteria e nemmeno nella sala poker. Sidney si sentì in qualche modo sollevato, anche se il suo cuore era sempre infranto.

Erano anni che non giocava a carte, ma ricordava ancora le regole base del ventuno, un gioco che gli aveva insegnato suo padre. Dopo aver ciondolato intorno ai tavoli del blackjack per circa mezz'ora, finalmente trovò il coraggio di sedersi al tavolo da cinque dollari e farsi cambiare una banconota da venti. Giocò per un'ora e vinse ottantacinque dollari. Trascorse il giorno seguente studiando le regole del blackjack – le probabilità, il raddoppio della puntata, dividere le carte uguali, i particolari dell'assicurazione – e la sera si ripresentò allo stesso tavolo. Vinse più di quattrocento dollari. Approfondì gli studi e la terza sera giocò per tre ore, bevve solo caffè nero e uscì dal casinò con 1750 dollari in tasca. Sidney trovava il gioco semplice e diretto. Esisteva un modo perfetto di giocare ogni mano in base a ciò che il croupier mostrava e, seguendo le probabilità standard, un giocatore poteva vincere sei mani su dieci. Se si aggiungeva il premio doppio quando si faceva un blackjack, quello era certamente il gioco che garantiva le migliori possibilità contro il casinò.

Allora perché così tanti perdevano? Sidney era stupito dalle scarse conoscenze degli altri giocatori e dalle loro folli puntate. Naturalmente l'alcol in quantità non aiutava e, in una zona dove il consumo di alcolici veniva represso ed era ancora considerato un peccato capitale, il flusso gratuito di liquori del Lucky Jack per molti era irresistibile.

Sidney studiò, giocò, bevve il caffè nero gratis che gli servivano le cameriere e continuò a giocare. Comprò libri e videocassette e imparò a contare le carte, una difficile strategia che spesso funzionava in modo splendido, ma che faceva anche sì che un giocatore venisse buttato fuori dalla maggior parte dei casinò. E, cosa più importante, imparò la disciplina necessaria a puntare in base alle probabilità, a lasciare il tavolo quando perdeva e a cambiare radicalmente le puntate a mano a mano che il mazzo si assottigliava.

Smise di andare a Clanton per cercare sua moglie e cominciò invece a puntare direttamente al Lucky Jack, dove quasi tutte le sere giocava per un paio d'ore, portandosi sempre a casa almeno mille dollari. Più vinceva, più notava l'espressione dura e accigliata dei *pit boss*, i sorveglianti di sala. I muscolosi giovanotti in abito a due pezzi a buon mercato – gli addetti alla sicurezza – adesso sembravano osservarlo con maggiore attenzione. Sidney rifiutava continuamente di farsi schedare, cioè di sottoscrivere l'iscrizione al "Club Lucky Jack" che dava diritto a ogni sorta di omaggi e facilitazioni ai clienti abituali che giocavano parecchio. Sidney rifiutava qualsiasi tipo di registrazione di dati personali. Il suo libro preferito era *Come sbancare il casinò* il cui autore, un ex giocatore d'azzardo trasformatosi in scrittore, predicava la regola del travestimento e dell'inganno. Mai indossare gli stessi abiti, gioielli, cappelli, berretti, occhiali. Mai giocare allo stesso tavolo per più di un'ora. Mai dare il tuo nome. Porta un amico con te e digli di chiamarti Frank o Charlie o quello che gli pare. Ogni tanto fai una puntata stupida. Cambia spesso tipo di bevanda, ma tieniti alla larga dall'alcol. La ragione era semplice: la legge consentiva a ogni casinò del paese di chiedere semplicemente a un giocatore di andarsene. Se gli addetti di sala sospettano che tu stia contando le carte o barando, oppure se stai vincendo troppo e loro si sono stufati, possono cacciarti fuori. Non è necessario un motivo specifico. Un assortimento di varie identità invece li lascia nell'incertezza.

Il successo nel gioco diede a Sidney un nuovo scopo nella vita, ma nel buio della notte continuava a svegliarsi e a tendere una mano in cerca di Stella. Il decreto di divorzio era già stato firmato dal giudice. Sua moglie non sarebbe più tornata, ma Sidney continuava ad allungare la mano, sognando la donna che avrebbe amato per sempre.

Stella non soffriva di solitudine. La notizia di una seducente neodivorziata in città si diffuse rapidamente e non passò molto tempo prima che Stella si ritrovasse a un party dove conobbe il famigerato Bobby Carl Leach. Anche se era un po' più vecchia della maggior parte delle donne a cui d'abitudine dava la caccia, Bobby Carl la trovò comunque attraente e sexy. La affascinò con il suo solito fiume di complimenti e le diede l'impressione di pendere dalle sue labbra. La sera seguente cenarono insieme e finirono a letto subito dopo il dolce. Nonostante Bobby Carl fosse rozzo e volgare, Stella trovò l'esperienza esaltante. Era così meravigliosamente diversa dal gelido, noioso accoppiamento che aveva dovuto sopportare con Sidney.

Qualche tempo dopo Stella era la ben pagata assistente/segretaria di Mr Leach, ultima in un lungo elenco di donne che venivano messe a libro paga per ragioni che esulavano dalle rispettive capacità organizzative. Ma se Mr Leach si aspettava che la neoassunta facesse poco più che rispondere al telefono e spogliarsi a richiesta si sbagliava di grosso. Stella studiò rapidamente l'impero di Bobby Carl e trovò ben poco che la interessasse. Legname, terreni incolti, immobili in affitto, attrezzature agricole e motel a buon mercato erano noiosi quanto Sidney, specie se paragonati allo scintillio sgargiante di un casinò. Il posto di Stella era al Lucky Jack e ben presto requisì un ufficio con vista sulla sala da gioco, dove a tarda sera Bobby Carl se ne andava in giro con un gin tonic in mano, guardando le innumerevoli telecamere e contando i suoi soldi. Stella fu promossa con il titolo di direttore operativo e cominciò subito a pensare all'ampliamento della sala ristorante e magari a una piscina coperta. Aveva un mucchio di idee e Bobby Carl era contentissimo di ritrovarsi con una compagna di letto appassionata al lavoro quanto lui.

A Karraway, Sidney venne presto a sapere che la sua amata Stella si era messa con quel delinquente di Leach e la notizia lo depresse ancora di più. Lo fece stare veramente male. Pensò all'omicidio, poi al suicidio. Sognò modi per fare colpo sull'ex moglie e per riconquistarla. Quando seppe che era Stella a dirigere il Lucky Jack, smise di andarci. Ma non smise di giocare. Anzi, ampliò il suo raggio di azione con lunghi weekend nei casinò di Tunica County, sul fiume Mississippi. Vinse quattordicimila dollari in una maratona al casinò dei Choctaw a Neshoba County e gli venne chiesto di andarsene dal Grand Casino di Biloxi, dopo che aveva sbancato due tavoli per un totale di trentottomila dollari. Si prese una settimana di ferie e andò a Las Vegas, dove cambiò casinò ogni quattro ore per poi lasciare la città con una vincita totale di sessantamila dollari. Diede le dimissioni dal suo impiego e trascorse due settimane alle Bahamas, ammucchiando davanti a sé montagne di fiches da cento dollari in ogni casinò di Freeport e Nassau. Si comprò un camper e prese a girare per gli Stati Uniti, fermandosi in ogni riserva indiana che avesse un casinò. Dei dieci o dodici che trovò, tutti furono felicissimi di vederlo andarsene. Poi Sidney tornò a Las Vegas, dove trascorse un mese intero studiando al tavolo privato del più grande insegnante del mondo, l'uomo che aveva scritto *Come sbancare il casinò*. Il corso individuale gli costò cinquantamila dollari, ma valse ogni centesimo. Il suo insegnante lo convinse che aveva il talento, la disciplina e i nervi per giocare a blackjack da professionista. Simili lodi venivano elargite molto raramente.

Dopo quattro mesi il Lucky Jack si era ben inserito nella scena locale. Ogni opposizione era cessata: era evidente che il casinò non sarebbe scomparso. Diventò un popolare luogo d'incontro per associazioni private, riunioni di ex compagni di classe, addii al celibato, perfino qualche matrimonio. Il Capo Larry, che cominciava a pensare alla costruzione di un quartier generale yazoo, era molto eccitato nel constatare la crescita della sua tribù. Gente che in passato aveva opposto parecchia resistenza all'idea di essere di discendenza indiana, adesso dichiarava con orgoglio di essere Yazoo purosangue. Quasi tutti volevano un lavoro al casinò e quando il Capo ventilò l'idea di dividere i profitti sotto forma di premi mensili, la tribù si gonfiò fino a contare più di cento componenti.

Bobby Carl, com'è ovvio, si intascava la sua parte di profitti, ma non si stava dimostrando troppo avido. Anzi, spinto anche da Stella, si fece prestare altro denaro per finanziare un campo da golf e un centro congressi. La banca era piacevolmente colpita dal flusso di contanti ed estese volentieri il credito. Sei mesi dopo l'inaugurazione, il Lucky Jack era indebitato per due milioni di dollari, ma nessuno se ne preoccupava.

Nei ventisei anni che aveva passato con Sidney, Stella non era mai stata all'estero e anche degli Stati Uniti aveva visto ben poco. L'idea di vacanza di suo marito era un modesto appartamentino in affitto al mare in Florida, e mai per più di cinque giorni. Il suo nuovo uomo, invece, amava le navi e le crociere e fu questo che le diede l'idea della crociera di San Valentino nei Carabi per dieci coppie fortunate. Pubblicizzò la lotteria, truccò i risultati, scelse tra i suoi nuovi amici e quelli di Bobby Carl e poi annunciò i nomi dei vincitori nell'ennesima, grande pagina a pagamento sul quotidiano locale. E così partirono: Bobby Carl, Stella e una manciata di dirigenti del casinò (il Capo Larry aveva declinato l'invito, con grande sollievo di tutti). Le dieci fortunate coppie lasciarono Clanton a bordo di limousine dirette all'aeroporto di Memphis. Da lì volarono a Miami, dove si imbarcarono su una nave da crociera con altri quattromila passeggeri per un viaggetto intimo tra le isole.

I fortunati vincitori erano già lontani quando ebbe inizio il massacro di San Valentino. Sidney fece il suo ingresso in un Lucky Jack affollatissimo: per quella serata Stella aveva pubblicizzato ogni tipo di romantica cianfrusaglia omaggio e il casinò era strapieno. Sidney era Sidney, ma non assomigliava per niente al Sidney visto l'ultima volta al Lucky Jack. Si era scurito i capelli, che erano lunghi, ispidi e gli coprivano le orecchie. Non si radeva da un mese e la barba era stata tinta con lo stesso colore usato per i capelli. Inforcava un vistoso paio di occhiali rotondi dalla montatura in tartaruga;

le lenti erano scure, per cui era difficile vedergli gli occhi. Indossava un paio di jeans con una giacca di pelle da motociclista e su sei dita c'erano anelli di vari metalli e pietre. Uno sconcertante berretto nero, inclinato a sinistra, gli copriva quasi tutta la testa. A beneficio dei ragazzi della sicurezza seduti davanti ai monitor al piano di sopra, il dorso di entrambe le mani era decorato da un falso tatuaggio osceno.

Nessuno aveva mai visto questo Sidney.

Dei venti tavoli da blackjack, solo tre erano riservati alle puntate alte. La puntata minima era di cento dollari a mano e quei tavoli in genere vedevano ben poco traffico. Sidney si sedette a uno dei tre, lanciò sul tappeto un fascio di contanti e disse: «Cinquemila, in fiches da cento». Sorridendo, il croupier raccolse le banconote e le allargò a ventaglio davanti a sé. Sopra la sua spalla, un *pit boss* seguiva attento la scena. Intorno al tavolo vennero scambiate occhiate e cenni del capo. Gli occhi al piano di sopra presero improvvisamente vita. Al tavolo sedevano altri due giocatori, che quasi non si accorsero del nuovo arrivato. Tutti e due stavano bevendo ed erano ormai alle ultime fiches.

Sidney giocò come un dilettante e perse duemila dollari in venti minuti. Il *pit boss* si rilassò: niente di cui preoccuparsi. «Lei ha la tessera del club?» domandò.

«No» fu la brusca risposta di Sidney. "E non provare a offrirmela."

Gli altri due giocatori lasciarono il tavolo e Sidney ampliò le sue operazioni. Occupò tre postazioni e puntò cinquecento dollari per ognuna. Recuperò rapidamente i suoi duemila e poi aggiunse altri quattromilacinquecento dollari alla sua pila di fiches. Il *pit boss* prese a camminare avanti e indietro, cercando di non guardare. Il croupier mescolò le carte, mentre una cameriera serviva una vodka con succo d'arancia, drink che Sidney sorseggiò appena. Giocando su quattro postazioni a mille dollari l'una, per i successivi quindici minuti chiuse in pareggio, poi vinse sei mani di seguito per un totale di ventiquattromila dollari. Le fiches da cento erano troppo numerose per poterle spostare rapidamente, perciò Sidney propose: «Passiamo a quelle color porpora». Il tavolo aveva soltanto venti fiches da mille dollari e il croupier fu costretto a chiedere una pausa mentre il *pit boss* mandava qualcuno a prenderne altre. «Gradirebbe cenare?» domandò a Sidney, con una punta di nervosismo.

«No, non ho fame. Però devo fare subito un salto in bagno.»

Quando il gioco riprese, Sidney, ancora solo al tavolo e con pochi spettatori intorno, giocò su quattro postazioni a duemila dollari l'una. Rimase in pareggio per un quarto d'ora, poi alzò lo sguardo sul *pit boss* e gli chiese bruscamente: «Potrei avere un altro croupier?».

«Certamente.»

«Preferirei una donna.»

«Nessun problema.»

Una giovane ispanica si sedette al tavolo con un debole: «Buona fortuna». Sidney non le rispose. Giocò mille dollari su ognuna delle quattro postazioni, perse tre mani di seguito, poi aumentò le puntate a tremila dollari a mano e ne vinse quattro di fila.

Il casinò perdeva più di sessantamila dollari. Fino a quel momento la vincita record al blackjack del Lucky Jack era di centodiecimila dollari in una sera. Era stato un medico di Memphis a portarsi via quel bottino, solo per perderlo la sera dopo, rimettendoci anche altri soldi. "Lasciateli vincere" amava dire Bobby Carl. "I soldi torneranno in fretta."

«Vorrei un gelato» disse Sidney rivolto vagamente al *pit boss*, il quale schioccò immediatamente le dita. «Che gusto?»

«Pistacchio.»

Arrivò subito una coppa di plastica con relativo cucchiaino. Come mancia, Sidney regalò alla cameriera la sua ultima fiche da cento dollari. Assaggiò il gelato e poi piazzò cinquemila dollari su tutte e quattro le postazioni. Giocare ventimila dollari in una mano era molto insolito e la voce si sparse in tutto il casinò. Alle spalle del giocatore si raccolse una folla, di cui Sidney però sembrava ignaro. Vinse sette delle successive dieci mani e a quel punto si trovò in attivo di centoduemila dollari. Mentre il croupier mescolava i mazzi, Sidney mangiò lentamente il suo gelato, fissando le carte.

Con un nuovo sabot, variò le puntate da diecimila a ventimila dollari a mano. Quando vinse altri ottantamila dollari, intervenne il *pit boss*: «Adesso basta. Lei sta contando le carte».

«Si sbaglia» protestò Sidney.

«Lasciatelo in pace!» disse qualcuno dietro di lui, ma il *pit boss* lo ignorò.

Il croupier rimase fuori dallo scontro. «Lei sta contando» insistette il *pit boss*.

«Non è illegale» ribatté Sidney.

«No, ma qui dentro siamo noi che facciamo le regole.»

«Tutte stronzate» ringhiò Sidney, mandando giù un'altra cucchiaiata di gelato.

«Basta così. Le chiedo di andarsene.»

«Va bene. Voglio contanti.»

«Le faremo un assegno.»

«Accidenti, no. Sono entrato qui dentro con dei contanti e voglio uscire con dei contanti.»

«Signore, vuole venire con me, per favore?»

«Dove?»

«Andiamo a parlare nell'ufficio del cassiere.»

«Perfetto. Però esigo contanti.»

Gli spettatori videro i due scomparire. Nell'ufficio del cassiere, Sidney esibì una patente falsa che lo identificava come Mr Jack Browning di Dothan, Alabama. Il cassiere e il *pit boss* compilarono l'obbligatorio modulo fiscale e, dopo un'accesa discussione, Sidney se ne andò dal casinò con un sacchetto di tela da banca pieno di banconote da cento per un totale di centottantaquattromila dollari.

Tornò la sera dopo in abito scuro, con camicia bianca, cravatta e un aspetto completamente diverso. Barba, capelli lunghi, anelli, tatuaggi, berretto e occhiali erano scomparsi. Con i capelli rasati a zero, la testa era liscia e lucida. Sidney inoltre esibiva un paio di sottili baffetti grigi e, sulla punta del naso, un paio di occhiali da lettura con la montatura metallica. Scelse un tavolo diverso con un diverso croupier. Il *pit boss* della sera prima non era di turno. Sidney mise i suoi contanti sul tavolo e chiese ventiquattro fiches da mille dollari. Giocò per trenta minuti, vinse dodici mani su quindici e poi chiese un tavolo privato. Il *pit boss* lo guidò fino a una piccola stanza accanto alla sala poker. Al piano di sopra i ragazzi della sicurezza erano in piedi davanti alle loro postazioni e tenevano d'occhio ogni mossa.

«Vorrei fiches da diecimila dollari» dichiarò Sidney. «E un croupier uomo.»

Nessun problema. «Qualcosa da bere?»

«Una Sprite, magari con qualche pretzel.»

Estrasse altri contanti dalla tasca e, a scambio avvenuto, contò le fiches. Ce n'erano venti. Giocò su tre postazioni alla volta e un quarto d'ora dopo era proprietario di trentadue fiches. Alla festa intanto si erano uniti un secondo *pit boss* e il direttore di sala di turno, che ora se ne stavano in piedi dietro il croupier e seguivano la scena con aria lugubre.

Sidney mangiucchiava pretzel come se stesse giocando alle slot da due dollari. Invece adesso stava puntando diecimila dollari su ognuna delle quattro postazioni. Poi ventimila, poi di nuovo diecimila. Quando il sabot fu quasi vuoto, d'improvviso puntò cinquantamila dollari su tutte le sei postazioni. Il croupier stava mostrando un cinque, la sua carta peggiore. Con calma, Sidney divise due sette e raddoppiò su un dieci. Il croupier scoprì una regina e poi, molto lentamente, prese la sua carta successiva. Era un nove, che lo fece sballare a ventiquattro. Con quella mano Sidney vinse quattrocentomila dollari. Il primo *pit boss* era sul punto di svenire.

«Forse dovremmo fare una pausa» propose allora il direttore.

«Oh, io dico invece di finire prima il sabot e poi di fare il break» ribatté Sidney.

«No» insistette il direttore.

«Rivolete indietro i vostri soldi, vero?»

Il croupier esitò e lanciò un'occhiata disperata al direttore. Dov'era Bobby Carl quando c'era bisogno di lui?

«Datemi le carte» riprese Sidney, sorridendo. «Sono solo soldi. Accidenti, non sono mai uscito da un casinò con dei soldi in tasca.»

«Può dirci il suo nome?»

«Certo. Mi chiamo Sidney Lewis.» Estrasse il portafoglio e tese la patente autentica. Non gli importava che conoscessero il suo nome vero. Non aveva in programma di tornare. Il direttore e il *pit boss* studiarono la patente con grande attenzione, qualsiasi cosa pur di prendere tempo.

«Lei è già stato qui da noi?» chiese il direttore.

«Sì, qualche mese fa. Allora, giochiamo o no? Che razza di casinò è questo? Datemi le carte.»

Riluttante, il direttore restituì la patente, che Sidney lasciò sul tavolo, accanto alle sue torri di fiches. Il direttore annuì lentamente al croupier. Sidney, che aveva un'unica fiche da diecimila dollari su ognuna delle sei postazioni, ne aggiunse rapidamente altre quattro per ciascuna. D'improvviso c'erano in gioco trecentomila

176

dollari. Se avesse vinto metà delle postazioni, avrebbe continuato a giocare. Se avesse perso, avrebbe smesso e se ne sarebbe andato con un guadagno netto di circa seicentomila dollari in due serate, una sommetta che avrebbe fatto parecchio per mitigare il suo odio nei confronti di Bobby Carl Leach.

Le carte calarono lente sul tavolo e il croupier si diede un sei come carta scoperta. Sidney divise due jack, una mossa audace sconsigliata dalla maggior parte degli esperti, e poi rinunciò con un cenno della mano a ulteriori carte. Quando il croupier rovesciò la sua carta coperta rivelando un nove, Sidney non cambiò espressione, ma il direttore e i *pit boss* impallidirono. Su un quindici, il croupier doveva prendere obbligatoriamente una carta, cosa che fece con grande riluttanza. Prese un sette, sballando a ventidue.

Il direttore scattò in avanti e disse: «Basta così. Lei sta contando le carte». Si asciugò le gocce di sudore dalla fronte.

«Starà scherzando» protestò Sidney. «Che razza di topaia è questo posto?»

«È finita, amico» disse il direttore guardando le due grosse guardie della sicurezza che d'improvviso si erano materializzate alle spalle di Sidney, il quale si cacciò in bocca con calma un pretzel e cominciò a masticare rumorosamente. Sorrise al direttore e ai *pit boss* e decise di chiudere la serata.

«Voglio contanti.»

«Questo potrebbe essere un problema» disse il direttore.

Sidney venne scortato al piano di sopra fino all'ufficio del direttore, dove tutto l'entourage si riunì dietro la porta chiusa. Nessuno si mise a sedere.

«Voglio contanti» ribadì Sidney.

«Le daremo un assegno» disse il direttore.

«Non avete i contanti, vero?» fece Sidney in tono canzonatorio. «Questo casinò da pezzenti non ha contanti e non è in grado di fare fronte ai suoi debiti.»

«Abbiamo il denaro» disse il direttore, senza convinzione. «E saremo lieti di compilarle un assegno.»

Sidney lo guardò, guardò i due *pit boss*, le due guardie di sicurezza e poi disse: «L'assegno risulterà scoperto, giusto?».

«Naturalmente no, però le chiedo di non presentarlo all'incasso per settantadue ore.»

«Che banca?»

«La Merchants, di Clanton.»

Alle nove del mattino seguente, Sidney e il suo avvocato entrarono nella sede della Merchants Bank nella piazza di Clanton e chiesero di parlare con il direttore. Una volta nel suo ufficio, Sidney esibì un assegno emesso dal Lucky Jack Casino per un importo di novecentoquarantacinquemila dollari. L'assegno era postdatato di tre giorni. Il direttore lo esaminò, si tamponò il viso e poi con voce rotta annunciò: «Mi dispiace, ma non possiamo onorare questo assegno».

«E fra tre giorni?» domandò l'avvocato.

«Ne dubito seriamente.»

«Ha parlato con il casinò?»

«Sì, parecchie volte.»

Un'ora più tardi Sidney e il suo avvocato entrarono nel tribunale di Ford County, andarono nell'ufficio del cancelliere capo e presentarono un'istanza in cui richiedevano un'ordinanza restrittiva preliminare che imponesse l'immediata chiusura del Lucky Jack e il pagamento del debito. Il giudice, l'onorevole Willis Bradshaw, fissò un'udienza d'emergenza per le nove del mattino dopo.

Bobby Carl abbandonò la nave a Puerto Rico e si affannò per trovare i voli che lo riportassero a Memphis. Arrivò a Ford County in tarda serata e, a bordo di un'auto a noleggio della Hertz, andò direttamente al casinò, dove trovò pochi clienti. Trovò ancor meno dipendenti al corrente di quello che era successo la sera prima. Il direttore aveva presentato le dimissioni e risultava irreperibile. Anche di uno dei *pit boss* che avevano avuto a che fare con Sidney si diceva che avesse lasciato la contea. Bobby Carl minacciò di licenziare tutti gli altri tranne il Capo Larry, il quale era completamente sopraffatto dal caos. A mezzanotte Leach era in riunione con il direttore della banca e una squadra di avvocati. Il livello d'ansia oltrepassava il tetto.

Stella era ancora a bordo della nave da crociera, ma non riusciva più a divertirsi. In piena tragedia, mentre Bobby Carl urlava al telefono scagliando oggetti in giro, lo aveva sentito strillare: «Sidney Lewis! Chi diavolo è Sidney Lewis?».

Stella non aveva detto niente, perlomeno niente a proposito del Sidney Lewis che conosceva lei. Le era impossibile credere che il suo ex marito fosse stato capace di sbancare un casinò. Comunque si sentiva molto inquieta e turbata e, non appena la nave attraccò a George Town a Grand Cayman, salì su un taxi, si fece accompagnare all'aeroporto e tornò a casa.

Il giudice Bradshaw diede il benvenuto nella sua aula alla folla di spettatori. Li ringraziò per essere intervenuti e li invitò a tornare anche in futuro. Poi domandò agli avvocati se erano pronti a procedere.

In disordine, con la barba lunga e gli occhi arrossati, Bobby Carl Leach sedeva a un tavolo con tre avvocati e il Capo Larry, il quale in tutta la sua vita non era mai stato neppure nei dintorni di un'aula di tribunale ed era così nervoso che teneva gli occhi chiusi, dando l'impressione di essere assorto in meditazione. Bobby Carl, che pure di aule di tribunale ne aveva viste molte, era altrettanto teso. Tutto ciò che possedeva era stato ipotecato per il prestito bancario e ora il futuro del casinò e di tutti gli altri beni era in grave pericolo.

Uno dei suoi avvocati si alzò in piedi e disse: «Sì, vostro onore, siamo pronti, ma abbiamo presentato una mozione affinché questo procedimento non abbia luogo per mancanza di giurisdizione. La questione è di competenza di una Corte federale, non statale».

«Ho letto la mozione» disse il giudice Bradshaw, ed era evidente che ciò che aveva letto non gli era piaciuto. «Mantengo la giurisdizione.»

«Allora presenteremo ricorso alla Corte federale in mattinata» ribatté l'avvocato.

«Non posso impedirle di presentare alcunché.»

Il giudice Bradshaw aveva trascorso la maggior parte della sua carriera cercando di deliberare su aspre controversie tra coniugi in guerra e nel corso degli anni aveva sviluppato un odio intenso per le cause di divorzio. Alcol, droga, adulterio, gioco d'azzardo... il suo coinvolgimento professionale nei vizi più gravi era infinito. La domenica il giudice insegnava il catechismo nella chiesa metodista e aveva convinzioni precise e rigorose sul bene e il male. A suo avviso il gioco d'azzardo era un abominio, ed era felicissimo di avere la possibilità di colpirlo.

Il legale di Sidney sostenne con forza e decisione la tesi secondo la quale il casinò era sottocapitalizzato, disponeva di scorte monetarie insufficienti e, di conseguenza, costituiva una minaccia per altri giocatori. Annunciò che, se il Lucky Jack non avesse onorato il debito nei confronti del suo cliente, avrebbe scatenato una tremenda azione giudiziaria alle cinque di quello stesso pomeriggio. Nel frattempo, comunque, detto casinò doveva essere chiuso.

Il giudice Bradshaw sembrava essere a favore dell'idea.

E lo stesso valeva per il pubblico. Fra gli spettatori

c'erano diversi predicatori con relativi seguaci, tutti onesti elettori registrati che avevano sempre votato per il giudice Bradshaw, tutti felici e con gli occhi brillanti all'idea di chiudere il casinò. Era il miracolo per il quale avevano pregato. E anche se segretamente condannavano Sidney Lewis per la sua vita peccaminosa, non potevano fare a meno di ammirarlo – era uno di loro, un ragazzo del posto – per essere riuscito a sbancare il casinò. Siamo tutti con te, Sidney!

L'udienza proseguì e venne alla luce che il Lucky Jack disponeva di contanti per circa quattrocentomila dollari, oltre ai quali esisteva un fondo di riserva di cinquecentomila dollari garantito da una fideiussione assicurativa. Inoltre, come ammise Bobby Carl sul banco dei testimoni, il casinò aveva guadagnato mediamente circa ottantamila dollari al mese nei suoi primi sette mesi di vita e tale importo stava aumentando a ritmo regolare.

Al termine di un'estenuante udienza di cinque ore, il giudice Bradshaw ordinò al casinò di pagare immediatamente l'intera somma di novecentoquarantacinquemila dollari e ordinò la chiusura fino a quando il debito non fosse stato saldato. Impartì inoltre istruzioni allo sceriffo di bloccare la strada d'accesso che si diramava dalla highway e di arrestare qualsiasi eventuale giocatore che avesse cercato di entrare. Gli avvocati del Lucky Jack si precipitarono alla Corte federale di Oxford con la richiesta di riapertura del casinò. Organizzare un'udienza avrebbe richiesto parecchi giorni. Come promesso, Sidney intentò causa sia presso la Corte statale sia presso quella federale.

Nel corso dei giorni successivi, altri documenti giudiziari volarono avanti e indietro. Sidney fece causa alla compagnia di assicurazioni che aveva emesso la fideiussione, poi fece causa anche alla banca. La banca, improvvisamente nervosa per i due milioni di dollari prestati al Lucky Jack, si disamorò di colpo del gioco d'azzardo, fino a poco prima così eccitante. Chiese la restituzione del prestito e intentò causa alla Nazione yazoo, al Capo Larry e a Bobby Carl Leach, i quali contrattaccarono denunciando ogni tipo di pratica bancaria scorretta. L'esplosione di controversie legali elettrizzò gli avvocati del posto, la maggior parte dei quali manovrò con ogni mezzo pur di prendere parte all'azione.

Quando Bobby Carl venne a sapere che il marito da cui Stella aveva recentemente divorziato era proprio quel Sidney, l'accusò di avere complottato contro di lui e la licenziò. Stella gli fece causa. I giorni passavano e il Lucky Jack restava chiuso. Una ventina di dipendenti, ai quali non era stato pagato lo stipendio, fece causa al casinò. Organi di controllo federali emisero mandati di comparizione. Il giudice federale non volle saperne di quel pasticcio e respinse le richieste di riapertura del locale.

Dopo un mese di frenetiche manovre legali, la realtà cominciò a delinearsi. Il futuro del casinò appariva segnato. Bobby Carl convinse il Capo Larry che non avevano scelta se non quella di presentare istanza di fallimento. Due giorni più tardi Leach, con riluttanza, fece la stessa cosa a livello personale. Dopo vent'anni di maneggi e affari ai limiti della legalità, era finalmente fallito.

Sidney era a Las Vegas, quando ricevette la telefonata nel corso della quale il suo avvocato gli comunicò la grande notizia che l'assicurazione avrebbe onorato l'intero importo della fideiussione, cinquecentomila dollari. Inoltre i conti bloccati del Lucky Jack sarebbero stati riaperti quel tanto da consentire l'emissione di un altro assegno di quattrocentomila dollari a suo favore. Sidney saltò immediatamente sul suo camper e iniziò un sereno e trionfale viaggio di ritorno a Ford County, dove arrivò non prima di avere massacrato tre casinò indiani lungo il percorso.

Gli incendiari preferiti di Bobby Carl erano una coppia, marito e moglie, dell'Arkansas. Vennero presi contatti e contanti cambiarono di mano, così come una serie di planimetrie e varie chiavi. Le guardie notturne del casinò furono licenziate. L'erogazione dell'acqua venne interrotta. L'edificio non era dotato di un sistema antincendio perché nessun regolamento edilizio lo richiedeva.

Alle tre di notte, quando la brigata dei vigili del fuoco volontari di Springdale arrivò sulla scena, il Lucky Jack era completamente avvolto dalle fiamme. Le sue strutture metalliche si stavano sciogliendo. Gli ispettori sospettarono un incendio doloso, ma non trovarono traccia di benzina o altri infiammabili e conclusero che il disastro era stato causato da una fuga di gas e dalla conseguente esplosione. In seguito, nel corso del procedimento giudiziario, gli investigatori dell'assicurazione avrebbero esibito documenti che dimostravano come i serbatoi del gas del casinò fossero stati inspiegabilmente riempiti solo una settimana prima dell'incendio.

Il Capo Larry tornò nel suo negozio e cadde in uno stato di grave depressione. Ancora una volta la sua tribù era stata distrutta dall'avidità dell'uomo bianco. La Nazione yazoo si disperse e nessuno la rivide mai più.

Sidney rimase a ciondolare a Karraway per un po', ma si stava stancando dell'attenzione generale e dei pettegolezzi. Dato che aveva lasciato il lavoro e aveva sbancato il casinò, la gente ovviamente parlava di lui come di un professionista del tavolo da gioco, una vera rarità nel Mississippi rurale. E sebbene non corrispondesse affatto al modello dell'avventuroso giocatore d'azzardo dalle mani bucate, l'argomento della sua nuova vita era irresistibile. Tutti sapevano che era l'unico uomo in città con un milione di dollari, e questo creava problemi. Si materializzarono vecchi amici. Donne single di tutte le età cercarono modi per conoscerlo. Tutti gli enti benefici gli scrissero implorando denaro. Dal Texas, sua figlia diventò molto più presente e si scusò per non essere stata imparziale durante il divorzio. Quando Sidney piantò il cartello IN VENDITA nel cortile davanti a casa, a Karraway non si parlò d'altro. La voce più insistente era che stesse per trasferirsi a Las Vegas.

Sidney invece aspettava.

Giocava a poker online per ore, e quando si stancava saliva sul camper e andava nei casinò della Tunica o in quelli sulla costa del Golfo. Vinceva più di quanto perdesse, ma stava attento a non richiamare troppa attenzione su di sé. Due casinò di Biloxi l'avevano bandito già da mesi. Tornava sempre a Karraway, anche se in realtà avrebbe voluto andarsene per sempre.

Aspettava.

Fu sua figlia a fare la prima mossa. Una sera gli telefonò e, dopo un'ora di chiacchiere, verso la fine di una confusa conversazione lasciò cadere l'accenno al fatto che Stella si sentiva sola e triste e che le mancava tanto la sua vita con Sidney. Secondo quanto diceva la ragazza, la madre era consumata dal rimorso e desiderava disperatamente riconciliarsi con l'unico uomo che avesse mai amato. Ascoltando blaterare la figlia, Sidney si rese conto che il suo bisogno di Stella era di gran lunga superiore al risentimento che provava per lei. Comunque non fece promesse.

La telefonata successiva fu più esplicita. La figlia diede inizio al tentativo di favorire un incontro fra i genitori, una specie di primo passo verso la normalizzazione dei rapporti. Era disposta a tornare a Karraway per mediare tra le parti, se necessario. Tutto ciò che voleva era che i suoi genitori tornassero insieme. "Che strano" pensò Sidney: sua figlia non aveva mai espresso idee del genere prima che lui sbancasse il casinò.

Dopo circa una settimana di schermaglie, una sera Stella si presentò a casa per bere un tè insieme. Nel cor-

so di un lungo, emotivo incontro, confessò i suoi peccati e chiese perdono. Se ne andò, ma tornò la sera dopo
per un'altra discussione. La terza notte finirono a letto
e Sidney si ritrovò di nuovo innamorato.

Senza parlare di matrimonio, l'indomani caricarono
il camper e partirono alla volta della Florida. Nei pressi
di Ocala, i Seminole gestivano un favoloso nuovo casinò
che Sidney era ansioso di attaccare. Si sentiva fortunato.

POVERA GENTE DA ROVINARE

Probabilmente l'incontro era inevitabile in una cittadina di diecimila abitanti. In un posto del genere, prima o poi sei destinato a incrociare quasi tutti, compresi quelli dei quali hai dimenticato il nome da tempo e il cui viso ti dice a malapena qualcosa. Certi nomi e certe facce vengono memorizzati e ricordati e resistono all'erosione del tempo. Altri nomi e altri volti vengono rimossi quasi istantaneamente, e quasi sempre per buone ragioni.

Per Stanley Wade l'incontro fu determinato in parte dalla persistente influenza della moglie e in parte dalla necessità di cibo, più qualche altro motivo. Dopo una lunga giornata in ufficio, Stanley telefonò alla moglie per chiederle come stava e informarsi della cena. La donna gli comunicò in modo piuttosto brusco che non aveva alcuna voglia di cucinare e ancora meno di mangiare, aggiungendo che, se lui invece aveva fame, allora avrebbe fatto meglio a passare al supermercato. E quando mai Stanley non aveva fame a cena? Alla fine si accordarono sulla pizza surgelata, più o meno l'unico piatto che Stanley fosse in grado di preparare e, stranamente, l'unica cosa che sua moglie si sarebbe forse sentita di assaggiare. Meglio salsiccia e formaggio. La moglie gli diede inoltre istruzioni di entrare dalla porta della cucina e di tenere tranquilli i cani. Poteva darsi che lei stesse dormendo sul divano.

Il supermercato più vicino era il Rite Price, un vecchio discount a qualche isolato dalla piazza che era caratterizzato da corsie poco pulite, prezzi bassi e piccoli omaggi dozzinali e che si rivolgeva a una clientela appartenente alle classi meno abbienti. Quasi tutti i bianchi benestanti andavano al nuovo Kroger a sud della città, parecchio lontano dal percorso di Stanley. Comunque si trattava solo di una pizza surgelata. Che differenza poteva mai fare? Non aveva in programma di acquistare prodotti biologici freschissimi per l'occasione. Aveva fame, gli andava un po' di cibo spazzatura e voleva tornarsene presto a casa.

Ignorò carrelli e cestini e puntò dritto al reparto surgelati, dove scelse una creazione di trentacinque centimetri con un nome italiano e garanzia di freschezza. Stava chiudendo lo sportello di vetro gelido quando avvertì la presenza di qualcuno vicinissimo a lui, qualcuno che l'aveva visto, l'aveva seguito e adesso gli stava praticamente respirando addosso. Qualcuno molto più grosso di lui. E che non nutriva il minimo interesse per i surgelati, almeno non in quel momento. Stanley si voltò verso destra e incontrò gli occhi di una faccia infelice, ma dal sorriso soddisfatto, che doveva avere già visto da qualche parte. L'uomo era intorno ai quarant'anni, una decina meno di Wade, era alto almeno dieci centimetri più di lui e aveva un torace molto più sviluppato. Stanley era sottile, quasi fragile, per niente atletico.

«Tu sei l'avvocato Wade, vero?» disse l'uomo, ma era più un'accusa che una domanda. Anche la voce, sia pure in modo vago, suonava familiare: stranamente acuta per un uomo così massiccio, una voce di campagna, ma non ignorante. Una voce dal passato, su questo nessun dubbio.

Stanley pensò che il precedente incontro, in qualunque momento e ovunque fosse avvenuto, aveva di certo avuto a che fare con una qualche causa, e non ci voleva un genio per capire che lui e l'omone non erano stati dallo stesso lato della barricata. Ritrovarsi faccia a faccia con vecchi avversari di tribunale parecchio tempo dopo la conclusione di un processo è un rischio professionale per molti legali che lavorano in piccole città. Per quanto ne avesse la tentazione, Stanley non riuscì a negare la propria identità. «Sì, giusto» rispose, stringendo con forza la pizza tra le mani. «E lei è?»

D'improvviso l'uomo gli passò di fianco, ma nel farlo abbassò leggermente la spalla e lo spintonò con violenza, mandandolo a sbattere contro lo sportello gelido che aveva appena chiuso. La pizza cadde sul pavimento. Mentre recuperava l'equilibrio e la cena, Stanley si girò e vide l'uomo scomparire dietro l'angolo, in direzione dei prodotti per la colazione e i vari tipi di caffè. Wade riprese fiato, si guardò intorno, fece per gridare qualcosa di provocatorio, ma cambiò rapidamente idea. Rimase immobile per un momento e cercò di analizzare l'unico, violento contatto fisico che riusciva a ricordare nella sua vita da adulto. Non era mai stato un rissoso, un atleta, un bevitore, un tipo scatenato. Non Stanley. Lui era sempre stato il riflessivo, l'erudito, il terzo classificato alla scuola di legge.

Era stata un'aggressione pura e semplice. Un contatto fisico da parte di un individuo ostile in preda alla collera, come diceva la legge. Ma non c'erano testimoni e Wade decise saggiamente di dimenticarsene, o almeno di provarci. Considerata la disparità di stazza e di temperamento, le cose sarebbero potute andare molto peggio.

E andarono molto peggio.

Nei successivi dieci minuti Stanley cercò di ricomporsi mentre si muoveva cauto nel supermercato, allungava il collo a ogni angolo, leggeva etichette, esaminava confezioni di carne e osservava gli altri clienti cercando il suo aggressore, o magari un complice. Quando si sentì relativamente sicuro che l'uomo se ne fosse andato, si precipitò all'unica, solitaria cassa aperta, pagò in fretta la sua pizza e uscì dal discount. Con gli occhi che sfrecciavano in tutte le direzioni, raggiunse la propria auto ed era già al sicuro a bordo, con le portiere bloccate e il motore acceso, quando si accorse di avere altri guai.

Un pickup si era appena fermato dietro la sua Volvo, impedendogli la retromarcia. Un furgone parcheggiato davanti bloccava anche quella via d'uscita. La situazione lo fece arrabbiare. Wade spense il motore, spalancò la portiera e prima di scendere dall'auto vide l'uomo avvicinarsi rapidamente dal pickup. Poi vide la pistola, una grossa pistola nera.

Stanley riuscì a emettere un debole: «Ma cosa diavolo...?» prima che l'uomo gli sferrasse un manrovescio, mandandolo a sbattere contro la portiera. Per un momento non vide più niente, però si sentì afferrare, trascinare, scaraventare nell'abitacolo del pickup e scivolare sulla finta pelle del sedile anteriore. La mano che gli stringeva la base del collo era massiccia, forte, violenta. Il suo collo, invece, era sottile, debole e, nell'orrore del momento, Stanley dovette ammettere che quell'uomo avrebbe potuto spezzarglielo facilmente, e con una mano sola.

Al volante c'era un ragazzino. Una portiera sbatté. La testa di Stanley venne abbassata con forza fino a toccare quasi il pavimento. L'acciaio freddo della pistola premeva alla base del cranio. «Vai» disse l'uomo, e il pickup partì con un sobbalzo.

«Non muoverti e non dire una parola o ti faccio saltare il cervello.» La voce acuta dell'uomo era molto agitata.

«Okay, okay» riuscì a dire Stanley. Aveva già il braccio sinistro piegato e bloccato dietro la schiena, ma per buona misura l'uomo glielo strattonò verso l'alto fino a provocargli una smorfia di dolore. Il dolore continuò ancora per un paio di minuti, poi, d'improvviso, l'altro lasciò la presa. La pistola si staccò dalla testa. «Siediti» ordinò l'uomo. Stanley si rialzò, scosse la testa, si sistemò gli occhiali e cercò di concentrarsi. Erano nella periferia della città e viaggiavano in direzione ovest. Passarono alcuni secondi senza che venisse detto nulla. Alla sinistra di Stanley c'era il ragazzo al volante, un teenager che non poteva avere più di sedici anni, un adolescente snello con la frangetta, i brufoli e due occhi che lasciavano trasparire sorpresa e sconcerto in egual misura. Wade trovò la giovinezza e l'innocenza del ragazzo stranamente confortanti: di certo quell'energumeno non gli avrebbe sparato davanti a un bambino! Alla sua destra – le loro gambe si toccavano – c'era l'uomo con la pistola, pistola che per il momento riposava sul grosso ginocchio destro e non era puntata contro nessuno.

Ancora silenzio mentre si lasciavano Clanton alle spalle. Stanley fece lunghi respiri profondi, riuscì a calmarsi un po' e cercò di organizzare i pensieri e prendere in esame lo scenario del proprio rapimento. Okay, avvocato Wade: in ventitré anni di professione legale, cosa hai fatto per meritare tutto questo? A chi hai intentato causa? Chi è rimasto escluso da un testamento? O forse si tratta di un brutto divorzio? Chi si è trovato dalla parte perdente?

Quando il ragazzo lasciò la highway e svoltò in una strada asfaltata di contea, Stanley finalmente domandò: «Posso chiedere dove stiamo andando?».

Ignorandolo, l'uomo disse: «Mi chiamo Cranwell. Jim Cranwell. Lui è mio figlio Doyle».

Quella causa. Stanley deglutì a fatica e si accorse per la prima volta del sudore che gli bagnava il collo. Indossava ancora l'abito grigio scuro con la camicia bianca di cotone e la cravatta marrone e tutto a un tratto quell'abbigliamento gli sembrò soffocante. Stava sudando e il cuore picchiava come un martello pneumatico. *Cranwell contro Trane*, otto o nove anni prima. Stanley aveva difeso il dottor Trane in un processo difficile, combattuto, carico di emotività che, alla fine, si era concluso con un successo. Una sconfitta amara per la famiglia Cranwell. Una splendida vittoria per il dottor Trane e il suo avvocato, anche se adesso Stanley non si sentiva molto vittorioso.

Il fatto che Mr Cranwell avesse svelato con tanta disinvoltura il proprio nome, e quello di suo figlio, poteva significare una cosa soltanto, almeno a parere dell'avvocato Wade: Mr Cranwell non aveva alcun timore di essere identificato perché la sua vittima non sarebbe più stata in grado di parlare. Quella pistola nera avrebbe trovato un qualche uso, dopotutto. Stanley sentì un'ondata di nausea vibrargli nello stomaco e per un secondo si chiese dove avrebbe potuto vomitare. Non a destra e non a sinistra. Dritto davanti a sé, fra i piedi. Strinse i denti e deglutì più volte, rapidamente. Il momento passò.

«Ho chiesto dove stiamo andando» ripeté, in un fiacco tentativo di dimostrare una qualche forma di resistenza. Ma la voce era rauca e incerta, la bocca molto arida.

«È meglio che tu stia zitto» disse Jim Cranwell. Non essendo in posizione di discutere o di insistere, Stanley decise di ubbidire. Il pickup si inoltrava sempre più in profondità nella contea procedendo lungo la Route 32, una strada trafficata di giorno, ma deserta di sera. Stanley conosceva bene la zona. Erano venticinque anni che viveva a Ford County, un territorio tutto sommato non molto esteso. Respiro e battito cardiaco rallentarono di nuovo e Wade si concentrò nello sforzo di memorizzare ogni dettaglio intorno a lui. Il pickup: un Ford fine anni Ottanta, mezza tonnellata, esterno grigio metallizzato, o così gli pareva, interno blu. Cruscotto standard, nulla di particolare. Sull'aletta parasole del conducente un grosso elastico tratteneva foglietti e ricevute. Il contachilometri indicava trecentodiecimila, non una cosa insolita in quella parte del mondo. Il ragazzino, che manteneva una velocità costante di ottanta chilometri l'ora, lasciò la Route 32 e si immise in Wiser Lane, una strada asfaltata più stretta che serpeggiava nella parte occidentale della contea per poi attraversare il fiume Tallahatchie al confine di Polk County. A mano a mano che le strade si facevano più strette e i boschi più fitti, le opzioni di Stanley diminuivano, le chance si riducevano.

Lanciò un'occhiata alla pistola e ripensò alla sua breve carriera di viceprocuratore, tanti anni prima, e in particolare ripensò a tutte le occasioni in cui in aula aveva afferrato l'arma del delitto con la sua etichetta, l'aveva mostrata ai giurati e l'aveva agitata in aria, facendo del suo meglio per creare un clima di dramma e di paura e suscitare un desiderio di vendetta.

Ci sarebbe stato un processo per il suo omicidio? Un giorno quella grossa pistola – Stanley riteneva che fosse una .44 Magnum in grado di fargli schizzare il cervello su un quarto di ettaro di terreno coltivabile – sarebbe stata esibita in un'aula di tribunale mentre il sistema giudiziario si occupava del suo raccapricciante delitto?

«Perché non dice niente?» domandò, senza guardare Jim Cranwell. Qualsiasi cosa era meglio del silenzio. Se Stanley Wade aveva una possibilità di cavarsela, era con le parole, con la sua capacità di ragionare, o di implorare.

«Il tuo cliente, il dottor Trane, ha lasciato la città, vero?» fece Cranwell.

Stanley pensò che, se non altro, aveva indovinato la causa, cosa che però non gli diede alcun conforto. «Sì, parecchi anni fa.»

«Dov'è andato?»

«Non so bene.»

«Si era cacciato nei guai, giusto?»

«Sì, lo può ben dire.»

«L'ho appena detto. Che tipo di guai?»

«Non ricordo.»

«Mentire non ti servirà a niente, avvocato Wade. Tu sai maledettamente bene cos'è successo al dottor Trane. Era un ubriacone e un tossico e non riusciva a stare lontano dalla sua piccola farmacia. Si faceva di antidolorifici, è stato radiato dall'ordine, ha lasciato la città ed è andato a nascondersi a casa sua, in Illinois.»

Le informazioni erano state esposte come se fossero state di dominio pubblico, disponibili ogni mattina nei caffè e sezionate a pranzo nei garden club, mentre in realtà la disintegrazione del dottor Trane era stata gestita in modo molto discreto dallo studio di Stanley e poi definitivamente sepolta. O così aveva pensato Wade. Il fatto che Cranwell, dopo il suo processo, avesse monitorato con tanta attenzione gli sviluppi spinse Stanley ad asciugarsi la fronte, a spostare il proprio peso sul sedile e, di nuovo, a combattere contro l'idea del vomito.

«Mi sembra più o meno esatto» disse.

«Vi sentite mai, tu e il dottor Trane?»

«No, sono passati anni dall'ultima volta.»

«Si dice che sia sparito di nuovo, lo sapevi?»

«No.» Era una bugia. Stanley e i suoi soci avevano sentito parecchie voci sulla sconcertante scomparsa del dottor Trane. Si era rifugiato a Peoria, la città dov'era nato, era stato riammesso all'ordine, aveva ripreso a esercitare, ma non era riuscito a tenersi fuori dai guai. Più o meno due anni prima, la moglie del momento aveva telefonato a tutta Clanton chiedendo a vecchi amici e conoscenti se per caso avessero visto suo marito.

Il ragazzino svoltò di nuovo, questa volta in una strada priva di indicazioni, una strada che forse Stanley aveva superato diverse volte in auto, ma che non aveva mai notato. Anche questa era asfaltata, ma consentiva a malapena il passaggio di due veicoli affiancati. Fino a quel momento il ragazzo non aveva detto una parola.

«Non lo troveranno mai» disse Jim Cranwell quasi a se stesso, ma con un senso di brutale ineluttabilità.

Wade si sentì girare la testa. La visione era confusa. Sbatté le palpebre, si fregò gli occhi, respirò affannosamente a bocca aperta e sentì le spalle afflosciarsi mentre assimilava e digeriva le ultime parole pronunciate dall'uomo con la pistola. Si supponeva forse che lui, Stanley, credesse che quei campagnoli erano riusciti a rintracciare il dottor Trane e a farlo fuori senza farsi scoprire?

Sì.

«Fermati là, accanto al cancello dei Baker» disse Cranwell a suo figlio. Il pickup si fermò un centinaio di metri più avanti. Cranwell aprì la portiera, agitò la pistola e ordinò: «Scendi». Afferrò Stanley per un polso, lo trascinò davanti al pickup, lo sbatté contro il cofano e gli intimò: «Non ti muovere di un millimetro». Poi sussurrò qualche istruzione al figlio, che risalì sul veicolo.

Cranwell afferrò di nuovo Stanley, lo trascinò sul bordo della strada e lo costrinse a scendere in un fossato poco profondo, dove rimasero immobili in piedi mentre il pickup si allontanava. Guardarono le luci posteriori scomparire dietro una curva.

«Comincia a camminare» disse Cranwell, indicando la strada con la pistola.

«Non la farà franca» ribatté Stanley.

«Sta' zitto e muoviti.» Cominciarono a camminare lungo la strada piena di buche. Wade davanti e Cranwell dietro, a circa un metro e mezzo di distanza. La sera era limpida e la mezzaluna che splendeva in cielo garantiva luce sufficiente perché continuassero a procedere al centro della strada. Stanley guardava continuamente a destra e a sinistra, alla vana ricerca delle luci di una qualche fattoria. Niente.

«Se ti metti a correre, sei un uomo morto» lo avvertì Cranwell. «Tieni le mani fuori dalle tasche.»

«Perché? Pensa che abbia una pistola?»

«Sta' zitto e cammina.»

«Dove potrei mai scappare?» domandò Stanley senza cambiare il passo. D'improvviso Cranwell si lanciò avanti e gli sferrò un pugno violento sul collo sottile, facendolo cadere a terra. La pistola era di nuovo puntata alla testa e Cranwell gli era addosso, ringhiante.

«Sei uno stronzo furbastro, vero, Wade? Sei stato uno stronzo furbastro al processo e lo sei anche adesso. Sei nato così. Sono sicuro che tua madre era una stronza furbastra e che lo sono anche i tuoi figli, tutti e due. Non puoi evitarlo, giusto? Ma ascoltami bene: per la prossima ora non farai per niente il furbastro. Hai capito, Wade?»

Stanley era stordito, confuso, dolorante e non sapeva se sarebbe riuscito a trattenere il vomito. Non rispose e Cranwell lo afferrò per il colletto e lo strattonò, costringendolo a mettersi in ginocchio. «Vuoi dire le tue ultime parole, avvocato Wade?» La canna della pistola era conficcata nell'orecchio.

«Non lo faccia, amico» pregò Stanley, improvvisamente sul punto di piangere.

«Oh, e perché no?» sibilò Cranwell dall'alto.

«Ho famiglia. La prego, non lo faccia.»

«Ho dei figli anch'io, Wade. Li hai conosciuti tutti e due. Doyle è quello che guidava il pickup. Michael è quello che hai visto al processo, il ragazzino cerebroleso che non guiderà mai, non camminerà mai, non parlerà mai e non mangerà né piscerà mai da solo. E sai perché, avvocato Wade? Per opera del tuo caro cliente, il dottor Trane, che possa bruciare all'inferno.»

«Mi dispiace. Dico sul serio. Io ho fatto solo il mio lavoro. La prego.»

La pistola premeva talmente forte che Stanley era costretto a inclinare la testa a sinistra. Sudando, boccheggiando, cercava disperatamente di dire qualcosa che potesse salvarlo.

Cranwell afferrò e gli strattonò una ciocca di capelli che andavano diradandosi. «Be', il tuo lavoro è uno schifo, Wade, perché significa mentire, maltrattare, manipolare i fatti e non dimostrare alcuna compassione per chi soffre. Io odio il tuo lavoro, quasi quanto odio te.»

«Mi dispiace. Per favore.»

Cranwell estrasse la canna della pistola dall'orecchio di Stanley, la rivolse verso la strada buia e, a circa venti centimetri dalla testa del suo prigioniero, premette il grilletto. In quel silenzio assoluto un colpo di cannone avrebbe fatto meno rumore.

Wade, che non era stato nemmeno sfiorato, emise un urlo di orrore, di dolore e di morte e crollò a terra, le orecchie che gli fischiavano e il corpo in preda alle convulsioni. In pochi secondi i boschi assorbirono l'eco dello sparo. Dopo qualche altro secondo Cranwell ordinò: «Alzati, stronzo».

Stanley, illeso ma per niente sicuro di esserlo, cominciò lentamente a rendersi conto di ciò che era successo. Si rialzò barcollando, ancora ansimante e incapace di parlare e di udire. Poi si accorse di avere i pantaloni bagnati. Nell'istante in cui era morto aveva perso il controllo della vescica. Si toccò l'inguine, poi le gambe.

«Te la sei fatta addosso» lo informò Cranwell. Stanley lo sentì, ma a malapena. Le orecchie continuavano a rimbombare dolorosamente, specie la destra. «Poverino, tutto fradicio di piscio. Sai, Michael se la fa addosso cinque volte al giorno. A volte possiamo permetterci i pannoloni, a volte no. Adesso cammina.»

Cranwell gli diede un'altra spinta brutale, indicando la strada con la pistola. Stanley barcollò, per poco non cadde, ma si riprese e fece qualche passo incerto, poi

197

recuperò concentrazione ed equilibrio e finalmente si convinse che nessuno gli aveva sparato.

«Non sei pronto per morire» gli disse Cranwell da dietro.

"Grazie a Dio" fu sul punto di esclamare Wade, ma si trattenne perché quasi sicuramente quelle parole sarebbero state interpretate come un tipico commento da stronzo furbastro. Mentre procedeva a fatica lungo la strada, giurò di evitare ogni commento da stronzo furbastro, o qualsiasi cosa che potesse anche solo remotamente sembrarlo. Si mise un dito nell'orecchio destro, cercando di bloccare quella specie di scampanio. L'inguine e le gambe erano freddi e bagnati.

Camminarono per altri dieci minuti, anche se a Stanley sembrò un'infinita marcia della morte. Superata una curva, vide in lontananza le luci di una casa. Accelerò leggermente il passo, pensando che Cranwell non avrebbe fatto fuoco di nuovo dove c'era gente che poteva sentire.

La casa era una piccola costruzione in mattoni a un solo piano, arretrata di un centinaio di metri rispetto alla strada, con un vialetto d'accesso di ghiaia e siepi ordinatamente potate sotto le finestre davanti. Lungo il vialetto e nel cortile erano parcheggiati in modo disordinato quattro veicoli, come se i vicini di casa si fossero presentati per una cena improvvisata. Uno dei mezzi era il pickup Ford che aveva guidato Doyle; adesso era posteggiato davanti al garage. Sotto un albero c'erano due uomini che stavano fumando.

«Da quella parte» ordinò Cranwell, spingendo Wade verso la casa. Passando davanti ai due uomini, disse: «Guardate cos'ho qui». I due emisero nuvole di fumo, ma non parlarono.

«Se l'è fatta addosso» aggiunse Cranwell. I due trovarono la notizia divertente.

Sequestratore e sequestrato attraversarono il cortile,

passarono davanti alla porta d'ingresso e al garage, girarono l'angolo della casa e, arrivati sul retro, si diressero verso una piccola, precaria costruzione in legno non verniciato appiccicata all'edificio principale come una specie di crescita cancerosa. Pur collegata alla casa, la costruzione era invisibile dalla strada. Aveva finestre sbilenche, tubature a vista, una porta dall'aria inconsistente e, in generale, l'aspetto squallido di una stanza aggiunta il più rapidamente possibile con la minore spesa possibile.

Cranwell artigliò Stanley per il collo già pieno di lividi e lo spinse avanti. «Dentro.» Come sempre, fu la pistola a indicare la direzione. L'unico modo per arrivare alla porta era una corta rampa per sedia a rotelle, traballante quanto lo stesso locale aggiunto. La porta si aprì dall'interno. C'era gente in attesa.

Otto anni prima, all'epoca del processo, Michael aveva tre anni. Era stato mostrato alla giuria una volta soltanto. Nel corso della drammatica arringa finale del suo avvocato, il giudice aveva permesso che il bambino venisse portato in aula sulla sua speciale sedia a rotelle per una rapida visione. Michael indossava un pigiama e un grande bavaglino, niente scarpe, né calze. La testa oblunga gli cadeva da un lato. La bocca era aperta, gli occhi chiusi e tutto il minuscolo corpo deforme sembrava volersi raggomitolare su se stesso. Michael era gravemente cerebroleso, cieco e con un'aspettativa di vita di pochissimi anni. Era stata una visione pietosa, anche se poi alla fine la giuria non aveva dimostrato alcuna pietà.

Stanley aveva vissuto male quel momento come chiunque altro in aula quel giorno, ma non appena Michael era stato portato via si era rimesso al lavoro. Era convinto che non avrebbe rivisto mai più quel bambino.

Si sbagliava. Quella che stava guardando adesso era

una versione leggermente più grande, anche se più patetica, di Michael. Il ragazzino indossava pigiama e bavaglino, niente scarpe, né calze. La bocca era aperta, gli occhi chiusi. La testa si era sviluppata in altezza, creando una lunga fronte inclinata in parte coperta da ciuffi arruffati di ispidi capelli neri. Dalla narice sinistra partiva un tubicino che finiva da qualche invisibile parte. Le mani erano piegate ai polsi e accartocciate verso l'interno. Le ginocchia erano sollevate sul petto. Il ventre era gonfio e, per un istante, a Stanley vennero in mente quelle tristi foto dei bambini africani che muoiono di fame.

Michael era sistemato sul letto, un vecchio scarto di un qualche ospedale, sostenuto da cuscini e mantenuto in posizione dalla cinghia in velcro, piuttosto allentata, che gli attraversava il petto. Ai piedi del letto c'era sua madre, una donna esile dall'aria sofferente di cui Stanley non riusciva a ricordare il nome.

L'aveva fatta piangere sul banco dei testimoni.

All'altro capo del letto c'era un piccolo bagno con la porta aperta e, accanto alla porta, un classificatore nero di metallo, con due cassetti e un numero sufficiente di graffi e ammaccature da dimostrarne il passaggio attraverso una decina di mercatini dell'usato. La parete del letto non aveva finestre, ma le due laterali ne avevano tre ognuna, molto strette. La stanza era lunga meno di cinque metri e larga meno di quattro. Il pavimento era rivestito da un linoleum giallo a buon mercato.

«Siediti qui, avvocato Wade» disse Jim, costringendo il suo prigioniero a sedersi sulla sedia pieghevole al centro della cameretta. La pistola non si vedeva più. I due fumatori entrarono nella stanza, chiusero la porta e andarono a raggiungere gli altri due uomini in piedi accanto a Mrs Cranwell, a pochi metri da Wade. Cinque uomini, tutti grandi, grossi, truci e apparentemente pronti alla violenza. E c'era anche Doyle, da qualche parte alle spalle di Stanley. E Mrs Cranwell, Michael e l'avvocato Wade.

La scena era pronta.

Jim si avvicinò al letto, baciò Michael sulla fronte e poi si voltò. «Lo riconosci, avvocato Wade?»

Stanley riuscì solo ad annuire.

«Ha undici anni» disse Jim, sfiorando delicatamente il braccio del figlio. «Ancora cieco, ancora cerebroleso. Non sappiamo quanto senta e capisca, ma di sicuro non è molto. Magari può sorridere una volta alla settimana quando sente la voce della mamma, e a volte sorride quando Doyle gli fa il solletico, ma non è che riusciamo a ottenere molte reazioni. Ti sorprende vederlo ancora vivo, avvocato Wade?»

Stanley stava fissando alcune scatole di cartone sotto il letto di Michael. Le fissava per non dover guardare il bambino. Ascoltava con la testa girata a destra, perché, per quello che poteva dire, l'orecchio destro non funzionava. Le orecchie erano ancora traumatizzate dallo sparo e, se avesse dovuto vedersela con problemi meno importanti, si sarebbe preoccupato dell'eventuale perdita di udito. «Sì» rispose con sincerità.

«Era quello che pensavo» disse Jim. La voce acuta si era abbassata di un paio di ottave. Cranwell non era più agitato. Era a casa sua, davanti a un pubblico amico. «Perché tu al processo dicesti alla giuria che Michael non sarebbe arrivato all'età di otto anni. Dieci anni era un'età impossibile, a parere di uno dei molti esperti fasulli che chiamasti a deporre in aula. Il tuo obiettivo era chiaramente quello di abbreviare la vita di Michael e contenere i danni, giusto? Ricordi tutto questo, avvocato Wade?»

«Sì.»

Mentre parlava con Stanley, Jim camminava avanti e indietro di fianco al letto di Michael e ogni tanto lanciava un'occhiata ai quattro uomini ammassati contro la parete. «Michael adesso ha undici anni, quindi tu affermasti il falso. Giusto, avvocato Wade?»

Discutere avrebbe solo peggiorato le cose, e poi perché mettere in discussione l'evidenza? «Sì.»

«Bugia numero uno» annunciò Jim, alzando l'indice. Poi si avvicinò al letto e toccò di nuovo il figlio. «La maggior parte dell'alimentazione passa attraverso un tubo. Una formula speciale, che costa ottocento dollari al mese. Becky ogni tanto riesce a fargli mandare giù un po' di cibo solido. Roba come budino, o gelato, ma non molto. Michael deve prendere un mucchio di farmaci per prevenire convulsioni, infezioni e cose simili. Le medicine ci costano circa mille dollari al mese. Quattro volte l'anno lo portiamo a Memphis per farlo visitare dagli specialisti non so bene perché, visto che non possono fare un accidente, ma comunque ci andiamo perché loro ci dicono di andare. Millecinquecento verdoni ogni viaggio. Michael consuma più o meno una confezione di pannoloni ogni due giorni, sei dollari la confezione, cento dollari al mese. Non è molto, ma quando non sempre te li puoi permettere, diventano parecchio costosi. Qualche altra spesa varia e arriviamo sui trentamila dollari l'anno per prenderci cura di Michael.»

Jim aveva ripreso a camminare. Stava esponendo la sua tesi accusatoria e lo stava facendo benissimo. La giuria, che aveva selezionato personalmente, era tutta con lui. Le cifre che snocciolava suonavano molto più sinistre così lontano da un'aula di tribunale. «Per quello che ricordo» riprese Cranwell «il tuo esperto ridicolizzò i nostri numeri, dichiarando che per Michael ci sarebbero voluti meno di diecimila dollari l'anno. Questo lo ricordi, avvocato Wade?»

«Credo di sì. Sì.»

«Possiamo convenire sul fatto che era falso? Ho tutte le ricevute.»

«Sono là dentro» disse Becky, indicando il classificatore nero. Erano le prime parole che pronunciava.

«No, mi fido.»

Jim alzò due dita. «Bugia numero due. Ora, quello stesso esperto dichiarò sotto giuramento che un'infermiera a tempo pieno non sarebbe stata necessaria. Diede l'impressione che il piccolo Michael se ne sarebbe rimasto disteso sul divano come uno zombie per un paio d'anni, poi sarebbe morto e tutto si sarebbe risolto per il meglio. Non era d'accordo sull'idea che Michael avrebbe avuto bisogno di assistenza continua. Becky, vuoi dire qualcosa sull'assistenza continua?»

I capelli lunghi della donna, raccolti in una coda di cavallo, erano completamente grigi. Gli occhi erano tristi e stanchi e non aveva fatto alcuno sforzo per nascondere le occhiaie scure. Becky si alzò in piedi e andò alla porta accanto al letto. L'aprì e tirò fuori un lettino pieghevole. «È su questo che dormo, quasi ogni notte. Non posso lasciare Michael da solo per via degli attacchi epilettici. Certe volte è Doyle che resta qui a dormire, certe volte Jim. Comunque deve esserci qualcuno di notte. Gli attacchi arrivano sempre di notte. Non so perché.» Rimise il lettino al suo posto e richiuse la porta. «Gli do da mangiare quattro volte al giorno, trenta grammi alla volta. Ogni giorno Michael urina almeno cinque volte e ha almeno due movimenti intestinali. Non si può mai dire quando, capita sempre in orari diversi. Undici anni e nessun orario fisso. Lo lavo due volte al giorno. E leggo per lui, gli racconto storie. Esco raramente da questa stanza, Mr Wade. E quando non sono qui, mi sento in colpa perché dovrei esserci. Le parole "assistenza continua" non cominciano neppure a descrivere la situazione.» Becky tornò a sedersi sulla vecchia poltrona reclinabile ai piedi del letto e fissò il pavimento.

Jim riprese la parola. «Come ricorderai, avvocato

Wade, al processo il nostro esperto dichiarò che sarebbe stata indispensabile un'infermiera a tempo pieno. Ma tu dicesti alla giuria che era solo un mucchio di sciocchezze. Usasti la parola "assurdità", mi pare. In pratica era solo l'ennesimo tentativo da parte nostra di arraffare un po' di soldi. Ci hai fatto sembrare un branco di avidi bastardi. Questo te lo ricordi, avvocato Wade?»

Stanley annuì. Non ricordava le parole esatte, ma di certo nel calore del processo poteʋa benissimo aver detto quello che aveva appena raccontato Jim.

Tre dita. «Bugia numero tre» annunciò Cranwell alla giuria, quattro uomini con la sua stessa struttura fisica, lo stesso colore di capelli, le stesse facce dure e la stessa logora tuta da lavoro. Erano chiaramente tutti imparentati.

Jim continuò: «L'anno scorso io ho fatto quarantamila dollari, avvocato Wade, e ci ho pagato le tasse sopra. Non ho diritto a tutte le detrazioni alle quali avete diritto voi furbastri. Prima che Michael nascesse, Becky lavorava come assistente scolastica a Karraway, ma adesso, per evidenti motivi, non può più lavorare. Non chiedermi come facciamo a tirare avanti, perché non te lo so dire». Con un gesto vago della mano, indicò i quattro uomini. «Riceviamo molto aiuto dagli amici e dalle chiese locali. Niente dallo Stato del Mississippi. Non ha molto senso, vero? Il dottor Trane se l'è cavata senza pagare un centesimo. La sua assicurazione, un branco di delinquenti del Nord, se l'è cavata senza pagare un centesimo. I ricchi fanno i danni e poi la fanno franca senza problemi. Ti dispiace spiegarmi questa cosa, avvocato?»

Stanley si limitò a scuotere la testa. Non c'era niente da guadagnare cercando di discutere. Stava ascoltando, ma mentalmente stava anche correndo avanti, fino a quel punto nell'immediato futuro in cui sarebbe stato di nuovo costretto a pregare per avere salva la vita.

«Parliamo di un'altra bugia» stava dicendo Cranwell. «Il nostro perito disse che probabilmente avremmo potuto assumere un'infermiera part-time per trentamila dollari l'anno, e quella era la tariffa minima. Trentamila per l'infermiera, trentamila per le altre spese: un totale di sessantamila dollari l'anno, per vent'anni. Il conto era facile: un milione e duecentomila. Ma quella somma spaventò il nostro avvocato, perché in questa contea nessuna giuria aveva mai riconosciuto un risarcimento di un milione di dollari. All'epoca, otto anni fa, il verdetto più alto si aggirava sui duecentomila dollari e, secondo il nostro avvocato, era poi stato annullato in appello. Gli stronzi come te, Mr Wade, e le assicurazioni per le quali ti prostituisci e i politici che le assicurazioni si comprano fanno in modo che la piccola gente avida come noi e i nostri avidi avvocati stiano al loro posto. Il nostro avvocato ci spiegò che chiedere un milione di dollari era pericoloso: nessuno a Ford County aveva un milione, perciò perché mai darlo a noi? Ne parlammo per ore prima del processo e alla fine decidemmo di chiedere un po' meno di un milione. Novecentomila dollari. Ricordi, avvocato?»

Stanley annuì. In effetti ricordava.

Cranwell fece un passo avanti e gli puntò un dito contro. «E tu, figlio di puttana, tu dicesti alla giuria che noi non avevamo il coraggio di chiedere esplicitamente un milione, ma che in realtà era un milione che volevamo perché stavamo cercando di trarre profitto dal nostro bambino. Qual è stata la parola che hai usato, Mr Wade? Non era "avidi". Non ci hai definito avidi. Qual era la parola, Becky?»

«Opportunisti.»

«Esatto. Hai puntato il dito contro di noi, che ce ne stavamo seduti lì con il nostro avvocato, a tre metri di distanza da te e dai giurati, e ci hai dato degli opportunisti. In vita mia non ho mai desiderato tanto dare uno schiaffo a qualcuno come in quel momento.» E Cranwell balzò avanti e colpì Stanley con un feroce manrovescio sulla guancia destra. Gli occhiali dell'avvocato volarono verso la porta.

«Sei un miserabile pezzo di merda» grugnì Cranwell.

«Smettila, Jim!» disse Becky.

Ci fu una lunga pausa pesante mentre Stanley si scrollava di dosso lo stordimento e cercava di rimettere a fuoco la vista. Uno dei quattro uomini gli restituì di malavoglia gli occhiali. L'improvvisa aggressione sembrava avere stupito tutti, Jim compreso.

Cranwell tornò accanto al letto e diede qualche colpetto sulla spalla di Michael, poi si voltò e fissò Stanley. «Bugia numero quattro, avvocato Wade, e in questo momento non sono neppure sicuro di ricordarle tutte. Ho letto i verbali del processo un centinaio di volte, più di millenovecento pagine in tutto, e ogni volta che li leggo trovo un'altra bugia. Per esempio, tu dicesti alla giuria che i verdetti che riconoscono grossi risarcimenti sono un male perché fanno lievitare i costi della sanità e delle assicurazioni. Questo te lo ricordi, avvocato?»

Stanley fece spallucce come se non fosse stato sicuro. Collo e spalle gli facevano male e perfino quel gesto era doloroso. La guancia gli bruciava, le orecchie continuavano a fischiargli, l'inguine era ancora bagnato e qualcosa gli diceva che quello era solo il primo round, e che il primo round era la parte più facile.

Jim si voltò verso i quattro uomini e chiese: «Tu te lo ricordi, Steve?».

«Sissignore.»

«Steve è mio fratello, lo zio di Michael. Ha ascoltato ogni parola del processo, avvocato Wade, e ha imparato a odiarti quanto me. Ma torniamo alla tua bugia. Se le giurie riconoscono risarcimenti modesti, o addirittura nessun risarcimento, allora tutti quanti avremo cure sanitarie a basso costo e assicurazioni poco care, giusto, avvocato? Era questa la tua brillante tesi. E la giuria se la bevve. Non possiamo permettere che questi avidi avvocati e i loro avidi clienti approfittino del sistema per diventare ricchi. Nossignore. Dobbiamo proteggere le compagnie d'assicurazione.» Jim si voltò verso la sua giuria. «Allora, amici, dato che l'avvocato Wade è riuscito a ottenere un verdetto zero per il suo dottore e la sua assicurazione, quanti di voi hanno visto diminuire i costi della sanità?»

Non si fece avanti nessun volontario.

«Oh, per inciso, avvocato: lo sapevi che il dottor Trane era proprietario di quattro Mercedes all'epoca del processo? Una per lui, una per la moglie e una a testa per i figli adolescenti. Lo sapevi?»

«No.»

«Ma che razza di avvocato sei? Noi lo sapevamo. Il mio avvocato aveva fatto bene il suo compitino, sapeva tutto di Trane, ma non ha potuto dire niente in aula. Troppe regole. Quattro Mercedes. Immagino che un ricco medico se le meriti.»

Cranwell si avvicinò al classificatore, aprì il primo cassetto ed estrasse un fascio di documenti spesso otto centimetri, compresso in un raccoglitore blu di plastica. Stanley lo riconobbe immediatamente, perché il pavimento del suo studio era cosparso di raccoglitori blu uguali a quello. Verbali del processo. A un certo punto Cranwell aveva pagato qualche centinaio di dollari al cancelliere per avere la sua trascrizione personale di ogni parola pronunciata nel corso del processo contro il dottor Trane per negligenza professionale.

«Ti ricordi il giurato numero sei, avvocato?»

«No.»

Cranwell sfogliò alcune pagine, molte delle quali contrassegnate da post-it e sottolineate con evidenziatori gialli e verdi. «Parliamo della selezione della giuria, avvocato Wade. A un certo punto il mio avvocato chiese ai potenziali giurati se qualcuno di loro lavorava per un'assicurazione. Una signora rispose di sì e venne eliminata. Ma un certo Mr Rupert non disse niente ed entrò a far parte della giuria. In effetti non lavorava per una compagnia di assicurazioni, ma solo perché era appena andato in pensione dopo trent'anni in una compagnia di assicurazioni. In seguito, dopo il processo e dopo l'appello, siamo venuti a sapere che Mr Rupert era stato il grande paladino del dottor Trane in camera di consiglio. Parlava sempre lui. Scatenava l'inferno, se solo uno degli altri giurati accennava all'idea di dare un po' di soldi a Michael. Ti ricorda qualcosa, avvocato?»

«No.»

«Ne sei sicuro?» Cranwell posò di colpo il raccoglitore e fece un passo verso Stanley. «Ne sei proprio sicuro, avvocato Wade?»

«Sicurissimo.»

«Com'è possibile? Mr Rupert è stato per trent'anni il liquidatore di zona della Southern Mutual, si occupava di tutto il Mississippi settentrionale. Il tuo studio ha rappresentato un mucchio di compagnie di assicurazione, compresa la Southern Delta Mutual. E tu ci dici che non conoscevi Mr Rupert?» Un altro passo avanti. Un altro schiaffo in arrivo.

«Non lo conoscevo.»

Cranwell allargò le dita della mano e le mostrò alla sua giuria. «Bugia numero cinque. O è la numero sei? Ho perso il conto.»

Stanley si irrigidì in attesa di un pugno o di uno schiaffo, che però non arrivò. Jim tornò davanti al classificatore ed estrasse altri quattro raccoglitori blu dal primo cassetto. «Quasi duemila pagine di bugie, avvocato Wade» disse, impilando i raccoglitori uno sull'altro. Stanley inspirò a fondo e poi emise un sospiro di sollievo perché per il momento era sfuggito alla violenza. Fissando il linoleum da quattro soldi tra le sue scarpe, ammise che, ancora una volta, era caduto nella trappola in cui spesso cadevano molti degli abitanti della zona più ricchi e istruiti quando si convincevano che il resto della popolazione era stupido e ignorante. Jim Cranwell era più in gamba della maggior parte degli avvocati della città, e infinitamente più preparato.

Armato di una manciata di bugie, Cranwell era pronto a continuare l'attacco. «E naturalmente, avvocato Wade, non abbiamo neppure cominciato a sfiorare le menzogne raccontate dal dottor Trane. Immagino che ci dirai che quello è un problema suo, non tuo.»

«È stato lui a testimoniare in aula. Non io» disse Stanley, troppo in fretta.

Cranwell rispose con una risata falsa. «Bel tentativo. Trane era il tuo cliente. E tu lo chiamasti a deporre, giusto?»

«Sì.»

«E prima che testimoniasse, parecchio tempo prima, tu l'avevi aiutato a prepararsi per la giuria, non è così?»

«È quello che si suppone facciano gli avvocati.»

«Grazie. Quindi si suppone che gli avvocati aiutino a elaborare menzogne.» Non era una domanda e Stanley non aveva intenzione di discutere. Cranwell sfogliò qualche altra pagina e riprese a parlare: «Ecco un campione delle menzogne del dottor Trane, almeno a parere del nostro perito, un ottimo medico che esercita ancora, che non è stato radiato dall'ordine, che non era un alcolista, non era un drogato e non è stato costretto a scappare da questo Stato. L'hai presente, avvocato Wade?».

«Sì.»

«Il dottor Parkin, una bravissima persona. Tu l'hai attaccato come una belva, l'hai sbranato davanti alla giuria e, quando sei andato a sederti, avevi l'aria del bastardo molto soddisfatto di sé. Te lo ricordi, Becky?»

«Certo che me lo ricordo» rispose subito la donna.

«Ecco cosa dichiarò il dottor Parkin a proposito del nostro buon dottor Trane. Parkin disse che Trane non aveva diagnosticato correttamente i dolori del travaglio quando Becky si era presentata la prima volta in ospedale e che non avrebbe dovuto rimandarla a casa, dove era rimasta tre ore prima di tornare in ospedale, mentre lui intanto era andato a dormire. Secondo Trane, mia moglie non era stata ricoverata perché il tracciato del monitor fetale risultava normale, ma Parkin dichiarò che in realtà Trane non aveva saputo leggerlo correttamente. Disse inoltre che dopo che Becky era stata ricoverata Trane era finalmente arrivato in ospedale e le aveva somministrato dosi di Pitocin per parecchie ore, che non aveva saputo diagnosticare la sofferenza fetale e che, di nuovo, non aveva letto in modo corretto i tracciati, i quali indicavano chiaramente che le condizioni di Michael stavano deteriorandosi e che il bambino era in uno stato di sofferenza acuta. Parkin precisò che Trane non aveva capito che il Pitocin stava provocando iperstimolazione e un'eccessiva attività uterina; aggiunse che Trane a un certo punto aveva tentato un maldestro parto con la ventosa, che alla fine aveva praticato un cesareo con circa tre ore di ritardo, che il ritardo aveva determinato ipossia e asfissia e che ipossia e asfissia avrebbero potuto essere evitate con un tempestivo taglio cesareo. C'è qualcosa che ti suona familiare, avvocato Wade?»

«Sì, mi ricordo.»

«E ricordi di aver detto alla giuria, come un dato di fatto – perché tu, brillante avvocato, sei sempre molto preciso con i fatti – che niente di tutto questo era vero e che il dottor Trane si era attenuto ai più alti standard di condotta professionale, *bla bla bla*?»

«È una domanda, Mr Cranwell?»

«No. Ma prova con questa: nella tua arringa finale dicesti o no che il dottor Trane era uno dei medici migliori che tu avessi mai conosciuto, un autentico faro della nostra comunità, un leader, un uomo al quale avresti affidato la tua famiglia, un grande luminare che aveva il diritto di essere protetto dalla brava gente onesta di Ford County? Questo te lo ricordi, avvocato?»

«Sono passati otto anni. Non posso ricordare.»

«Be', allora andiamo a vedere a pagina 1574, volume quinto.» Cranwell stava sfogliando le pagine di un raccoglitore. «Vuoi leggere tu stesso le tue brillanti parole, avvocato? Sono tutte qui. Io me le leggo di continuo. Diamo un'occhiata insieme e lasciamo che le bugie parlino da sole.» Cacciò il raccoglitore sotto il naso di Stanley, che però scosse la testa e guardò da un'altra parte.

Forse era stato il rumore, forse la tensione crescente nella stanza o forse semplicemente un circuito interrotto nel suo sistema difettoso, ma d'improvviso Michael prese vita. L'attacco convulsivo lo artigliò dalla testa ai piedi, e nel giro di un secon lo il ragazzino era scosso da tremiti violenti. Becky si precipitò accanto a lui senza dire una parola, con l'atteggiamento sicuro e deciso che derivava da una lunga pratica. Jim per un istante si dimenticò dell'avvocato Wade e si avvicinò a sua volta al letto, che sobbalzava al ritmo metallico delle molle e dei giunti bisognosi di lubrificante. Dal fondo della stanza si materializzò anche Doyle e i tre Cranwell si dedicarono tutti a Michael e al suo attacco. Sussurrando parole confortanti, Becky gli tenne immobilizzati i polsi. Jim gli mise in bocca una specie di cuneo di gomma morbida e lo mantenne in posizione. Doyle rinfrescava la testa del fratello con un asciugamano umido, continuando a ripetere: «È tutto okay, fratellino, tutto okay».

Wade guardò finché ne ebbe la forza, poi si piegò in avanti sui gomiti, appoggiò il mento sulle mani e si studiò i piedi. I quattro uomini alla sua sinistra se ne stavano immobili come sentinelle dal viso di pietra e Stanley si rese conto che dovevano avere già assistito agli attacchi di Michael. Nella stanza faceva sempre più caldo e si accorse che stava sudando di nuovo. Non per la prima volta, pensò a sua moglie. Erano già passate più di due ore dal rapimento e si chiese cosa stesse facendo in quel momento. Forse dormiva sul divano, dove aveva passato gli ultimi quattro giorni combattendo l'influenza con il riposo, i succhi di frutta e più pillole di quanto fosse stato consigliabile. Sì, era molto probabile che sua moglie stesse dormendo sodo e non si fosse ancora resa conto che lui stava facendo tardi a cena, se la si poteva chiamare cena.

Se invece era sveglia, probabilmente l'aveva chiamato sul cellulare, ma Stanley aveva lasciato il maledetto aggeggio dentro la valigetta, a bordo dell'auto, e in ogni caso faceva sempre del suo meglio per ignorare il telefonino quando non era al lavoro. Ogni giorno passava ore e ore al telefono e detestava essere disturbato una volta uscito dallo studio. C'era una remota possibilità che sua moglie fosse un po' preoccupata. Ma due volte al mese Stanley si godeva una bevuta serale con gli amici al country club, cosa che non aveva mai infastidito la moglie. Una volta che i figli erano partiti per il college, tutti e due avevano smesso in fretta di lasciarsi comandare dall'orologio. Essere in ritardo di un'ora (mai in anticipo) era assolutamente accettabile per entrambi.

Mentre il letto vibrava rumoroso e i Cranwell si affannavano intorno a Michael, Stanley concluse che le probabilità che un gruppo di uomini armati stesse battendo le strade rurali alla sua ricerca erano estremamente scarse. Era possibile che il rapimento nel parcheggio del Rite Price fosse stato notato da qualcuno che poi aveva avvertito la polizia, ora in stato di massima allerta?

Wade ammise che era possibile, ma in quel momento nemmeno mille poliziotti con altrettanti cani sarebbero riusciti a trovarlo.

Rifletté sul suo testamento: era aggiornato, grazie a un socio dello studio. Pensò ai suoi due figli, ma non riuscì a soffermarsi su di loro. Pensò alla fine e si augurò che avvenisse di colpo e senza dolore. Lottò contro l'impulso di chiedersi se quello che stava vivendo era un sogno oppure no, perché un esercizio del genere sarebbe stato solo uno spreco di energie.

Adesso il letto era immobile. Jim e Doyle se ne stavano allontanando, mentre Becky era china sul ragazzo e, canticchiando a bocca chiusa, gli asciugava la bocca.

«Tirati su!» abbaiò Jim d'improvviso. «Tirati su e guardalo!»

Stanley fece quello che gli veniva ordinato. Cranwell aprì il cassetto più basso del classificatore e frugò tra altri documenti. In silenzio, Becky tornò a sedersi sulla sua poltrona, ma continuò a tenere una mano posata sul piede di Michael.

Jim scelse un altro documento, ne sfogliò le pagine mentre tutti aspettavano e poi disse: «Ancora una domanda per te, avvocato Wade. Ho qui la memoria che presentasti alla Corte Suprema del Mississippi, una memoria nella quale ti sei battuto con tutte le forze perché venisse confermato il verdetto della giuria a favore del dottor Trane. Ripensandoci adesso, non capisco proprio di cosa ti preoccupassi. Secondo quanto dice il nostro avvocato, la Corte Suprema si schiera a favore dei medici in oltre il novanta per cento dei casi. Ed è questo il motivo principale per cui non ci proponesti un equo accordo stragiudiziale prima del processo, giusto? L'idea di perdere un processo non ti preoccupava affatto, perché tanto un eventuale verdetto a favore di Michael sarebbe stato annullato dalla Corte Suprema. Alla fine Trane e la compagnia di assicurazioni avrebbero vinto comunque. Michael aveva diritto a un equo risarcimento, ma tu sapevi benissimo che il sistema non ti avrebbe mai fatto perdere. Comunque, ecco cosa hai scritto nella penultima pagina. Cito le tue parole esatte, avvocato Wade: "Il processo si è svolto in modo giusto, leale e con ben poche concessioni da ambo le parti. La giuria è sempre stata attenta, vigile, curiosa e assolutamente informata dei fatti. Il verdetto emesso è frutto di valide e sagge considerazioni. Tale verdetto è pura giustizia, una decisione della quale il nostro sistema giudiziario dovrebbe essere orgoglioso"».

Cranwell agitò i fogli in direzione del classificatore di metallo. «E indovina un po'? La nostra brava, vecchia Corte Suprema ti ha dato ragione. Niente per il povero Michael. Niente per risarcirlo. Niente per punire il caro dottor Trane. Niente di niente.»

Si avvicinò di nuovo al letto, accarezzò Michael, poi si voltò e fissò Stanley negli occhi. «Un'ultima domanda, avvocato Wade. E farai meglio a riflettere prima di rispondere, perché la tua risposta potrebbe essere molto importante. Guarda questo ragazzino, questo bambino le cui lesioni avrebbero potuto essere evitate, e poi dimmi, avvocato Wade, se questa è giustizia o è solo un'altra tua vittoria in tribunale. Le due cose hanno molto poco in comune.»

Tutti gli occhi erano puntati su Stanley. Sedeva afflosciato sulla sedia scomoda, le spalle curve, la postura sempre più sgraziata, i pantaloni ancora bagnati, le scarpe a punta che si toccavano, sporche di fango, e lo sguardo fisso in avanti, sulla capigliatura arruffata sopra la fronte ripugnante di Michael Cranwell. Arroganza, testardaggine, negazione... tutto questo sarebbe servito solo a farsi sparare, anche se Stanley comunque non aveva alcuna illusione di vedere il sole del giorno dopo. Non si sentiva neppure incline ad aggrapparsi alle sue vecchie idee e al suo addestramento professionale. Il fatto era che Jim aveva ragione. L'assicurazione di Trane era stata disposta a proporre un'offerta generosa prima del processo, ma l'avvocato Stanley Wade non aveva voluto saperne. L'avvocato Wade raramente perdeva un processo con giuria a Ford County. L'avvocato Wade aveva la reputazione di guerriero del tribunale, non di uno che capitolava e cercava l'accordo con la controparte. D'altro canto la sua spavalda sicurezza era sostenuta da una Corte Suprema sempre molto amichevole.

«Non abbiamo tutta la notte» lo sollecitò Cranwell.

"Oh, e perché no?" pensò Stanley. "Perché dovrei affrettare la mia esecuzione?" Ma non parlò. Invece si tolse gli occhiali e si asciugò gli occhi. Le lacrime non erano dovute alla paura, ma alla dura realtà di trovarsi davanti una delle sue vittime. Quante altre ce n'erano là fuori? E perché aveva deciso di dedicare la sua carriera a fregare quella gente?

Si asciugò il naso con la manica, si rimise gli occhiali e disse: «Mi dispiace. Avevo torto».

«Proviamo di nuovo» insistette Cranwell. «Giustizia o vittoria in tribunale?»

«Questa non è giustizia, Mr Cranwell. Mi dispiace.»

Jim rimise con cura tutti i raccoglitori e la memoria al loro posto nei cassetti del classificatore, che poi richiuse. Annuì in direzione dei quattro uomini, che cominciarono ad avviarsi verso la porta. D'improvviso ci fu attività nella stanza, mentre Jim sussurrava all'orecchio di Becky e Doyle diceva qualcosa all'ultimo uomo che stava uscendo. La porta sbatté avanti e indietro. Cranwell afferrò Wade per un braccio, lo costrinse ad alzarsi in piedi e ringhiò: «Andiamo». Uscirono dalla stanza e fecero il giro della casa. Era molto più buio adesso. Passarono vicino ai quattro uomini, indaffarati davanti a un capanno degli attrezzi. Guardando le loro ombre, Stanley sentì chiaramente la parola "badili".

«Salta su» gli ordinò Jim, spingendolo a bordo dello

stesso pickup Ford dell'andata. Era ricomparsa la pistola, che Cranwell gli agitò davanti al naso: «Una sola mossa falsa e ti sparo». Detto questo, sbatté la portiera e disse qualcosa agli altri. Ci furono mormorii a bassa voce mentre veniva organizzata l'operazione. La portiera del conducente si spalancò e Jim saltò a bordo. Puntò la pistola contro Stanley e gli disse: «Tieni le mani sulle ginocchia. Se ne muovi anche solo una, ti pianto la pistola nel rene e premo il grilletto. Il colpo ti farà un bel buco dall'altra parte. Hai capito?».

«Sì» rispose Stanley, le unghie piantate nelle ginocchia.

«Non muovere le mani. Non voglio sporcare qui dentro, okay?»

«Okay, okay.»

Uscirono in retromarcia dal vialetto e, mentre si allontanavano dalla casa, Stanley vide partire un altro pickup dietro di loro. Evidentemente Cranwell aveva già parlato abbastanza, perché adesso sembrava non avere più niente da dire. Viaggiarono nella notte, cambiando strada ogni volta che se ne presentava l'occasione, dalla ghiaia all'asfalto e di nuovo alla ghiaia, in direzione nord e poi sud, verso est e poi ovest. Anche senza guardare, Stanley sapeva che la pistola era pronta nella mano destra di Cranwell. La sinistra era sul volante. Wade continuava ad artigliarsi le ginocchia, terrorizzato all'idea che un qualsiasi movimento venisse considerato una mossa falsa. Il rene sinistro gli faceva comunque già male. Era certo che la portiera fosse bloccata e qualsiasi maldestro tentativo per spalancarla non avrebbe funzionato. In ogni caso era irrigidito dalla paura.

C'erano fari nello specchietto esterno di destra: gli anabbaglianti dell'altro furgone, quello che trasportava il suo plotone di esecuzione con i badili. Ogni tanto spariva dietro una curva, ma ricompariva sempre.

«Dove stiamo andando?» chiese finalmente Stanley.

«Tu all'inferno, immagino.»

La risposta eliminava la necessità di altre domande e Wade si chiese cosa mai avrebbe potuto dire a quel punto. Svoltarono in un sentiero di ghiaia, il più stretto fino a quel momento. "Ci siamo" si disse Stanley. Boschi impenetrabili su entrambi i lati della strada. Non una casa nel raggio di chilometri. Un'esecuzione veloce. Una sepoltura veloce. Nessuno l'avrebbe mai saputo. Attraversarono un ruscello e la strada si allargò.

Di' qualcosa, pensò Wade. «Lei faccia quello che vuole, Mr Cranwell, ma voglio dirle che mi dispiace veramente per Michael» mormorò, ma era certo che le sue parole suonavano deboli quanto il loro significato. Lui poteva anche essere sinceramente distrutto dal rimorso, ma questo non significava niente per i Cranwell. Tuttavia non gli restavano che le parole. «Sono disposto a contribuire alle spese» aggiunse.

«Mi stai offrendo soldi?»

«Più o meno. Sì, perché no? Non sono ricco, ma me la cavo. Potrei contribuire, magari coprire i costi di un'infermiera.»

«Vediamo se ho capito bene. Io ti accompagno a casa, sano e salvo, domani passo nel tuo studio e ci facciamo due chiacchiere a proposito della tua improvvisa preoccupazione per il mantenimento di Michael. Ci beviamo un caffè, magari con una ciambellina. Due vecchi, buoni amici. Non una sola parola su questa serata. Tu redigi un accordo, lo firmiamo tutti e due, ci stringiamo la mano, io me ne vado e gli assegni cominciano ad arrivare.»

Stanley non riuscì neppure a rispondere all'assurdità dell'idea.

«Sei un piccolo vigliacco patetico, lo sai, Wade? In questo momento diresti qualunque cosa al mondo pur di salvarti il culo. Se domani passassi al tuo studio, troverei ad aspettarmi dieci poliziotti con le manette. È meglio che tu stia zitto, Wade. Stai solo peggiorando le cose. Ho la nausea delle tue bugie.»

In che modo, esattamente, le cose potevano peggiorare? Ma Stanley non disse nulla. Lanciò un'occhiata alla pistola. Il cane era alzato. Si chiese quante vittime d'omicidio avessero potuto guardare l'arma del delitto negli ultimi, orribili secondi che precedevano la morte.

Improvvisamente la strada buia nel bosco arrivò in cima a una piccola altura, e quando il pickup accelerò in discesa gli alberi cominciarono a diradarsi. C'erano luci più avanti. Molte luci, le luci di una città. La strada confluiva in una highway e, quando svoltarono in direzione sud, Stanley vide il cartello della State Route 374, una vecchia strada tortuosa che collegava Clanton alla cittadina di Karraway. Cinque minuti dopo si immisero in una strada urbana e poi zigzagarono nella parte meridionale della città. Stanley assorbì avidamente quelle visioni familiari: una scuola sulla destra, una chiesa a sinistra, un modesto centro commerciale di proprietà di un tizio che una volta aveva difeso. Era di nuovo a Clanton, di nuovo a casa, e si sentiva quasi esaltato. Confuso, ma eccitato all'idea di essere ancora vivo e ancora intero.

Il secondo furgone non li aveva seguiti in città.

A un isolato dietro il Rite Price, Jim Cranwell entrò nel parcheggio di un piccolo negozio di mobili. Spense il motore e le luci, poi puntò la pistola contro Stanley e disse: «Ascoltami bene, avvocato Wade. Io non ti do la colpa di quello che è successo a Michael, ma ti do la colpa di quello che è successo a noi. Sei una merda e non hai la minima idea di tutto il dolore che hai provocato».

Dietro di loro passò un'auto e Cranwell abbassò per un attimo la pistola. Poi continuò: «Puoi chiamare la polizia, puoi farmi arrestare, mandarmi in galera e tutto quanto, anche se non so quanti testimoni potrai trovare. Puoi crearmi dei guai, ma gli amici che hai visto saranno pronti. Fai una sola mossa stupida e te ne pentirai immediatamente».

«Non farò niente, lo prometto. Mi lasci solo andare via di qui.»

«Le tue promesse non significano niente. Adesso vai, Wade, vattene a casa e domattina vai in ufficio. Trova un altro po' di povera gente da rovinare. Ci sarà una tregua fra me e te, fino alla morte di Michael.»

«E a quel punto?»

Cranwell si limitò a sorridere, poi agitò la pistola. «Vattene, Wade. Apri quella portiera, scendi e lasciaci in pace.»

Stanley esitò solo per un istante e un attimo dopo stava già allontanandosi dal pickup. Svoltò un angolo, trovò un marciapiede nel buio e vide l'insegna del Rite Price. Avrebbe voluto correre, sprintare, ma non sentiva alcun suono dietro di sé. Si voltò a guardare solo una volta. Cranwell se n'era andato.

Affrettandosi verso la sua auto, Stanley cominciò a pensare alla storia che avrebbe raccontato alla moglie. Due ore di ritardo a cena esigevano una storia.

E la storia sarebbe stata una bugia, questo era certo.

GLI ULTIMI GIORNI A RIFUGIO SERENO

La casa di riposo Rifugio Sereno si trova a qualche chilometro dai confini cittadini di Clanton, lungo la strada principale in direzione nord, e se ne sta rannicchiata in una valle in ombra in modo da non essere vista dagli automobilisti di passaggio. Le case di riposo che sorgono nei pressi delle highway comportano sempre pericoli significativi. Lo so per esperienza, perché quando lavoravo ai Cancelli del Cielo, vicino a Vicksburg, Mr Albert Watson se n'è andato a spasso e ha trovato il modo di arrivare su una superstrada a quattro corsie e farsi investire da un'autocisterna. Mr Watson aveva novantaquattro anni ed era uno dei miei preferiti. Sono andato al suo funerale. In seguito ci sono state varie cause legali, ma io all'epoca non ero già più in zona. Pazienti del genere se ne vanno spesso in giro. Alcuni cercano di scappare, ma non ci riescono mai. Io comunque non li biasimo perché ci provano.

La mia prima occhiata al Rifugio Sereno rivela un tipico edificio in mattoni rossi stile anni Sessanta, con il tetto piatto, l'aria trascurata, parecchi padiglioni e l'aspetto generale di una piccola prigione vestita a festa dove le persone vengono mandate a trascorrere in silenzio i loro ultimi giorni. Una volta posti del genere si chiamavano ricoveri per vecchi, ma al giorno d'og-

221

gi sono stati elevati al rango di case di riposo, villaggi per anziani, centri assistiti e altri eufemismi. "La mamma è nel villaggio per anziani" suona molto più civilizzato di "L'abbiamo cacciata al ricovero". La mamma è sempre nello stesso posto, solo che adesso suona meglio. Per tutti, tranne che per la mamma.

Comunque chiamate questi posti, sono tutti deprimenti. Ma sono il mio territorio, la mia missione e, ogni volta che ne vedo uno nuovo, mi sento eccitato dalla sfida.

Posteggio il mio vecchio, ammaccato Maggiolino Volkswagen nel parcheggio deserto davanti all'edificio. Mi aggiusto sul naso gli occhiali dalla montatura nera anni Cinquanta, stile sfigato, mi sistemo la cravatta dal nodo strettissimo, niente giacca, e scendo dall'auto. Davanti all'ingresso, sotto la veranda costituita da una tettoia metallica, ci sono cinque o sei dei miei nuovi amici; se ne stanno sprofondati sulle sedie a dondolo di vimini, lo sguardo fisso nel nulla. Io sorrido, faccio cenni col capo e saluto, ma solo due o tre mi rispondono. Appena entro, vengo colpito dal solito tanfo putrido che permea i corridoi e le pareti di tutte le case di riposo. Mi presento all'addetta alla reception, una giovane donna robusta che indossa una finta uniforme da infermiera. Seduta dietro il suo bancone, sta esaminando un fascio di documenti ed è quasi troppo indaffarata per notare la mia presenza.

«Ho appuntamento alle dieci con Miss Wilma Drell» la informo timidamente.

La donna mi esamina, decide che quello che vede non le piace e si rifiuta di sorridermi. «Lei si chiama?» mi domanda. Il suo nome è Trudy, secondo la targhetta a buon mercato appuntata appena sopra il massiccio seno sinistro. Trudy è pericolosamente vicina a diventare la prima nella mia nuovissima classifica merde.

«Gilbert Griffin» rispondo educatamente. «Appuntamento alle dieci.»

«Si accomodi» mi dice Trudy, indicando con un cenno della testa una fila di sedie di plastica nell'atrio.

«Grazie.» Mi sistemo a sedere come un nervoso decenne. Mi studio i piedi, nelle vecchie sneaker bianche con i calzini neri. Indosso pantaloni di poliestere. La cintura è troppo lunga per il mio giro vita. In breve, sono un tipo modesto e senza pretese, facile da mettere sotto i piedi, il più umile tra gli umili.

Trudy continua a badare agli affari suoi risistemando pile di fogli. Ogni tanto squilla il telefono e lei è abbastanza gentile con gli interlocutori. Dieci minuti dopo il mio arrivo, puntualissima, Miss Wilma Drell compare dal corridoio e si presenta. Anche lei è in uniforme bianca, completa di calze bianche. Pure le scarpe sono bianche e le grosse suole devono vedersela brutta, perché Wilma è addirittura più massiccia di Trudy.

Mi alzo in piedi, terrorizzato, e dico: «Gilbert Griffin».

«Wilma Drell.» Ci stringiamo la mano solo perché dobbiamo, poi Drell si gira e si avvia, le spesse calze bianche che sfregano tra loro in un attrito che si sente anche a una certa distanza. Io la seguo come un cucciolo spaventato e, girando l'angolo, guardo Trudy, la quale mi lancia un'occhiata di totale disprezzo. In quel momento il suo nome sale al primo posto nella mia lista.

Nella mia mente non c'è il minimo dubbio che Wilma sarà la numero due, con tutto il potenziale per scalare la classifica.

Ci inscatoliamo in un ufficetto di cemento con le pareti tinteggiate in grigio istituzionale, una dozzinale scrivania di metallo e una scaffalatura in legno, altrettanto a buon mercato, addobbata con foto amatoriali di figli grassi e marito sparuto. Drell si sistema dietro la scrivania su una poltrona da dirigente, come se fosse il direttore generale di questa eccitante e florida impresa commerciale. Io mi accomodo su una sedia malferma, più bassa della poltrona di una ventina di centimetri. Alzo gli occhi. Drell li abbassa.

«Lei ha presentato domanda d'assunzione» dichiara, prendendo in mano la lettera che ho spedito la settimana scorsa.

«Sì.» Per quale altro motivo sarei qui?

«Come inserviente. Vedo che ha esperienza di case di riposo.»

«Sì, è così.» Nella mia domanda ho indicato come referenze tre strutture del genere. Da tutte e tre me ne sono andato senza controversie. Ce ne sono almeno altre dieci, però, di cui non parlerei mai. La verifica delle mie referenze, se mai ci sarà, andrà benissimo. Di solito il controllo consiste nello svogliato sforzo di un paio di telefonate. Le case di riposo non si preoccupano molto se assumono ladri, pedofili o anche persone come me, gente con un passato complicato.

«Abbiamo bisogno di un inserviente per il turno di notte, dalle ventuno alle sette di mattina, quattro giorni alla settimana. Lei avrà il compito di sorvegliare i corridoi, controllare i pazienti e, in generale, prendersi cura di loro.»

«È il mio mestiere» assicuro. E accompagnarli in bagno, pulire i pavimenti dopo che hanno combinato un disastro, fargli il bagno, cambiargli gli abiti, leggergli racconti, ascoltare la storia della loro vita, scrivere lettere, comprare biglietti di buon compleanno, trattare con i familiari, arbitrare le dispute, sistemare e pulire padelle e pappagalli. Conosco la routine.

«A lei piace lavorare con la gente?» mi domanda Drell. La stessa domanda stupida che fanno tutti. Come se la gente fosse tutta uguale. I pazienti di solito sono simpaticissimi. Sono gli altri dipendenti che trovano il modo di arrivare nella mia lista.

«Oh, sì» dico.

«Quanti anni ha?»

«Trentaquattro» la informo. Non sai contare? La mia data di nascita risponde alla domanda numero tre del modulo. Quello che Drell in realtà vuole chiedere è: "Perché un uomo di trentaquattro anni decide di scegliere una carriera così avvilente?". Ma non hanno mai il coraggio di domandarlo esplicitamente.

«La paga è di sei dollari l'ora.»

Era nell'annuncio sul giornale. Drell mi offre l'informazione come se fosse un regalo. Il salario minimo attuale è di cinque dollari e venticinque centesimi. La società proprietaria del Rifugio Sereno si nasconde dietro il nome insensato di HVQH Group, una famigerata, sordida impresa con sede in Florida. L'HVQH possiede circa trenta case di riposo in una decina di Stati diversi e ha una lunga storia di abusi sui pazienti, cause legali, assistenza schifosa, discriminazione tra dipendenti e problemi con il fisco ma, nonostante tutte queste avversità, è riuscita a fare un mucchio di soldi.

«Va benissimo» dico a Drell. E in effetti non è così male. La maggior parte delle società che gestiscono catene di case di riposo assume i ragazzi delle padelle al minimo salariale. Ma io non sono qui per i soldi, perlomeno non per il modesto stipendio offerto dall'HVQH.

Drell sta ancora leggendo il mio modulo. «Diploma di liceo. Niente college?»

«Non ne ho avuto la possibilità.»

«Che peccato» solidarizza Wilma, facendo schioccare la lingua e scuotendo la testa con comprensione. «Io mi sono laureata in un college pubblico» mi annuncia, molto soddisfatta di sé. E con questo Miss Wilma Drell si piazza saldamente al secondo posto in classifica. Ma salirà ancora. Io ho finito il college in tre anni, ma, dato che tutti si aspettano che sia un idiota, non lo dico mai. Complicherebbe troppo le cose. Ho conseguito il dottorato in due anni.

«Fedina penale pulita» continua Drell con scherzosa ammirazione.

«Neppure una multa per eccesso di velocità.» Se solo sapesse. Certo, non sono mai stato incriminato, ma un paio di volte ci sono andato molto vicino.

«Nessun processo, nessun fallimento» prosegue Drell. È tutto lì, nero su bianco.

«Nessuno mi ha mai fatto causa» preciso. Sono rimasto coinvolto in diversi procedimenti giudiziari, ma nessuno in cui fossi parte in causa.

«Da quanto tempo abita a Clanton?» Drell si sta sforzando di tirare per le lunghe il colloquio in modo che duri un po' più di sette minuti. Sia lei sia io sappiamo che avrò il lavoro, visto che l'inserzione è stata pubblicata per due mesi di seguito.

«Solo un paio di settimane. Mi sono trasferito da Tupelo.»

«E cosa l'ha portata a Clanton?» Tipico del Sud. Qui la gente non esita a rivolgerti domande personali. A Drell la risposta non serve, ma è curiosa di sapere perché una persona come me si trasferisce in una nuova città per cercare un lavoro a sei dollari l'ora.

«Ho avuto una storia d'amore finita male a Tupelo.» È una bugia. «Avevo bisogno di un cambiamento di scenario.» La storia d'amore finita male funziona sempre.

«Mi dispiace» dice Drell, ma naturalmente non è vero.

Lascia cadere il mio modulo sulla scrivania. «Quando può cominciare a lavorare, Mr Griffin?»

«Mi chiami Gill. Quando ha bisogno di me?»

«Cosa ne dice di domani?»

«Va bene.»

Di solito hanno bisogno di me immediatamente, perciò l'inizio istantaneo non è mai una sorpresa. Passo i successivi trenta minuti a compilare moduli con Trudy, la quale svolge questa routine con aria di importanza, attenta a trasmettere il messaggio che il suo status è di gran lunga superiore al mio.

Mentre mi allontano in auto, lancio un'occhiata alle finestre tristi del Rifugio Sereno e mi chiedo, come sempre, per quanto tempo ci lavorerò. La mia media è di circa quattro mesi.

La mia casa temporanea a Clanton è un appartamento di due stanze in quello che un tempo era un albergo topaia e adesso è un palazzo di appartamenti in rovina, a un isolato dalla piazza della città. L'annuncio sul giornale definiva l'appartamento "arredato", ma nel corso della mia prima visita ho visto solo una brandina dell'esercito in camera da letto e, in soggiorno, un divano rosa in finta pelle, un divanetto da rosticceria e un tavolino rotondo delle dimensioni di una pizza grande. C'è anche una minuscola stufa che non funziona e un antico frigorifero che funziona a malapena. Per questi lussi, ho promesso di pagare alla proprietaria, Miss Ruby, la somma di venti dollari alla settimana. In contanti.

Pazienza. Ho visto di peggio, anche se non di molto.

«Niente feste» mi ha intimato Miss Ruby, quando ci siamo stretti la mano per concludere l'affare. Lei di feste deve averne viste non poche. La sua età si colloca da qualche parte fra i cinquanta e gli ottanta anni. Il viso è devastato non tanto dall'età quanto da una vita di eccessi e da uno stupefacente consumo di sigarette. Miss Ruby comunque contrattacca con strati di fondotinta, fard, mascara, eyeliner, rossetto e una quotidiana immersione in un profumo che, mescolato all'odore di tabacco, mi fa venire in mente quella puzza di urina stantia non infrequente nelle case di riposo.

Per non parlare del bourbon. Pochi secondi dopo esserci dati la mano, Miss Ruby mi ha chiesto: «Cosa ne dici di un bicchierino?». Eravamo nel salotto di casa sua, al primo piano, e prima che potessi rispondere stava

227

già andando all'armadietto dei liquori. Ha versato un bel po' di Jim Beam in due bicchieri bassi, ha aggiunto la soda con gesti pratici ed efficienti e abbiamo fatto cin cin. «Un whisky e soda per colazione è il modo migliore per cominciare la giornata» ha dichiarato, bevendo un sorso. Erano le nove di mattina.

Si è accesa una Marlboro mentre ci trasferivamo in veranda. Miss Ruby non ha nessuno e ho capito in fretta che si sente molto sola. Voleva solo qualcuno con cui parlare. Io bevo raramente alcolici e, dopo qualche sorso, mi sono sentito la lingua insensibile. Se il whisky aveva un qualche impatto su di lei non si vedeva, dato che ha continuato a parlarmi di gente di Clanton che non avrei mai conosciuto. Dopo mezz'ora, Miss Ruby ha fatto tintinnare il ghiaccio nel suo bicchiere e mi ha chiesto: «Vuoi un altro po' di Jimmy?». Ho declinato l'offerta e, poco dopo, me ne sono andato.

A farmi da guida nel giro di orientamento è l'infermiera Nancy, una simpatica signora anziana che lavora qui da trent'anni. Con me al traino, passa da una porta all'altra dell'ala nord. Ci fermiamo in ogni stanza e salutiamo i pazienti. Quasi tutte le camere ne ospitano due. Ho già visto tutte quelle facce: gli ospiti vivaci felici di conoscere una persona nuova, i tristi ai quali non potrebbe importare meno, gli amareggiati che stanno sopportando un'altra giornata solitaria, gli inespressivi che hanno già fatto il check out da questo mondo. Stesse facce nell'ala sud. L'ala sul retro è un po' diversa. È chiusa da una porta metallica e per entrare l'infermiera Nancy digita un codice di quattro numeri sulla tastiera a parete.

«Qui ci sono i casi più difficili» mi dice sottovoce. «Qualche Alzheimer, qualche pazzo. È molto triste.» Ci sono dieci stanze, ognuna con un solo paziente. Vengo presentato a tutti e dieci senza incidenti. Seguo Nancy in cucina, nella minuscola farmacia e in mensa, dove gli ospiti mangiano e socializzano. Tutto sommato, il Rifugio Sereno è una tipica casa di riposo, abbastanza pulita ed efficiente. I pazienti sembrano soddisfatti, per quello che ci si può aspettare in un posto del genere.

Più avanti controllerò i registri del tribunale per vedere se la struttura è mai stata denunciata per maltrattamenti o stato di abbandono dei pazienti. Controllerò anche all'agenzia di Jackson per vedere se sono stati presentati esposti o se ci sono state citazioni in giudizio. Ho un mucchio di verifiche da fare, le mie solite ricerche.

Di nuovo davanti al bancone nell'ingresso, l'infermiera Nancy mi sta spiegando la routine delle visite quando sobbalzo al suono di qualcosa che sembra un clacson.

«Attento!» mi dice Nancy, e si fa più vicina al banco. Dall'ala nord sta arrivando a velocità impressionante una sedia a rotelle. Sopra la sedia c'è un vecchio ancora in pigiama: con una mano ci fa segno di toglierci dai piedi, con l'altra schiaccia ritmicamente la pera di una tromba da bicicletta montata sopra la ruota destra. La sedia è spinta da un pazzo che non dimostra più di sessant'anni, con la panciona che gli spunta dalla maglietta, calzini bianchi sporchi e niente scarpe.

«Piano, Walter!» abbaia Nancy mentre i due ci volano davanti, ignorandoci. Entrano nell'ala sud a velocità folle e io guardo gli altri ospiti che corrono nelle rispettive stanze cercando la salvezza.

«Walter adora la sua sedia a rotelle» mi informa Nancy.

«Chi è quello che spinge?»

«Donny Ray. Penso che facciano almeno venti chilometri al giorno, su è giù per i corridoi. La settimana scorsa hanno investito Pearl Dunavant e per poco non le hanno rotto una gamba. Walter ha detto che si era dimenticato di suonare la tromba. Abbiamo ancora dei problemi con la famiglia Dunavant. È un guaio, ma Pearl si sta godendo tutta l'attenzione.»

Sento di nuovo la tromba e poi guardo i due fare inversione di marcia in fondo all'ala sud e puntare di nuovo verso di noi. Ci passano davanti ruggendo. Walter deve avere ottantacinque anni, anno più anno meno (con la mia esperienza, di solito indovino l'età con un margine d'errore di tre anni... Miss Ruby a parte), e si sta divertendo da morire. Tiene la testa bassa e gli occhi socchiusi come se stesse sfrecciando a duecento all'ora. Donny Ray ha gli occhi altrettanto spiritati, oltre ad avere il sudore che gli gocciola dalle sopracciglia e gli bagna le ascelle. Nessuno dei due ci guarda.

«Non si riesce a controllarli?» domando.

«Ci abbiamo provato, ma il nipote di Walter è avvocato e ha sollevato un polverone. Ha minacciato di farci causa. Una volta Donny Ray ha fatto ribaltare Walter, nessun danno serio, forse solo una leggera commozione. Di certo non l'abbiamo detto alla famiglia. Se poi c'è stato qualche ulteriore danno cerebrale, di sicuro non si nota.»

Concludiamo il giro di orientamento alle diciassette in punto, l'ora di uscita dell'infermiera Nancy. Il mio turno comincia fra quattro ore, ma non ho un altro posto dove andare. Il mio appartamento è off limits perché Miss Ruby ha già preso l'abitudine di starsene in agguato ad aspettarmi e, quando mi cattura, pretende che mi faccia un bicchierino di Jimmy con lei in veranda. Quale che sia l'orario, Miss Ruby è sempre pronta per un drink. A me il bourbon non piace proprio.

Così resto a ciondolare qui dentro. Indosso la mia giacca bianca da inserviente e chiacchiero con la gente. Saluto Miss Wilma Drell, indaffaratissima a dirigere tutta la struttura. Entro in cucina e mi presento alle due signore nere addette alla preparazione del cibo schifoso. La cucina non è pulita come vorrei e comincio a prendere qualche appunto mentale. Alle diciotto i commensali danno inizio ai loro prolungati arrivi. Alcuni possono camminare senza assistenza e questi orgogliosi fortunati si danno molto da fare per assicurarsi che gli altri vecchi notino che sono molto più in forma di loro. Arrivano presto, salutano gli amici, danno una mano a sistemare quelli sulle sedie a rotelle, passano da un tavolo all'altro alla maggiore velocità possibile. Alcuni di quelli che camminano con il bastone o con il deambulatore si fermano all'ingresso della mensa per non farsi vedere dai loro colleghi. Sono gli inservienti che li accompagnano a tavola. Mi offro di dare una mano e intanto mi presento.

Il Rifugio Sereno al momento ospita cinquantadue residenti. Ne conto trentotto presenti a cena. Poi fratello Don si alza in piedi per la benedizione. D'improvviso si fa silenzio. Don è un predicatore in pensione, così mi hanno detto, e insiste nel recitare la preghiera di ringraziamento prima di ogni pasto. Ha circa novant'anni, ma la voce è ancora limpida e notevolmente forte. Va avanti a lungo e, prima che finisca, alcuni ospiti cominciano a far tintinnare coltelli e forchette. La cena viene servita su vassoi di plastica, uguali a quelli che usavo alle elementari. Questa sera gli ospiti mangeranno petto di pollo – niente ossa – con piselli e purè istantaneo e poi, naturalmente, gelatina di frutta. Questa sera è rossa. Domani sarà gialla o verde. La gelatina di frutta c'è sempre, in tutte le case di riposo. Non so perché. È come se passassimo tutta la vita cercando di evitarla, ma poi alla fine te la ritrovi sempre, in attesa. Fratello Don finalmente conclude, si mette a sedere e il banchetto ha inizio.

A quelli troppo deboli per scendere in mensa e a quelli imprevedibili dell'ala sul retro la cena viene servita sui vassoi trasportati con i carrelli. Mi offro volontario per questo servizio. Un paio di ospiti non resteranno a lungo in questo mondo.

Questa sera l'intrattenimento del dopocena è assicurato da un branco di lupetti dei boy scout. I bambini arrivano puntuali alle diciannove e cominciano a distribuire sacchettini marrone che hanno decorato e riempito di dolcetti, biscotti e cose del genere. Poi i lupetti si radunano intorno al pianoforte e cantano *God Bless America* e due o tre canzoncine da campeggio. I ragazzini di otto anni non cantano mai spontaneamente e i cori sono sostenuti dai capi scout. Alle diciannove e trenta lo spettacolo è già finito e gli ospiti si avviano verso le rispettive stanze. Ne accompagno uno sulla sedia a rotelle e poi do una mano a ripulire la mensa. Le ore si trascinano. Sono stato assegnato all'ala sud: undici camere con due pazienti, una con un unico ospite.

L'ora delle pillole, alle ventuno, è uno dei momenti clou della giornata, almeno per i residenti. Quasi tutti abbiamo preso in giro i nostri nonni per il loro profondo interesse verso i propri malanni, cure, prognosi e terapie, nonché per la prontezza a descrivere il tutto a chiunque fosse disposto ad ascoltare. Questo strano desiderio di soffermarsi sui minimi dettagli non fa che aumentare con l'età ed è spesso fonte di battute sottovoce che i vecchi comunque non sono in grado di sentire. In una casa di riposo è anche peggio, perché i pazienti sono stati allontanati dalle famiglie e hanno perso il loro pubblico. Di conseguenza colgono ogni opportunità per parlare dei loro malanni ogni volta che un membro dello staff è a portata d'orecchi. E quando un membro dello staff arriva con un vassoio di pillole, l'eccitazione è palpabile. Due o tre fingono diffidenza, o riluttanza o timore, ma anche loro alla fine mandano giù le medicine con un po' d'acqua. Tutti ricevono la stessa pillolina per dormire, una pillola che qualche volta ho provato a prendere anch'io e che non mi ha mai fatto il minimo effetto. E tutti ricevono anche qualche altra compressa, perché nessuno sarebbe soddisfatto di una sola, unica dose. La maggior parte dei farmaci è autentica e regolarmente prescritta, ma sono molti i placebo distribuiti durante questo rituale della sera.

Dopo le pillole tutto si fa più tranquillo e gli ospiti si sistemano a letto per la notte. Le luci vengono spente alle ventidue. Come previsto, ho l'intera ala sud tutta per me. C'è un solo inserviente nell'ala nord e due nell'ala sul retro, quella con i "difficili". Dopo mezzanotte, mentre tutti dormono – compresi gli altri inservienti – e io sono solo, comincio a ficcanasare nel banco all'ingresso, in cerca di dati, registri, fascicoli, chiavi, qualunque cosa possa trovare. Le misure di sicurezza in questi posti sono sempre una barzelletta. Il sistema informatico è prevedibilmente standard e riesco ad accedervi in pochissimo tempo. Non entro mai in servizio senza una piccola macchina fotografica in tasca, che uso per documentare cose come bagni sporchi, farmacie non sottochiave, lenzuola lerce, pazienti trascurati e così via. L'elenco è lungo e triste, e io sono sempre all'erta.

Il tribunale di Ford County sorge in mezzo a un bellissimo prato ben tenuto, al centro della piazza di Clanton. Intorno al tribunale ci sono fontane, antiche querce, panchine, monumenti ai caduti e due gazebo. Mentre me ne sto accanto a uno dei gazebo, ho quasi l'impressione di sentire i suoni delle parate del Quattro Luglio o i discorsi dei candidati durante una campagna elettorale. In piedi sopra un piedistallo di granito, un solitario soldato confederato di bronzo tiene lo sguardo fisso a nord, in attesa del nemico, stringendo il suo fucile e rammentandoci una gloriosa causa persa.

Entrato nel tribunale, trovo i registri del catasto nell'ufficio del cancelliere capo, lo stesso posto in ogni tribunale di contea dello Stato. Per queste occasioni indosso un blazer blu, cravatta, bei pantaloni cachi e scarpe eleganti; con un abbigliamento del genere passo facilmente per uno dei tanti avvocati di fuori città che vanno a controllare qualche documento. Gli avvocati vanno e vengono. Non esiste alcun obbligo di firma. Non parlo mai con nessuno, a meno che qualcuno non mi rivolga la parola. I registri sono pubblici e il traffico di persone non viene quasi monitorato dagli impiegati, troppo disinteressati per notare qualcosa. La mia prima visita ha semplicemente lo scopo di familiarizzare con i registri e il sistema, in modo da poter poi trovare ciò che mi serve. Atti notarili, concessioni, diritti di pegno, testamenti omologati, ogni sorta di registrazione che avrò bisogno di esaminare in un prossimo futuro. I dati del fisco sono in fondo al corridoio, nell'ufficio dell'assessore. Le pratiche dei procedimenti giudiziari sono nell'ufficio del cancelliere al primo piano. Dopo un paio d'ore so già come muovermi e non ho parlato con nessuno. Sono solo uno dei tanti avvocati di fuori che ha sbrigato una semplice pratica.

A ogni nuova fermata, la mia prima sfida consiste nel trovare la persona che lavora lì da anni e che è disposta a condividere con me i pettegolezzi. Tale persona di solito lavora in cucina, è spesso nera e spesso è una donna. E se in effetti si tratta di una signora nera che lavora in cucina, allora so come arrivare ai pettegolezzi. L'adulazione non funziona perché queste donne riescono a fiutare le stronzate a chilometri di distanza. Non puoi neppure lodare il cibo, perché il cibo fa schifo e loro lo sanno benissimo. Non ne hanno colpa: a loro vengono dati gli ingredienti e le istruzioni su come usarli. All'inizio mi limito a passare tutti i giorni e a salutare, a chiedere come va e così via. Il fatto che un collega, bianco, sia disposto a essere così gentile e a passare un po' di tempo nel loro territorio è piuttosto insolito. Dopo tre giorni di gentilezze da parte mia, Rozelle, sessant'anni, sta già flirtando scherzosamente con me e io sto al gioco. Le ho detto che vivo solo, che non so cucinare e che avrei bisogno di qualche caloria extra. Non passa molto tempo prima che Rozelle cominci a cucinarmi uova strapazzate quando arriva alle sette di mattina e poi ci facciamo insieme il primo caffè della giornata. Io timbro il cartellino d'uscita alle sette, ma di solito mi trattengo un'altra ora. Nel quadro dei miei sforzi per evitare Miss Ruby, mi presento al lavoro con qualche ora di anticipo prima di timbrare regolarmente e mi offro per il maggior numero di straordinari possibile. Essendo l'ultimo arrivato, mi è stato assegnato il turno di notte – dalle ventuno alle sette di mattina – dal venerdì al lunedì, ma non m'importa.

Rozelle e io concordiamo sul fatto che il nostro capo, Miss Wilma Drell, è una stronza, pigra e poco intelligente che dovrebbe essere sostituita da qualcun altro, ma è quasi certo che non succederà perché è estremamente improbabile che una persona appena un po' più in gamba di lei accetti quel lavoro. Rozelle è sopravvissuta a così tanti capi da non ricordaiseli neppure tutti. L'infermiera Nancy ottiene la sufficienza ed è promossa. Non Trudy della reception. Prima che finisca la mia prima settimana di lavoro, Rozelle e io abbiamo già dato il voto a tutti gli altri dipendenti.

Il divertimento comincia quando passiamo ai pazienti. Dico a Rozelle: «Sai, tutte le sere all'ora delle pillole do a Lyle Spurlock una dose di bromuro di potassio in una zolletta di zucchero. Cosa c'è sotto?».

«Che il Signore abbia misericordia!» dice lei con un sorriso che mette in mostra i denti enormi. Alza le mani in un gesto di finta sorpresa. Rotea gli occhi come se avessi sollevato un argomento davvero scabroso. «Sei un ragazzino bianco troppo curioso.» Ma ho toccato un nervo scoperto e mi rendo conto che Rozelle ha una gran voglia di spettegolare.

«Non sapevo che si usasse ancora il bromuro» insisto.

Rozelle sta scartando lentamente una confezione formato industriale di frittelle surgelate. «Devi sapere, Gill, che quell'uomo ha dato la caccia a tutte le donne che sono passate qui dentro. Ne ha anche catturate parecchie. Qualche anno fa l'hanno scoperto a letto con un'infermiera.»

«Lyle?»

«Che Dio abbia misericordia, figliolo! Lyle è il vecchio più sporcaccione del mondo. Non riesce a tenere le mani lontane da nessuna donna, non importa l'età. Ha palpeggiato infermiere, pazienti, inservienti, signore delle parrocchie che venivano qui a cantare le carole di Natale. C'è stato un periodo in cui lo chiudevano a chiave in camera sua in orario di visite, perché altrimenti dava la caccia alle ragazze delle varie famiglie. Una volta è venuto anche qui in cucina in cerca di occasioni. Io ho afferrato un coltello da macellaio e gliel'ho agitato sotto il naso. Da allora non ho più avuto problemi.»

«Ma Lyle ha ottantaquattro anni.»

«In effetti ha rallentato un po' ultimamente. Diabete. Gli hanno amputato un piede. Però ha ancora tutte e due le mani e le allungherebbe su qualsiasi donna, se potesse. Non su di me, bada bene, comunque le infermiere si tengono alla larga da lui.»

L'immagine del vecchio Lyle a letto con un'infermiera è troppo divertente per poterla ignorare. «E dici che l'hanno sorpreso con un'infermiera?»

«Proprio così. Non che fosse una ragazzina, ma Lyle aveva comunque una trentina d'anni più di lei.»

«Chi è stato a sorprenderli?»

«Hai conosciuto Andy?»

«Certo.»

Rozelle si guarda intorno, prima di dirmi qualcosa che è già leggenda da anni. «Be', all'epoca Andy lavorava nell'ala nord, adesso è in quella sul retro. Insomma, hai presente quel ripostiglio in fondo all'ala nord?»

«Come no.» Non è vero, ma voglio sentire il resto della storia.

«Una volta là dentro c'era un lettino, e Lyle e l'infermiera non erano stati i primi a usarlo.»

«Non mi dire.»

«Proprio così. Tu non hai idea del movimento che c'era qui in giro, specie quando Lyle Spurlock era ancora in pieno vigore.»

«E così Andy li ha sorpresi nel ripostiglio?»

«Già. L'infermiera è stata licenziata. La direzione aveva minacciato di mandare Lyle da qualche altra parte, poi però è intervenuta la famiglia e li ha convinti a non farlo. È stato un bel casino. Che il Signore abbia misericordia.»

«E così hanno cominciato a dargli il bromuro?»

«Non abbastanza presto.» Rozelle sta sistemando le frittelle su un foglio di carta da forno. Si guarda di nuovo intorno, sentendosi chiaramente in colpa. Comunque non ci sta guardando nessuno. Delores, l'altra cuoca, sta combattendo con la macchinetta del caffè ed è troppo lontana per sentirci.

«Conosci Mr Luke Malone, stanza quattordici?»

«Sicuro, è nella mia ala» rispondo. Mr Malone ha ottantanove anni, è costretto a letto, è virtualmente cieco e sordo e passa ore e ore a fissare il piccolo televisore che pende dal soffitto.

«Be', lui e sua moglie hanno passato un'eternità insieme nella stanza quattordici. Lei è morta di cancro l'anno scorso. Ma circa dieci anni fa Mrs Malone e il vecchio Spurlock hanno avuto una storia.»

«Avevano una relazione?» Rozelle muore dalla voglia di raccontarmi tutto, ma ha bisogno di essere sollecitata.

«Chiamala come ti pare, comunque quei due si divertivano parecchio. All'epoca Spurlock aveva ancora tutti e due i piedi ed era piuttosto veloce. Portavano giù Mr

Malone sulla sua sedia a rotelle per la tombola della sera e Spurlock si fiondava nella stanza quattordici, metteva una sedia sotto la maniglia e saltava sul letto con Mrs Malone.»

«Non li hanno mai scoperti?»

«Parecchie volte, ma non Mr Malone. Non se ne sarebbe accorto neppure se fosse stato dentro quella stanza. E nessuno glielo ha mai detto. Poveraccio.»

«È terribile.»

«Ecco che tipo è Spurlock.»

Rozelle mi manda via perché deve preparare la colazione.

Due sere dopo, invece della solita pillola per dormire, somministro un placebo a Lyle Spurlock. Un'ora più tardi torno in camera sua, mi assicuro che il compagno di stanza stia dormendo sodo e gli consegno due numeri della rivista "Playboy". Al Rifugio Sereno non esiste un'esplicita proibizione per quanto riguarda pubblicazioni del genere, ma Miss Wilma Drell e gli altri potenti si sono assunti il compito di eliminare qualsiasi vizio. Non ci sono alcolici nell'edificio. Un mucchio di partite a carte e di tombola, ma niente giochi d'azzardo. I pochi fumatori ancora in vita devono andar fuori per farsi una sigaretta. E il concetto dell'uso di pornografia è assolutamente impensabile.

«Non li faccia vedere a nessuno» sussurro a Lyle, che afferra le riviste come un profugo che sta morendo di fame.

«Grazie» mi risponde. Accendo la lucetta accanto al letto, gli do qualche colpetto sulla spalla e gli dico: «Buon divertimento». Dacci dentro, vecchio ragazzo. Lyle Spurlock è diventato il mio ultimo ammiratore.

Il mio dossier su di lui sta diventando sempre più corposo. Vive al Rifugio Sereno da undici anni. Dopo la morte della sua terza moglie, la famiglia evidentemente ha deciso di non potersi prendere cura di lui e l'ha sistemato nella "casa di riposo" dove, secondo il registro dei visitatori, l'hanno pressoché dimenticato. Negli ultimi sei mesi è venuta a trovarlo due volte una figlia che abita a Jackson. È sposata con un operatore immobiliare specializzato in centri commerciali, molto ricco. Mr Spurlock ha anche un figlio che vive a Fort Worth, si occupa di trasporto merci ferroviario e non viene mai a trovarlo. Lyle non scrive lettere e neppure ne riceve, in base al registro della posta. Per la maggior parte della sua vita, Mr Spurlock ha gestito una piccola impresa di impianti elettrici a Clanton, accumulando ben poco in termini di beni. Ma la sua terza moglie, anche lei con due matrimoni alle spalle, aveva ereditato un terreno di duecentosessanta ettari in Tennessee alla morte del padre all'età di ottantanove anni. Il testamento della moglie è stato omologato a Polk County dieci anni fa e, quando la successione è stata definita, Mr Lyle Spurlock ha ereditato il terreno. Ci sono ampie possibilità che i suoi due figli non ne sappiano niente.

Ci vogliono ore di tediose ricerche nei registri del catasto di contea per trovare queste piccole pepite. Molte delle mie ricerche non portano a nulla, ma quando scopro un segreto come questo le cose diventano eccitanti.

Ho la serata libera e Miss Ruby insiste per andare fuori a farci un cheeseburger. La sua auto è una berlina Cadillac del 1972 lunga mezzo isolato, di colore rosso vivo e con spazio sufficiente per otto passeggeri. Mentre io guido, Miss Ruby chiacchiera, indica con il dito e sorseggia il suo Jimmy, il tutto con una Marlboro accesa tenuta fuori del finestrino. Passare dal mio Maggiolino alla Cadillac mi dà l'impressione di guidare un autobus. La Cadillac riuscirà a entrare a malapena nell'apposito spazio al Sonic Drive-In, una versione aggiornata di un precedente classico, progettato però per veicoli molto più ridotti. Riesco comunque a incunearmi e ordiniamo hamburger, patatine fritte e coca. Miss Ruby insiste per mangiare sul posto e io sono contento di farla contenta.

Dopo parecchi bicchierini del tardo pomeriggio e altrettanti whisky e soda del mattino, sono arrivato a sapere che non ha mai avuto figli. Nel corso degli anni è stata via via abbandonata da numerosi mariti. Non ha mai accennato a un fratello, una sorella, un cugino o un nipote. È incredibilmente sola.

E, secondo quanto mi ha detto Rozelle in cucina, fino a una ventina di anni fa Miss Ruby gestiva quello che è stato l'ultimo bordello di Ford County. Rozelle è rimasta scioccata quando le ho detto dove abitavo, come se il posto fosse infestato dagli spiriti del male. «Quello non è posto per un bravo ragazzo bianco.» Rozelle va in chiesa almeno quattro volte la settimana. «Farai meglio ad andartene di là» mi ha ammonito. «C'è Satana tra quelle pareti.»

Non credo che sia Satana, ma tre ore dopo la cena, mentre sto quasi per addormentarmi, il soffitto comincia a tremare. Ci sono rumori: decisi, regolari e destinati a concludersi con soddisfazione tra non molto. Sento un suono metallico che fa pensare al telaio di un letto che si sposta di qualche centimetro sul pavimento. Poi il rumoroso sospiro di un eroe conquistatore. E poi silenzio. L'atto epico è finito

Un'ora dopo il rumore metallico riprende e il letto sta di nuovo saltellando sul pavimento sopra di me. Questa volta l'eroe deve essere più grosso o più rozzo, perché il rumore è più forte. Lei, chiunque sia, è più vocale di prima e per un po', piuttosto a lungo, ascolto con grande curiosità e crescente erotismo quei due che, abbandonata ogni inibizione, si danno da fare senza badare se qualcuno li sente. Alla fine praticamente gridano e io sono tentato di applaudire. Si mettono tranquilli. Io anche. Ritorna il sonno.

Circa un'ora più tardi la nostra ragazza lavoratrice del piano di sopra inizia il terzo giro della notte. È venerdì e mi ricordo che questo è il primo venerdì che trascorro nell'appartamento. A causa dei miei troppi straordinari, Miss Wilma Drell mi ha ordinato di non presentarmi al lavoro stasera. Non commetterò più questo errore. Non vedo l'ora di riferire a Rozelle che Miss Ruby non è affatto andata in pensione, che non ha abbandonato il suo ruolo di madama, che la sua vecchia casa è tuttora usata per altri scopi e che in effetti Satana è vivo e in ottima salute.

Nella tarda mattinata di sabato mattina vado in piazza, entro in un caffè e compro qualche tipico panino caldo con salsiccia, che poi porto a Miss Ruby. Mi apre la porta in accappatoio, con i capelli sparati in tutte le direzioni e gli occhi gonfi arrossati. Ci sediamo in cucina. Miss Ruby prepara altro caffè, una miscela disgustosa che acquista per posta, e io rifiuto più volte il Jim Beam.

«C'è stato parecchio rumore stanotte» osservo.

«Non mi dire.» Sta mordicchiando il bordo di un panino.

«Chi c'è nell'appartamento sopra il mio?»

«È vuoto.»

«Questa notte non lo era. C'era gente che faceva sesso e un mucchio di rumore.»

«Oh, quella era Tammy. È una delle mie ragazze.»

«Quante ragazze hai?»

«Non molte. Una volta ne avevo tantissime.»

«Ho sentito dire che un tempo questo era un bordello.»

«Oh, sì» mi conferma Miss Ruby con un sorriso orgoglioso. «Quindici, vent'anni fa avevo una decina di ragazze e ci prendevamo cura di tutti i pezzi grossi di Clanton: i politici, lo sceriffo, banchieri e avvocati. Li lasciavo giocare a poker al quarto piano. Le mie ragazze lavoravano nelle altre stanze. Quelli sì che erano bei tempi.» Sta sorridendo alla parete, i pensieri lontani, rivolti ai bei tempi andati.

«Quando lavora Tammy?»

«Il venerdì, a volte anche il sabato. Suo marito fa il camionista, nel weekend è sempre via e lei ha bisogno di soldi extra.»

«Chi sono i clienti?»

«Ne ha pochi. Tammy è molto attenta e selettiva. Sei interessato?»

«No, solo curioso. Devo aspettarmi quel chiasso tutti i venerdì e i sabati?»

«È più che probabile.»

«Non me l'avevi detto, quando ho affittato l'appartamento.»

«Non me l'hai chiesto. Andiamo, Gill: non sei davvero così sconvolto. Se vuoi, posso mettere una buona parola per te con Tammy. Non dovresti neppure fare molta strada. Anzi, potrebbe addirittura venire lei in camera tua.»

«Quanto vuole?»

«La tariffa è negoziabile. Tratto io per te.»

«Ci penserò.»

Dopo trenta giorni vengo convocato nell'ufficio di Miss Drell per la valutazione. Tutte le grosse società adottano queste politiche, sia per riempire i loro vari manuali sia per avere l'impressione di essere gestite e dirette in modo superbo. L'HVQH vuole che ogni neoassunto venga valutato dopo trenta, sessanta e novanta giorni e, in seguito, una volta ogni sei mesi. Quasi tutte le case di riposo hanno regole simili nei loro libri, ma raramente si prendono il disturbo di un vero colloquio.

Miss Drell e io sbrighiamo le solite sciocchezze a proposito di cosa penso del lavoro, di come mi trovo con i colleghi eccetera. Finora nessuna lamentela. Miss Drell si complimenta per la mia disponibilità a fare straordinari. Devo ammettere che questa donna non è poi così male come mi era sembrata all'inizio. Mi è già capitato di sbagliarmi, ma non spesso. Drell è ancora in classifica, ma è scesa al terzo posto.

«I pazienti sembrano trovarla simpatico» mi dice.

«Sono tutti molto dolci.»

«Come mai passa tanto tempo a chiacchierare con le cuoche?»

«È contro le regole?»

«Be', no, è solo un po' insolito.»

«Posso smettere, se la cosa crea dei problemi.» Non ho affatto intenzione di smettere, qualunque cosa possa dire Miss Drell.

«Oh, no. Senta, abbiamo trovato alcuni numeri di "Playboy" sotto il materasso di Mr Spurlock. Ha idea di dove vengano?»

«L'ha chiesto a Mr Spurlock?»

«Sì, ma non vuole parlare.»

Bravo il mio ragazzo. «Non ho assolutamente idea da dove possano venire. Sono contro le regole?»

«Noi disapproviamo quelle porcherie. Lei è sicuro di non avere niente a che fare con questa storia?»

«A me sembra che se Mr Spurlock, il quale ha ottantaquattro anni e paga la retta piena, vuole guardarsi "Playboy", dovrebbe poterlo fare. Che male c'è?»

«Lei non conosce Mr Spurlock. Cerchiamo di mantenerlo in uno stato di non eccitazione. Altrimenti... be', sarebbe un vero problema.»

«Ha ottantaquattro anni.»

«Lei come fa a sapere che paga la retta piena?»

«È quello che mi ha detto lui.»

Miss Drell sfoglia qualche pagina, come se ci fossero

tantissime altre voci nel mio fascicolo. Dopo un momento lo chiude e dichiara: «Finora tutto bene, Gill. Siamo soddisfatti del suo lavoro. Può andare».

Congedato, vado dritto in cucina per raccontare a Rozelle i recenti eventi a casa di Miss Ruby.

Dopo sei settimane a Clanton le mie ricerche sono completate. Ho setacciato tutti i registri pubblici e ho studiato centinaia di numeri arretrati del "Ford County Times", anch'essi conservati negli archivi del tribunale. Nessuno ha mai intentato causa contro il Rifugio Sereno. Agli atti dell'agenzia di Jackson ci sono solo due segnalazioni di scarsa importanza ed entrambe sono state risolte a livello amministrativo.

Solo due dei residenti al Rifugio Sereno possiedono beni di cui valga la pena parlare. Mr Jesse Plankmore è proprietario di centoventi ettari nei pressi di Pidgeon Island, nell'estrema punta nordorientale di Ford County. Ma Mr Plankmore non lo sa più. È via di testa da diversi anni e ormai può andarsene da un giorno all'altro. Sua moglie è morta undici anni fa e il suo testamento è stato omologato da un avvocato del posto. L'ho letto due volte. Tutti i beni venivano lasciati a Mr Plankmore e poi, alla sua morte, ai quattro figli. Si può presumere con certezza che Mr Plankmore abbia redatto un testamento identico, il cui originale è chiuso nella cassetta di sicurezza dell'avvocato.

L'altro proprietario terriero è il mio amico Lyle Spurlock. Con duecentosessanta ettari di terreno libero da qualsiasi vincolo nel suo trascurato portfolio, è uno dei prospetti più interessanti che abbia visto da anni. Senza di lui avrei già dato inizio alla mia strategia di uscita.

Ho svolto anche altre ricerche che si sono rivelate interessanti, ottime per i pettegolezzi, ma non significative da un punto di vista economico. Miss Ruby in realtà ha sessantotto anni, conta tre divorzi ufficiali, l'ultimo dei quali sancito ventidue anni fa, non ha figli, nessun precedente penale e il suo palazzo è valutato dalla contea cinquantaduemila dollari. Vent'anni fa, quando era ancora un casino in piena attività, veniva valutato il doppio. Secondo un vecchio articolo del "Ford County Times", diciotto anni fa la polizia ha fatto irruzione arrestando due ragazze di Miss Ruby e due clienti, uno dei quali membro del parlamento dello Stato, ma proveniente da un'altra contea. C'erano stati poi altri articoli. Caduto in disgrazia, il parlamentare si era dimesso e in seguito si era suicidato. La maggioranza silenziosa aveva scatenato una rivolta e Miss Ruby era stata costretta a chiudere bottega.

Il suo unico altro bene, tale almeno da interessare la contea, è la Cadillac del 1972. L'anno scorso la targa le è costata ottantanove dollari.

È alla Cadillac che sto pensando quando, alle otto di un mercoledì mattina, consento a Miss Ruby di bloccarmi al mio rientro dal lavoro. «Buongiorno, Gill» mi saluta gracchiando dai polmoni rivestiti di catrame. «Ti va un Jimmy?» È in piedi sulla stretta veranda davanti, orrendamente abbigliata in pigiama rosa, accappatoio lavanda e ciabatte rosse di plastica, più un cappello nero a falde larghe in grado di deviare più pioggia di un ombrello. In altre parole, uno dei suoi soliti completini.

Io guardo l'orologio, sorrido e rispondo: «Certo».

Miss Ruby scompare dentro casa e ricompare immediatamente con due grossi bicchieri di Jim Beam e soda. C'è una Marlboro tra le labbra rosse appiccicose di rossetto, e mentre parla la sigaretta ballonzola veloce su e giù. «Hai passato una buona nottata alla casa di riposo, Gill?»

«Il solito. E tu? Hai dormito bene?»

«Sveglia per tutta la notte.»

«Mi dispiace.» È rimasta sveglia per tutta la notte perché dorme tutto il giorno, un retaggio della sua vita precedente. Di solito si dà da fare con il whisky fin verso le dieci di mattina, ora in cui va a letto per dormire fino a sera.

Chiacchieriamo di questo e di quello, altri pettegolezzi su gente che non conoscerò mai. Io mi gingillo con il drink, ma temo di non riuscire a berlo tutto. Miss Ruby ha già messo in dubbio più volte la mia virilità quando ho cercato di svignarmela senza gustarmi il suo bourbon fino all'ultima goccia.

«Senti, hai mai conosciuto un certo Lyle Spurlock?» le domando durante una pausa.

Ci mette un po' a passare in rassegna tutti gli uomini che ha conosciuto, ma alla fine risulta che Lyle non rientra nel gruppo. «Temo di no, caro. Perché?»

«È uno dei miei pazienti. Anzi, è il mio preferito e stavo pensando di portarlo al cinema questa sera.»

«Che pensiero gentile.»

«Ho la serata libera e stasera al drive-in c'è doppio programma.»

Miss Ruby per poco non sputa sulla veranda tutto il whisky che ha in bocca, poi scoppia a ridere e continua finché non riesce più a respirare. Finalmente, quando si riprende, mi domanda: «Tu hai intenzione di portare un vecchio a vedere i film porno?».

«Sicuro. Perché no?»

«È buffo.» È ancora estremamente divertita, i grandi denti ingialliti in piena vista. Un sorso di Jimmy, un tiro alla sigaretta ed è di nuovo sotto controllo.

Secondo gli archivi del "Ford County Times", il Daisy Drive-In aveva programmato la versione per cinema all'aperto di *Gola profonda* nel 1980, e la città era esplosa. C'erano state proteste, marce, ordinanze, cause contro le ordinanze, sermoni su sermoni, discorsi di politici e, quando il caos era cessato e il polverone si era posato, il drive-in era ancora in affari e continuava a proiettare tutti i film porno che voleva, forte dell'interpretazione del Primo Emendamento di una Corte federale. Come compromesso, però, il proprietario del drive-in aveva accettato di programmare i film classificati XXX solo al mercoledì sera, quando la gente di chiesa è in chiesa. Le altre sere andava giù pesante con i film dell'orrore per ragazzini, ma comunque aveva promesso tutto il Disney su cui fosse riuscito a mettere le mani. Non era servito a niente. Il boicottaggio da parte dei bravi cristiani era in atto da così tanto tempo che il Daisy veniva generalmente considerato una piaga nella comunità.

«Immagino che non mi presteresti la tua macchina, vero?» domando, quasi in tono di scusa.

«Perché?»

«Be'...» Indico il mio triste, piccolo Maggiolino parcheggiato lungo il marciapiede. «La mia è un po' piccola.»

«Perché non ti compri qualcosa di più grande?»

Per piccola che sia, la mia auto vale comunque più della sua.

«Ci sto pensando. Comunque era solo un'idea, non c'è problema. Capisco che tu non me la voglia prestare.»

«Lascia che ci pensi su.» Miss Ruby fa tintinnare i cubetti di ghiaccio e dice: «Penso di farmene un altro pochino. E tu?».

«No, grazie.» Ho la lingua in fiamme e tutto a un tratto mi sento stordito. Vado a dormire. Miss Ruby va a dormire. Dopo un lungo sonno, al tramonto ci ritroviamo in veranda. «Penso che mi farò un piccolo Jimmy. E tu?»

«No, grazie. Devo guidare.»

Miss Ruby si prepara il suo drink e poi partiamo. Non l'ho mai invitata esplicitamente a unirsi a me e Lyle per la nostra serata tra ragazzi, ma quando mi sono reso conto che non aveva nessuna intenzione di lasciar partire la Cadillac senza di lei mi sono detto "chissenefrega". A Lyle Spurlock non importerà. Mentre attraversiamo la città galleggiando a bordo di un veicolo che deve sembrare una chiatta che scende lungo il fiume, Miss Ruby mi confessa di sperare che i film non siano troppo spinti. Me lo dice sbattendo esageratamente le palpebre e io ho l'impressione che possa far fronte a qualsiasi schifezza il Daisy Drive-In sia in grado di proporre.

Abbasso un po' il vetro del finestrino in modo che l'aria fresca diluisca le esalazioni emanate da Miss Ruby. Per questa uscita serale, ha deciso di concedersi una dose extra dei suoi vari profumi. Si accende una Marlboro, ma non apre il finestrino. Per un attimo temo che la fiamma possa incendiare i vapori che aleggiano sui sedili anteriori e che possiamo bruciare vivi tutti e due. Poi l'attimo passa.

Mentre procediamo verso il Rifugio Sereno, le regalo tutti i pettegolezzi che ho ascoltato in cucina su Mr Lyle Spurlock e le sue mani, e occhi, rapaci. Miss Ruby afferma di avere sentito voci, anni fa, a proposito di un vecchio signore sorpreso a farsi un'infermiera e sembra sinceramente contenta all'idea di conoscere un simile personaggio. Un altro sorso di Jimmy e aggiunge che, dopotutto, le sembra di ricordare vagamente uno Spurlock tra i suoi clienti, ai tempi gloriosi.

Il secondo turno è diretto dall'infermiera Angel, una donna dura e pia che al momento è la numero due nella mia classifica merde e che potrebbe essere forse la prima persona che farò licenziare qui dentro. Mi informa immediatamente che non approva il mio programma di portare Lyle al cinema. (Non ho detto a nessuno che film andremo a vedere, a parte Lyle e, adesso, Miss Ruby.) Io contrattacco dicendo che quello che approva o no non ha importanza perché Miss Wilma Drell, l'Ape Regina numero uno, ha dato la sua di approvazione, concessione che non è stata offerta volontariamente finché Mr Spurlock e sua figlia (via telefono) non hanno fatto più casino di quanto la Regina potesse sopportare.

«C'è il permesso scritto. Controlli la pratica: approvato da W. Drell.»

L'infermiera Angel sfoglia qualche carta, borbotta incoerente e aggrotta la fronte come per un attacco d'emicrania. Pochi minuti dopo, Lyle e io usciamo dal portone principale. Lyle ha indossato i suoi pantaloni migliori e la sua unica giacca, un vecchio blazer blu ormai lucido che possiede da anni. Cammina zoppicando con decisione. Appena fuori, gli afferro un gomito e gli dico: «Senta, Mr Spurlock, c'è un ospite imprevisto con noi».

«Chi?»

«La chiamano tutti Miss Ruby. È la mia padrona di casa. Le ho chiesto in prestito la macchina ed è venuta anche lei, una specie di pacchetto tutto compreso. Mi dispiace.»

«È okay.»

«È simpatica, le piacerà.»

«Pensavo che saremmo andati a vedere film porno.»

«Infatti. Non si preoccupi, a Miss Ruby non daranno fastidio. Non è proprio una lady, se capisce cosa intendo dire.»

Lyle capisce. Con una strana luce negli occhi, Lyle capisce perfettamente. Ci fermiamo accanto alla portiera del passeggero e io faccio le presentazioni, poi Lyle scompare nel cavernoso retro dell'auto. Prima ancora che siamo usciti dal parcheggio, Miss Ruby si volta e dice: «Lyle, caro, ti va un po' di Jim Beam?».

Dalla sua grande borsa rossa sta già estraendo una fiaschetta da un quarto.

«Meglio di no» risponde Lyle, e io mi rilasso. Una cosa è portare fuori Lyle per un po' di porno, ma se lo riconsegno sbronzo potrei finire nei guai.

Miss Ruby si china verso di me e mi dice: «È carino»

Partiamo. Mi aspetto che da un momento all'altro Miss Ruby se ne venga fuori con il Sonic e infatti, dopo pochi minuti, annuncia: «Gill, per cena mi andrebbe un cheeseburger con le patatine fritte. Se facessimo un salto al Sonic?».

Con qualche sforzo, riesco a inserire la chiatta in uno stretto spazio al Sonic, che è affollatissimo. Noto le occhiate che ci lanciano alcuni clienti, tutti seduti in veicoli notevolmente più piccoli e più nuovi del nostro. Non so se sono divertiti dalla Cadillac rosso acceso che entra a malapena nell'apposito spazio o dalla vista dello strano trio a bordo. Non che me ne importi.

Ho già fatto questa cosa, in altre case di riposo. Uno dei regali più belli che posso fare ai miei amici preferiti è la libertà. Ho accompagnato vecchie signore in chiesa, ai country club, a funerali e matrimoni e, naturalmente, in centri commerciali. Ho accompagnato vecchi signori alla sede della loro Legione, a partite varie, bar, chiese e caffè. Sono tutti infantilmente riconoscenti per queste piccole escursioni, questi semplici gesti gentili che li fanno uscire dalle loro stanze. E, tristemente, queste spedizioni nel mondo reale provocano sempre guai. Gli altri dipendenti, i miei stimati colleghi, non gradiscono il fatto che io sia disposto a trascorrere tempo extra con i pazienti. E gli altri residenti diventano molto gelosi di quelli così fortunati da essere scappati per qualche ora. Ma neppure i guai mi preoccupano.

Lyle dichiara di non avere fame, senza dubbio ingozzato di pollo gommoso e Jell-O verde. Io ordino un hot dog e una birra analcolica e poco dopo stiamo di nuovo navigando in strada, con Miss Ruby che spilucca una patatina fritta e Lyle nel retro che si gode gli spazi aperti. Di colpo annuncia: «Vorrei una birra».

Entro nel parcheggio di una drogheria aperta tutta la notte. «Che marca?»

«Schlitz» mi risponde Lyle senza esitare.

Compro una confezione di sei lattine da mezzo litro, gliela passo e ripartiamo. Sento il suono della linguetta che viene sollevata e poi un gorgoglio. «Tu non ne vuoi una, Gill?»

«No, grazie.» Odio l'odore e il sapore della birra. Miss Ruby si versa un po' di bourbon nel suo Dr Pepper e sorseggia la bibita. Adesso sta sorridendo, forse perché ha qualcuno con cui bere.

Arrivati al Daisy, acquisto tre biglietti a cinque dollari l'uno, nessuna offerta di pagamento da parte dei miei amici, poi entriamo nel parcheggio di ghiaia e scegliamo una postazione in terza fila, lontano dagli altri veicoli. Conto altri sei presenti. Il film è già cominciato. Monto l'altoparlante sul finestrino, regolo il volume in modo che Lyle possa sentire tutti i gemiti e poi mi abbasso sul sedile. Miss Ruby sta ancora mangiucchiando il suo cheeseburger. Sul sedile posteriore, Lyle scivola al centro per avere una visione priva di ostacoli.

La trama è presto evidente. Un rappresentante porta a porta cerca di vendere i suoi aspirapolvere. Ci si aspetterebbe che un venditore porta a porta sia abbastanza pulito e curato, o almeno che cerchi di essere simpatico. Il tizio del film, invece, sembra unto dalla testa ai piedi ed esibisce orecchini, tatuaggi, un'aderente camicia di seta con pochi bottoni e un ghigno lascivo che spaventerebbe qualsiasi rispettabile casalinga. Naturalmente in questo film non ci sono rispettabili casalinghe. Non appena il nostro viscido venditore bussa alla porta, trascinandosi dietro un inutile aspirapolvere, la donna gli salta addosso, i vestiti spariscono e ha inizio ogni tipo di contorsione. Il marito li sorprende sul divano, ma, invece di pestare il tizio con il tubo dell'aspirapolvere fino a fargli perdere i sensi, si unisce alla festa. Il tutto diventa presto un affare di gruppo, con gente nuda che si precipita in soggiorno da tutte le direzioni. La famiglia è una di quelle famiglie porno in cui i figli hanno la stessa età dei genitori, ma chi se ne frega? Arrivano anche dei vicini di casa e la scena diventa di frenetica copula, in modi e posizioni che pochi mortali possono immaginare.

Io scivolo ancora più in basso sul mio sedile, posizione dalla quale vedo a malapena qualcosa al di sopra del volante. Miss Ruby mangiucchia e ridacchia per qualcosa sullo schermo, per niente imbarazzata. Lyle si apre un'altra lattina di birra, l'unico suono dal retro.

Due file dietro di noi, qualche bifolco a bordo di un pickup suona il clacson ogni volta che nel film arriva un momento cruciale. A parte questo, il Daisy è abbastanza silenzioso e deserto.

Dopo la seconda orgia mi accorgo di essere annoiato, mi scuso e scendo per andare in bagno. Attraverso il parcheggio di ghiaia e raggiungo il piccolo edificio squallido dove vendono snack e che ospita anche i bagni. La cabina di proiezione è una vacillante appendice in cima alla costruzione. Di sicuro il Daisy Drive-In ha visto giorni migliori. Mi compro un secchiello di popcorn stantio e mi avvio verso la Cadillac rossa prendendomela comoda. Mentre cammino, non prendo nemmeno in considerazione l'idea di lanciare un'occhiata allo schermo.

Miss Ruby è scomparsa! Una frazione di secondo dopo aver constatato che il suo sedile è vuoto, la sento ridacchiare nel retro. Neanche a dirlo, la luce di cortesia dell'auto non funziona, probabilmente da una ventina d'anni. È buio, là dietro, e io non mi volto. «Tutto bene, voi due?» domando, quasi come una baby-sitter.

«Puoi scommetterci» mi risponde Lyle.

«C'è ancora posto qui dietro» mi informa Miss Ruby. Dopo dieci minuti, chiedo scusa di nuovo e vado a fare una lunga passeggiata, attraverso il parcheggio fino all'ultima fila, supero una vecchia recinzione, percorro una leggera salita e mi fermo ai piedi di un vecchio albero, dove, sparse intorno a un tavolo da picnic malconcio, vedo parecchie lattine di birra vuote, tracce lasciate da ragazzini troppo giovani o troppo poveri per comprarsi il biglietto del cinema. Mi siedo sul tavolo malfermo e mi accorgo di avere una vista perfetta dello schermo a distanza. Conto sette auto e due pickup, spettatori paganti. Il pickup più vicino alla nostra Cadillac continua a suonare il clacson nei momenti giusti. L'auto di Miss Ruby risplende al riflesso dello schermo. Per quello che posso dire, la vettura è perfettamente immobile.

Il mio turno inizia alle ventuno e io non mi presento mai in ritardo. La Regina Wilma Drell ha confermato per iscritto che Mr Spurlock deve rientrare entro le nove per cui, con mezz'ora a disposizione, faccio ritorno alla Cadillac, interrompo qualsiasi cosa stia accadendo sul sedile posteriore, se poi sta accadendo qualcosa, e annuncio che è ora di andarcene.

«Io resto qui dietro» mi dice Miss Ruby ridacchiando. Le parole suonano un po' confuse e strascicate, il che è insolito dato che lei è immune all'alcol.

«Tutto okay, Mr Spurlock?» domando mentre accendo il motore.

«Puoi scommetterci.»

«Allora, vi è piaciuto il film?»

Tutti e due scoppiano in una risata che assomiglia a un ruggito e io capisco che sono ubriachi. Ridacchiano fino a casa di Miss Ruby e la situazione è molto divertente. La signora ci augura la buonanotte e Lyle e io trasbordiamo sul mio Maggiolino. Lungo la strada per il Rifugio Sereno, domando: «Si è divertito?».

«Moltissimo. Grazie.» Ha una Schlitz in mano, la numero tre per quello che posso dire. Gli occhi sono semichiusi.

«Cosa avete fatto là dietro?»

«Non molto.»

«È simpatica, vero?»

«Sì, ma puzza. Tutto quel profumo. Non avrei mai immaginato di trovarmi sul sedile posteriore in compagnia di Ruby Clements.»

«La conosce?»

«Ho capito chi è. È da parecchio che vivo qui, figliolo, e non ricordo più molto. Ma c'è stato un tempo in cui praticamente tutti sapevano chi era Miss Ruby. Uno dei suoi mariti era cugino di una delle mie mogli. Sì, mi pare che fosse così. È passato molto tempo.»

Le piccole città sono così.

La nostra seconda escursione, due settimane dopo, è a Brice's Crossroads, un campo di battaglia della guerra civile a circa un'ora da Clanton. Come la maggior parte dei bianchi del Sud, Mr Spurlock sostiene di avere antenati che si batterono con onore per la Confederazione. Prova ancora risentimento per la sconfitta e può arrabbiarsi parecchio se si tocca l'argomento della Ricostruzione ("mai avvenuta") e degli avventurieri yankee calati nel Sud a fare casino dopo la guerra ("ladri bastardi").

Lo faccio uscire un giovedì mattina presto e, sotto l'occhio vigile e pieno di disapprovazione della Regina Wilma, fuggiamo a bordo del mio Maggiolino lasciandoci il Rifugio Sereno alle spalle. Mi fermo a un drugstore, compro due bicchieroni di pessimo caffè, qualche sandwich e un po' di bibite e ripartiamo per ricombattere la guerra.

In tutta sincerità, della guerra civile non potrebbe importarmene meno e non è che ne subisca tutta questa persistente fascinazione. Noi, il Sud, abbiamo perso e abbiamo perso alla grande. Facciamocene una ragione. Ma se Mr Spurlock vuole trascorrere i suoi ultimi giorni sognando la gloria confederata e tutto ciò che sarebbe potuto essere, allora farò del mio meglio per accontentarlo. In quest'ultimo mese ho letto una decina di libri della biblioteca di Clanton sulla guerra e ce ne sono altri tre nella mia stanza da Miss Ruby.

A volte Lyle è precisissimo fin nei dettagli – battaglie,

generali, movimenti delle truppe – e a volte non ricorda niente. Io mantengo la conversazione sull'ultimo soggetto che ha suscitato il mio più vivo interesse: la conservazione dei campi di battaglia della guerra civile. Parlo indignato della devastazione dei sacri suoli, specie in Virginia, dove Bull Run, Fredericksburg e Winchester sono stati massacrati dalla cementificazione. L'argomento scalda molto Mr Spurlock, che poi però si appisola.

Arrivati sul campo di battaglia, guardiamo qualche monumento e alcune lapidi commemorative. Ly'e è convinto che suo nonno, Joshua Spurlock, sia rimasto ferito nel corso di una qualche eroica manovra durante la battaglia di Brice's Crossroads. Ci sediamo sopra una bassa staccionata di tronchi e pranziamo con i sandwich. Con lo sguardo fisso nel vuoto, Lyle è in una specie di trance nostalgica, come se stesse aspettando di sentire i rumori dei cannoni e dei cavalli. Mi parla di suo nonno, che è morto intorno ai novant'anni nel 1932 o nel 1934, quando lui era ancora un ragazzino. Il nonno lo deliziava con le storie sugli yankee che aveva ucciso, sulle sue ferite di guerra e sulle battaglie combattute agli ordini di Nathan Bedford Forrest, il più grande di tutti i condottieri sudisti. «Erano insieme a Shiloh» mi dice. «Il nonno mi ci portò, una volta.»

«Le piacerebbe tornarci?» gli domando.

Lyle sorride ed è evidente che gli piacerebbe moltissimo rivedere quel campo di battaglia. «Sarebbe un sogno» mi risponde con gli occhi pieni di lacrime.

«Posso organizzare la cosa.»

«Voglio tornarci in aprile, il mese in cui fu combattuta la battaglia, così potrò vedere il frutteto di peschi, lo stagno di sangue e il Nido di Vespe.»

«Ha la mia promessa: ci andremo il prossimo aprile.»

Mancano cinque mesi ad aprile e, visti i miei precedenti, dubito che sarò ancora alle dipendenze del Rifugio Sereno. In ogni caso niente mi vieterà di andare a trovare il mio amico Lyle e di portarlo a fare un'altra gita.

Dorme per la maggior parte del viaggio di ritorno a Clanton. Tra un sonnellino e l'altro, gli spiego che collaboro con un gruppo impegnato nella conservazione dei campi di battaglia della guerra civile in tutto il paese. Il gruppo è rigorosamente privato, nessun contributo dallo Stato, e di conseguenza dipende dalle donazioni. Dato che io evidentemente guadagno poco, posso contribuire solo con un modesto assegno tutti gli anni, ma mio zio, che è benestante, manda spesso grossi assegni su mia richiesta.

Lyle è molto interessato.

«Può sempre includere il gruppo nel suo testamento» gli dico.

Nessuna reazione. Niente. Lascio perdere.

Rientriamo al Rifugio Sereno e lo accompagno in camera sua. Mentre si toglie la felpa e le scarpe, mi ringrazia per la "splendida giornata". Io gli do qualche colpetto sulla schiena, gli dico che mi sono divertito moltissimo anch'io e sto per andarmene quando Mr Spurlock mi dice: «Gill, io non ho mai fatto testamento».

Mi fingo sorpreso, ma non lo sono. È incredibile il numero di persone, specie quelle nelle case di riposo, che non si è mai preoccupato di fare testamento. Mi esibisco in un'espressione sciocca, poi di blanda disapprovazione e infine dico: «Ne riparliamo, okay? So io cosa bisogna fare».

«Sicuro» dice Mr Spurlock, sollevato.

Alle cinque e trenta del mattino dopo, i corridoi sono deserti, le luci ancora spente e tutti dormono, o si suppone che lo facciano. Io sono seduto al banco della reception e sto leggendo della campagna del generale Grant, quando sobbalzo sorpreso per l'improvvisa apparizione di Miss Daphne Groat. Ha ottantasei anni, soffre di demenza senile ed è confinata nell'ala sul retro. Come sia riuscita a passare attraverso la porta chiusa a chiave è qualcosa che non saprò mai.

«Vieni, presto!» sibila tra i denti mancanti. La voce è debole e incerta.

«Cosa succede?» domando, scattando in piedi.

«Harriet è per terra.»

Mi precipito nell'ala sul retro, digito il codice d'accesso, supero la pesante porta e mi affretto lungo il corridoio fino alla camera 158, dove Miss Harriet Markle abita fin dall'epoca della mia pubertà. Accendo la luce della stanza e infatti eccola, sul pavimento, chiaramente priva di sensi, nuda a parte i calzini neri, in una nauseante pozza di vomito, urina, sangue ed escrementi. Il tanfo mi piega le ginocchia, nonostante io sia sopravvissuto a molti odori infami. Proprio perché mi sono già trovato in questa situazione, reagisco d'istinto. Estraggo immediatamente la mia piccola macchina fotografica, scatto quattro foto, mi rimetto in tasca la macchina e vado a cercare aiuto. Miss Daphne Groat non si vede da nessuna parte e nell'ala non c'è nessun altro sveglio.

Non trovo l'inserviente. Otto ore e mezzo fa, quando è iniziato il turno, una donna di nome Rita ha timbrato all'ingresso, dove mi trovavo in quel momento, e poi si è diretta verso l'ala sul retro. Era di servizio da sola, il che è contro le regole perché in questa ala sono previste due persone. Rita adesso non c'è. Corro all'ala nord, afferro per un braccio l'inserviente, che si chiama Gary, e insieme entriamo in azione. Indossiamo guanti di lattice, mascherine chirurgiche e stivali e poi solleviamo Miss Harriet dal pavimento e la rimettiamo a letto. Respira, ma a malapena, e ha una ferita sopra l'orecchio sinistro. Gary la pulisce mentre io mi occupo del pavimento. Non appena la scena è un po' più decente, chiamo un'ambulanza e poi l'infermiera Angel e la Regina

Wilma. A questo punto si sono svegliati altri pazienti e Gary e io abbiamo richiamato una folla.

Rita non si vede ancora. Due inservienti, Gary e io, per cinquantadue residenti.

Bendiamo la ferita di Miss Harriet, le cambiamo biancheria e camicia da notte e, mentre Gary presidia il letto, io corro alla scrivania del reparto per controllare il registro. Miss Harriet non è stata nutrita da mezzogiorno di ieri – quasi diciotto ore – e anche la somministrazione dei farmaci è stata trascurata. Fotocopio rapidamente tutti i dati perché si può scommettere che verranno alterati nel giro di poche ore. Piego le fotocopie e me le metto in tasca.

Arriva l'ambulanza e Miss Harriet viene caricata a bordo e portata via. L'infermiera Angel e Miss Drell confabulano nervosamente fra loro e cominciano a controllare i registri. Io torno nell'ala sud e metto le mie prove al sicuro, sotto chiave in un cassetto. Me le porterò a casa tra qualche ora.

Il giorno dopo si presenta un tizio in giacca e cravatta di un qualche ufficio regionale che vuole parlare con me a proposito di ciò che è successo. Non è un avvocato, gli avvocati arriveranno in seguito, e non è granché brillante. Comincia spiegando esattamente a Gary e a me cosa, secondo lui, abbiamo visto e fatto durante la crisi. Noi lo lasciamo parlare. Prosegue assicurandoci che Miss Harriet era stata debitamente nutrita e curata – è tutto scritto nei registri – e che Rita era soltanto uscita per farsi una sigaretta, ma poi si era sentita male e questo l'aveva costretta a precipitarsi a casa per un momento, per poi tornare e trovare la "spiacevole" situazione di Miss Harriet.

Io recito la parte dell'ottuso, la mia specialità. Lo stesso fa Gary; a lui viene più naturale, ma è anche vero che è preoccupato di perdere il lavoro. Io no. L'idiota alla fine se ne va e lo fa con l'impressione di essere arrivato nella nostra cittadina di campagnoli e di avere astutamente spento l'ennesimo incendio a beneficio del caro, vecchio HVQH Group.

Miss Harriet passa una settimana in ospedale con il cranio rotto. Ha perso un bel po' di sangue e probabilmente ci sono ulteriori danni cerebrali, anche se come diavolo si fa a valutarli? Comunque sia, questa è una bellissima causa, nelle mani della persona giusta.

Data la popolarità di queste azioni legali, e dell'alto numero di avvoltoi che volano in cerchio sopra le case di riposo, ho imparato che bisogna muoversi in fretta. Il mio avvocato è un vecchio amico di Tupelo che si chiama Dexter Ridley ed è a lui che mi rivolgo in caso di necessità. Dex ha circa cinquant'anni, un paio di mogli e un paio di vite appese alla cintura, e qualche anno fa ha deciso che non poteva sopravvivere nella professione limitandosi a redigere atti legali e istanze di divorzio consensuale. Dex è salito di livello e si è specializzato in cause per risarcimento danni, anche se è raro che arrivi effettivamente a processo. Il suo autentico talento consiste nell'intentare grosse cause per risarcimento e poi mostrare i muscoli e sbuffare finché la controparte propone un accordo. Ci sono grandi cartelloni pubblicitari con la sua faccia sorridente sparsi in tutto il Mississippi settentrionale.

Nel mio giorno libero vado a Tupelo in macchina, mostro a Dex le foto di Miss Harriet nuda e sanguinante, gli faccio vedere le fotocopie delle registrazioni degli inservienti, sia prima sia dopo le modifiche, e concludiamo l'affare. Dex parte in quarta, contatta la famiglia di Harriet Markle e nel giro di una settimana informa quelli dell'HVQH che ora hanno un grosso problema. Non parlerà di me, delle mie foto e dei miei dati finché non sarà costretto a farlo. Avendo in mano simili informazioni dall'interno, è molto probabile che il caso venga risolto amichevolmente in tempi rapidi. E io sarò di nuovo disoccupato.

Per ordine della sede centrale, d'improvviso Miss Wilma Drell diventa molto gentile e carina. Mi convoca nel suo ufficio e mi informa che le mie prestazioni sono migliorate in misura così stupefacente da avermi fatto guadagnare un aumento di stipendio: da sei a sette dollari l'ora, ma non devo dirlo a nessuno. Contraccambio con una vagonata di imbarazzati ringraziamenti e Drell si convince che ormai siamo amiconi.

Più tardi, quella sera stessa, leggo a Mr Spurlock l'articolo di una rivista che parla di un costruttore del Tennessee, il quale vuole spianare con i bulldozer un trascurato campo di battaglia della guerra civile per poter costruire l'ennesimo centro commerciale e qualche condominio popolare. Gli abitanti del posto e i gruppi per la difesa dei monumenti si oppongono, ma l'imprenditore ha dalla sua sia il denaro sia i politici. Lyle è molto turbato dalla notizia e così parliamo a lungo dei modi per dare una mano ai buoni. Non accenna alle sue ultime volontà o a un testamento ed è ancora troppo presto perché io possa fare una mossa.

Nelle case di riposo i compleanni sono sempre un evento importante, per ovvi motivi. È meglio festeggiarli finché ne hai la possibilità. C'è sempre una festa in mensa, con dolci, candeline, gelato, fotografie, canzoni in coro e così via. Noi, lo staff, ci diamo parecchio da fare per creare allegria e rumore e facciamo del nostro meglio perché i festeggiamenti si protraggano per almeno mezz'ora. Circa metà delle volte si presenta qualche familiare, fatto che rallegra lo spirito generale. Se non arriva nessun parente, noi dipendenti ci diamo da fare ancora di più. Ogni compleanno potrebbe essere l'ultimo, ma immagino che questo sia vero per tutti noi. Per alcuni, però, è anche più vero.

Il due dicembre Lyle Spurlock compie ottantacinque anni e quella rompiscatole di sua figlia arriva da

Jackson con due dei suoi figli e tre nipoti, nonché con il solito fuoco di sbarramento di lamentele, richieste e suggerimenti, il tutto nel rumoroso e rozzo sforzo di convincere l'amato padre che gli è talmente affezionata da dover dare una bella ripassata a noi dello staff. Il gruppo ha portato palloncini, stupidi cappellini, un dolce industriale alla noce di cocco (il preferito di Lyle) e numerosi regalini da quattro soldi dentro scatole pacchiane, cose come calzini, fazzoletti da naso e vecchi cioccolatini. Una nipote accende il suo enorme radioregistratore portatile e in sottofondo parte Hank Williams (che si suppone essere il cantante preferito di Spurlock). Un altro nipote monta una specie di mostra di ingrandimenti fotografici in bianco e nero in cui compare un giovane Lyle nell'esercito, un giovane Lyle che percorre la navata di una chiesa (la prima volta), un giovane Lyle in scatti diversi di tantissimi decenni orsono. Sono presenti quasi tutti gli ospiti della casa di riposo e anche la maggior parte dei dipendenti, compresa Rozelle della cucina, anche se so che è qui per il dolce e non per affetto nei confronti del festeggiato. A un certo punto Wilma Drell si avvicina un po' troppo a Lyle il quale, dato che non viene più trattato a bromuro, le dà una goffa e vistosa strizzata all'ampio sedere. Lei fa un grido d'orrore; quasi tutti gli altri ridono come se questo facesse parte dei festeggiamenti, ma io capisco chiaramente che la Regina Wilma non è per niente contenta. La figlia di Lyle, invece, ha una reazione eccessiva e sgrida il padre, gli dà uno schiaffo sul braccio, continua a rimproverarlo e per qualche istante l'atmosfera si fa tesa. Wilma scompare e nessuno la vedrà più per il resto della giornata. Dubito che si sia divertita così tanto da anni.

Dopo un'ora la festa perde un po' di vivacità e molti dei presenti cominciano ad appisolarsi. La figlia di Lyle e relativa progenie raccolgono in fretta le loro cose e si preparano ad andarsene. Baci e abbracci e tutto il resto, ma Jackson è parecchio lontana, papà. La festa per gli ottantacinque anni di Lyle si conclude rapidamente. Lo riaccompagno in camera con tutti i suoi regali, chiacchierando di Gettysburg.

Poco dopo lo spegnimento delle luci ritorno in camera sua per consegnargli il mio regalo. Qualche ora di ricerche e alcune telefonate alle persone giuste mi hanno confermato che effettivamente ci fu un capitano Joshua Spurlock che, inquadrato nel 10° Reggimento di fanteria del Mississippi, combatté nella battaglia di Shiloh. Joshua era nato a Ripley, Mississippi, una cittadina non lontana dalla città natale del padre di Lyle, in base a quanto dicono le mie ricerche. Ho trovato una ditta di Nashville specializzata in memorabilia della guerra civile, sia vere sia fasulle, e ho pagato ottanta dollari per la loro collaborazione. Il mio regalo è un Diploma di Valore conferito al capitano Spurlock, incorniciato e apparentemente rovinato dal tempo; sulla destra c'è la bandiera di combattimento confederata e sulla sinistra le insegne ufficiali del 10° reggimento. Questo pezzo di carta non significa nulla di più di ciò che è: una bellissima e molto fasulla replica di qualcosa che non è mai esistito. Ma per una persona ossessionata dalla gloria passata come Lyle è il regalo più meraviglioso che possa esserci. Gli occhi gli si riempiono di lacrime mentre stringe il diploma tra le mani. Il vecchio adesso è pronto per il paradiso, ma non così in fretta.

«È bellissimo» mi dice. «Non so cosa dire. Grazie.»

«È stato un piacere, Mr Spurlock. Suo nonno è stato un soldato valoroso.»

«Sì, è vero.»

A mezzanotte consegno il mio secondo regalo.

Il compagno di stanza di Lyle è Mr Hitchcock, un fragile gentiluomo di un anno più vecchio di lui, ma in forma molto peggiore. Mi hanno detto che ha vissuto una vita encomiabile, lontana dall'alcol, dal tabacco e da qualsiasi altro vizio, eppure di lui non resta molto. Lyle è andato a caccia di donne per tutta la vita, catturandone parecchie, e ai suoi tempi fumava sigarette una dietro l'altra e ci dava dentro con la bottiglia. Dopo anni che faccio questo lavoro, sono convinto che il DNA sia almeno metà della soluzione, o metà del problema.

In ogni caso all'ora delle pillole ho dato a Mr Hitchcock un sonnifero più forte del solito e lui adesso è in un altro mondo. Non sentirà niente.

Miss Ruby, che, sono certo, ci sta dando dentro con il Jimmy con la solita dedizione, segue le mie istruzioni alla lettera e parcheggia la grossa Cadillac accanto all'enorme cassonetto per l'immondizia sul retro, vicino all'entrata della cucina. Scende dal lato del conducente con un bicchiere in mano, ridacchiando. Sul sedile del passeggero intravedo per la prima volta Mandy, una delle ragazze "migliori" di Miss Ruby, ma non è il momento per le presentazioni. «Ssh» sibilo e le due donne mi seguono prima nel buio della cucina e poi nella mensa in penombra, dove ci fermiamo per un secondo.

«Gill, ti presento Mandy» mi dice Miss Ruby con orgoglio.

Io e la ragazza ci stringiamo la mano. «Un vero piacere» le dico.

Mandy accenna a fatica a un sorriso. La sua espressione dice: "Andiamo e facciamola finita". Intorno ai quarant'anni, è un po' troppo cicciotta e il trucco pesante non riesce a nascondere i segni di una vita difficile. I prossimi trenta minuti mi costeranno duecento dollari.

Le luci del Rifugio Sereno sono tutte abbassate. Do un'occhiata al corridoio sud per assicurarmi che non ci sia nessuno. Poi Mandy e io raggiungiamo rapidamente la camera 18, dove Mr Hitchcock è comatoso, ma Mr

Spurlock sta camminando avanti e indietro, in attesa. Lyle guarda Mandy, Mandy guarda Lyle. Io auguro un rapido «Buon compleanno», poi richiudo la porta e batto in ritirata.

Miss Ruby e io aspettiamo in mensa, bevendo. Lei ha il suo bicchiere, io bevo un sorso dalla fiaschetta. Devo ammettere che, dopo tre mesi, il bourbon non è più così cattivo come all'inizio. «Mandy è un tesoro» sta dicendo Miss Ruby, deliziata all'idea di essere riuscita ancora una volta a unire due persone.

«Una ragazza simpatica» dico con indifferenza.

«Ha cominciato a lavorare per me quando ha abbandonato il liceo. Una famiglia terribile. E, dopo, un paio di matrimoni finiti male. Non ha mai avuto fortuna. Vorrei soltanto poterle dare un po' più di lavoro. Ma è così difficile al giorno d'oggi. Ormai le donne sono così disinvolte che non chiedono soldi per farlo.»

Miss Ruby, madama di carriera, sta lamentando il fatto che le donne d'oggi sono troppo libere. Ci rifletto sopra per un momento, poi bevo un sorso e lascio perdere.

«Quante ragazze hai adesso?»

«Solo tre, e tutte part-time. Un tempo ne avevo una decina e le tenevo tutte molto occupate.»

«Quelli sì che erano bei tempi.»

«Sì, è vero. I migliori anni della mia vita. Senti, pensi che potremmo trovare un po' di lavoro qui al Rifugio Sereno? So che in carcere hanno un giorno alla settimana per le visite coniugali. Mai pensato di fare lo stesso qui? Potrei portare un paio di ragazze una sera alla settimana e sono sicura che per loro sarebbe un lavoro facile.»

«Probabilmente è l'idea peggiore che abbia sentito da cinque anni a questa parte.»

Seduti nella penombra, vedo gli occhi arrossati di Miss Ruby fissarmi. «Scusami tanto» sibila.

«Bevi un sorso. Ci sono quindici uomini confinati

qui dentro e la loro età media è intorno agli ottant'anni. Grosso modo, cinque sono costretti a letto, tre sono cerebralmente morti, tre non possono alzarsi dalla sedia a rotelle e quindi ne restano forse quattro in grado di camminare. Di questi quattro, sono pronto a scommettere forte che solo Lyle Spurlock sia capace di una qualche prestazione. Non è possibile vendere sesso in una casa di riposo.»

«L'ho già fatto in passato. Questo non è il mio primo rodeo.» Dopodiché, Miss Ruby mi offre una delle sue risate brevettate con tosse da fumatore, poi comincia a tossire seriamente. Alla fine riprende fiato e sistema il tutto con un bel sorso di Jim Beam.

«Sesso in casa di riposo» ridacchia. «Forse è lì che sto andando.»

Mi mordo la lingua.

Al termine dell'incontro, ci scambiamo tutti e tre qualche saluto frettoloso e imbarazzato. Seguo la Cadillac con lo sguardo finché non scompare dalla struttura e dalla vista, poi finalmente mi rilasso. In realtà ho già organizzato una cosa del genere in passato. Questo non è il mio primo rodeo.

Lyle sta dormendo come un bambino, quando vado a dargli un'occhiata. Senza la dentiera, la bocca è cascante, ma le labbra sono inarcate in un sorriso contento. Se Mr Hitchcock si è mosso nel corso delle ultime tre ore, non sono in grado di dirlo.

Non saprà mai cosa si è perso. Controllo le altre stanze, sbrigo le mie faccende e, quando tutto è tranquillo, mi sistemo al banco della reception con qualche rivista.

Dex dice che la società ha accennato più di una volta alla possibilità di risolvere la questione Harriet Markle prima che venga concretamente sporta denuncia. Dex ha lasciato cadere pesanti accenni al fatto di essere in possesso di informazioni dall'interno riguardanti un tentativo di copertura: documenti manipolati e altre prove che Dex sa come menzionare abilmente al telefono, quando parla con avvocati che rappresentano società di questo settore. L'HVQH afferma che desidererebbe evitare la pubblicità di una causa sgradevole. Dex li assicura che sarà più sgradevole di quanto possano immaginare. Avanti e indietro, la solita routine degli avvocati. Ma per me il risultato è che i miei giorni ormai sono contati. Se la mia dichiarazione giurata, le mie foto e i miei dati rubati serviranno ad affrettare un buon accordo stragiudiziale, così sia. Presenterò con gioia tutte le prove e poi passerò ad altro.

Quasi tutte le sere alle otto Mr Spurlock e io giochiamo a scacchi in mensa, parecchio tempo dopo la cena e un'ora prima che io entri ufficialmente in servizio. Di solito siamo soli, anche se un club di lavoro a maglia si riunisce in un angolo il lunedì, un club per lo studio della Bibbia si riunisce in un altro angolo il martedì e una piccola filiale della Ford County Historical Society si riunisce ogni tanto, quando riescono a mettere insieme tre o quattro persone. Anche nelle mie serate libere, alle otto passo sempre per fare qualche partita. O le partite a scacchi o un drink con Miss Ruby, inalando il suo fumo di seconda mano.

Lyle vince nove partite su dieci, non che la cosa mi interessi davvero. Dopo il suo incontro con Mandy, il braccio sinistro ha cominciato a dargli fastidio. Lo sente insensibile e devo dire che il mio amico non è più così veloce con le parole. La pressione è leggermente salita e Lyle lamenta spesso mal di testa. Dato che ho la chiave della farmacia, gli sto facendo seguire una terapia a base di Nafred, un anticoagulante, e Silerall, un farmaco per vittime di ictus. Ho visto decine di ictus ed è questa la mia diagnosi. Un colpo molto leggero, tanto da passare inosservato a chiunque altro; non che qualcuno presti particolare attenzione. Lyle è un vecchio tosto che non si lamenta, che detesta i medici e che preferirebbe una pallottola in testa piuttosto che telefonare a sua figlia e piagnucolare per la propria salute.

«Mi ha detto di non aver mai fatto testamento» gli dico in tono indifferente, mentre fisso la scacchiera. A una decina di metri di distanza ci sono quattro signore che giocano a carte, ma, credetemi, non possono sentirci. Riescono a malapena a sentirsi fra loro.

«Ci ho pensato» dice Lyle. Ha gli occhi stanchi. È invecchiato dal giorno del suo compleanno, da Mandy, dall'ictus.

«Cosa ci sarebbe nel testamento?» gli domando come se non potesse importarmene di meno.

«Un po' di terra, praticamente nient'altro.»

«Quanta terra?»

«Duecentosessanta ettari, a Polk County.» Mi mangia due pezzi e sorride.

«Che valore hanno?»

«Non lo so. Ma è libera da ipoteche.»

Non ho voluto spendere per una valutazione ufficiale, ma a parere di due agenti specializzati in cose di questo genere il terreno vale intorno ai milleduecento dollari l'ettaro.

«Aveva accennato all'idea di lasciare un po' di denaro per collaborare alla conservazione dei campi di battaglia della guerra civile.»

È esattamente ciò che Lyle vuole sentire. Si illumina, mi sorride e dice: «È una bellissima idea. Ed è proprio quello che voglio fare». Per il momento si è dimenticato della partita.

«L'organizzazione migliore è un'associazione con sede in Virginia, il Confederate Defense Fund. Bisogna stare molto attenti. Alcuni di questi enti no profit danno almeno la metà dei loro soldi per costruire monumenti in onore delle forze dell'Unione. Non credo che sia questo ciò che lei ha in mente.»

«Diavolo, no!»

Gli occhi di Lyle lampeggiano arrabbiati per un secondo. È di nuovo pronto alla battaglia. «Non con i miei soldi» aggiunge.

«Sarò lieto di agire come suo fiduciario» gli dico, e muovo un pedone.

«Cosa vuol dire?»

«Lei nomina il Confederate Defense Fund come beneficiario e, alla sua morte, il denaro finisce in un fondo fiduciario in modo che io, o chiunque altro lei scelga, possa tenere d'occhio il denaro e assicurarsi che venga bene impiegato.»

Lyle sta sorridendo. «È quello che voglio, Gill. Esattamente quello che voglio.»

«È il modo migliore per...»

«Non ti dispiace, vero? Dovresti occuparti tu di tutto, quando muoio.»

Gli prendo la mano destra, gliela stringo, lo guardo con fermezza negli occhi e gli dico: «Ne sarei onorato, Lyle».

Facciamo alcune mosse in silenzio e poi decido di sistemare qualche questione ancora in sospeso. «Ma cosa mi dice della sua famiglia?»

«Cioè?»

«Sua figlia, suo figlio... cosa erediteranno dei suoi beni?»

La sua reazione è qualcosa tra un sospiro, un sibilo e uno sbuffo dal naso, il tutto accompagnato da un roteare degli occhi, e io capisco immediatamente che i suoi cari figli stanno per essere tagliati fuori. Questo è perfettamente legale in Mississippi e in quasi tutti gli altri Stati. Quando fai testamento puoi escludere tutti, tranne il coniuge. E qualcuno ci prova anche con il coniuge.

«Mio figlio non si fa vivo da cinque anni. Mia figlia ha più soldi di me. Niente. Non avranno niente.»

«Sanno di questo terreno a Polk County?»

«Non credo.»

È tutto quello che ho bisogno di sapere.

Due giorni dopo, voci frenetiche si rincorrono in tutto il Rifugio Sereno. «Stanno arrivando gli avvocati!» Grazie soprattutto a me, in giro si spettegola di una grossa causa nel corso della quale la famiglia di Miss Harriet Markle rivelerà tutto e incasserà milioni di dollari. Questo è in parte vero, anche se Miss Harriet non ne sa niente. È di nuovo nel suo letto, un letto pulitissimo, ben nutrita, perfettamente curata, adeguatamente seguita e sostanzialmente morta per il mondo.

Il suo avvocato, l'onorevole Dexter Ridley di Tupelo, Mississippi, si presenta un pomeriggio scortato da un piccolo entourage che consiste nella sua fedele segretaria e due paralegali, entrambi in abito scuro come quello di Dexter ed entrambi con la faccia truce della migliore tradizione avvocatesca. È una squadra che fa colpo, e io non ho mai visto un'agitazione del genere al Rifugio Sereno. Né ho mai visto questo posto così pulito e splendente. Perfino i fiori di plastica sul banco della reception sono stati sostituiti da fiori veri. Ordine della sede centrale.

Dex e la sua squadra vengono ricevuti da un giovane dirigente della società che è tutto un sorriso. La ragione ufficiale di questa visita è consentire a Dex la possibilità di ispezionare, esaminare, fotografare, misurare e in genere ficcanasare in tutto il Rifugio Sereno e per circa un'ora è esattamente ciò che il mio amico fa, con grande professionalità. È una sua specialità. Ha bisogno di "cogliere l'atmosfera del posto" prima di intentare causa. Comunque è tutta una recita. Dex è sicuro che la questione verrà risolta silenziosamente e generosamente senza dover sporgere denuncia.

Anche se il mio turno inizia solo alle ventuno, ciondolo in giro come il mio solito. Ormai sia i colleghi sia i residenti sono abituati a vedermi a tutte le ore. È come se non me ne andassi mai. E invece sto per andarmene, credetemi.

Rozelle è indaffarata a preparare la cena. Non a cucinare, mi rammenta: solo a preparare. Resto in cucina a seccarla, a spettegolare e a darle una mano ogni tanto. Rozelle vuole sapere cos'hanno in mente gli avvocati. Come al solito, io posso solo fare ipotesi, ma lo faccio proponendo un mucchio di teorie. Alle diciotto i residenti cominciano a entrare in mensa e io inizio a trasportare i vassoi con l'insapore farinata d'avena che serviamo stasera. Questa sera il Jell-O è giallo.

Alle diciotto e trenta precise entro in azione. Lascio la mensa e raggiungo la stanza 18, dove trovo Mr Spurlock che, seduto sul letto, sta leggendo una copia delle sue ultime volontà. Mr Hitchcock sta cenando in mensa, perciò possiamo parlare.

«Domande?» chiedo al mio amico. Il documento, di sole tre pagine, in certi punti è scritto in modo chiaro, in altri è talmente sovraccarico di legalese da intontire un professore di giurisprudenza. Dex è un genio nel redigere questa roba. Inserisce quel tanto di linguaggio corrente da convincere il firmatario che, anche se magari non capisce perfettamente ciò che sta per firmare, il senso generale del documento è quello giusto.

«Penso di sì» risponde Lyle, incerto.

«C'è un mucchio di termini legali» gli spiego. «Ma è richiesto dalla legge. La sostanza è che lei lascia tutto al Confederate Defense Fund in un fondo fiduciario, e che io controllerò tutto quanto. È questo che vuole?»

«Sì, e ti ringrazio, Gill.»

«Per me è un onore. Andiamo.»

Ce la prendiamo comoda – dopo l'ictus Lyle si muove molto più lentamente – ma alla fine arriviamo nell'area della reception. La Regina Wilma, l'infermiera Nancy e

Trudy la receptionist se ne sono andate tutte un'ora fa. C'è sempre una pausa mentre viene servita la cena. Dex e la sua segretaria ci stanno aspettando. I due paralegali e l'uomo dell'HVQH se ne sono andati. Vengono fatte le presentazioni, Lyle si siede, io resto in piedi accanto a lui e Dex presenta metodicamente un breve riassunto del documento. Lyle perde interesse quasi subito e Dex se ne accorge.

«È questo che vuole, Mr Spurlock?» domanda, da avvocato attento e sollecito.

«Sì» risponde Lyle, annuendo. Si è già stancato di tutta questa storia legale.

Dex estrae una penna, mostra a Spurlock dove deve firmare, poi firma a sua volta quale testimone e ordina alla segretaria di fare lo stesso. I due stanno garantendo "le piene facoltà mentali" di Lyle. Dex firma poi la prevista dichiarazione e la segretaria estrae il suo sigillo notarile e timbra il documento, dando la sua benedizione ufficiale. Mi sono già trovato molte volte in situazioni simili e, credetemi, questa donna autenticherebbe qualsiasi cosa. Mettetele sotto il naso una fotocopia della Magna Charta, giurate che è l'originale e lei ve la autenticherà.

Dieci minuti dopo aver firmato le sue ultime volontà, Lyle Spurlock è a cena in mensa.

Una settimana più tardi, Dex mi telefona per informarmi che sta per incontrare i grandi avvocati dell'HVQH in una seria riunione al fine di trovare un accordo. Ha deciso che mostrerà alla controparte enormi ingrandimenti delle foto che ho scattato a Miss Harriet Markle nuda sul pavimento, in una pozza dei suoi fluidi corporei. E descriverà le registrazioni manipolate, senza però consegnare le copie. Tutto questo porterà a un accordo, ma rivelerà anche alla società la mia complicità nella faccenda. Io sono la talpa, lo spione, il traditore, e anche se la società non mi licenzierà su due piedi – Dex li minaccerà – so per esperienza che farò meglio a sparire.

Con ogni probabilità la società licenzierà la Regina Wilma e forse anche l'infermiera Angel. Così sia. È successo di rado che abbia concluso un progetto senza far licenziare qualcuno.

Il giorno dopo Dex mi comunica che il caso è stato risolto amichevolmente, e in via confidenziale, per quattrocentomila dollari. La somma può sembrare bassa data la negligenza della società, ma non è un brutto accordo. In casi come questo può essere difficile dimostrare i danni. Non è che Miss Harriet stesse guadagnando denaro e di conseguenza adesso stia subendo un'enorme perdita finanziaria. Lei non vedrà un centesimo, ma potete essere certi che i suoi cari stanno già discutendo animatamente. La mia ricompensa, la parcella del segnalatore, è pari al dieci per cento dell'importo liquidato.

L'indomani arrivano due tizi vestiti di scuro e la paura cala sul Rifugio Sereno. Si tengono lunghe riunioni nell'ufficio della Regina Wilma. C'è tensione nell'aria. Io adoro queste situazioni e, mentre le voci si rincorrono, passo la maggior parte del pomeriggio nascosto in cucina con Rozelle. Sono pieno di teorie pazzesche e quasi tutte le voci sembrano nascere proprio in cucina. Miss Drell viene effettivamente licenziata e scortata fuori dalla struttura. L'infermiera Angel viene licenziata e scortata fuori dalla struttura. Più tardi sentiamo dire che adesso stanno cercando me, così esco da una porta di servizio e sparisco.

Tornerò fra una settimana circa, per salutare Lyle Spurlock e qualche altro amico. Spettegolerò un po' con Rozelle, l'abbraccerò e le prometterò di passare a trovarla ogni tanto. Andrò a salutare anche Miss Ruby, salderò l'affitto, raccoglierò le mie cose e indulgerò in un ultimo bicchierino in veranda. Sarà difficile dire addio, ma lo dico molto spesso.

Così dopo quattro mesi me ne vado da Clanton e, mentre punto verso Memphis, non posso evitare di cedere all'autocompiacimento. Questo è stato uno dei miei progetti di maggior successo. La sola parcella dello scopritore fa sì che questa sia una buona annata. Il testamento di Mr Spurlock in effetti lascia tutto a me, anche se lui non se ne rende conto. (Il Confederate Defense Fund ha chiuso i battenti anni fa.) Probabilmente non toccherà più il documento prima di morire e io farò un salto a trovarlo abbastanza di frequente da assicurarmi che resti sepolto nel cassetto. (A tutt'oggi continuo a seguire e controllare parecchi dei miei amici più generosi.) Dopo la morte di Lyle – e noi ne saremo informati immediatamente, perché la segretaria di Dex controlla ogni giorno i necrologi – la figlia arriverà di corsa, troverà il testamento, darà fuori di matto e assumerà subito un avvocato che farà causa per contestare il testamento. Mi lanceranno ogni tipo di spregevole accusa, e in realtà non li si può biasimare.

In Mississippi le cause relative ai testamenti contestati vengono dibattute davanti a una giuria e io non ho alcuna intenzione di sottopormi all'esame di dodici cittadini medi e di cercare di negare che ho circuito un vecchio nei suoi ultimi giorni in una casa di riposo. Nossignore. Noi non andiamo mai in aula. Noi, Dex e io, risolviamo il caso molto prima del processo. Di solito la famiglia ci compra con il venticinque per cento circa del valore della successione. Costa meno che pagare gli avvocati. Inoltre non è che i familiari desiderino l'imbarazzo di un dibattimento senza esclusione di colpi nel quale verrebbero messi alla gogna con domande su tutto il tempo che non passavano con il loro amato defunto.

Dopo quattro mesi di duro lavoro sono esausto. Passerò un paio di giorni a Memphis, la mia casa base, e poi volerò a Miami, dove possiedo un appartamento a South Beach Lavorerò sulla mia abbronzatura per qualche giorno, mi riposerò e poi comincerò a pensare al prossimo progetto.

IL RAGAZZO STRANO

Come la maggior parte delle voci che si diffondevano a Clanton, anche questa ebbe origine o nel negozio del barbiere, o nel caffè, oppure nell'ufficio del cancelliere capo in tribunale e, una volta arrivata in strada, prese immediatamente il volo. Di solito un pettegolezzo succoso faceva il giro della piazza a una velocità tale da sfidare qualunque tecnologia e spesso si ripresentava al punto di partenza in una forma così modificata e distorta da lasciare confuso e perplesso il suo stesso creatore. Tale è la natura delle voci, ma ogni tanto, perlomeno a Clanton, una risultava essere vera.

Nel negozio del barbiere sul lato nord della piazza, dove Mr Felix Upchurch tagliava capelli ed elargiva consigli da quasi cinquant'anni, l'argomento venne sollevato una mattina presto da un uomo che di solito sapeva quel che diceva. «Ho sentito dire che il figlio più giovane di Isaac Keane torna a casa.»

Ci fu una pausa nel taglio dei capelli, nella lettura del quotidiano, nel fumo delle sigarette e nella discussione sulla partita dei Cardinals della sera prima. Poi qualcuno domandò: «Non è quel ragazzo strano?».

Silenzio. Poi il ticchettio delle forbici, lo sfogliare delle pagine, un colpo di tosse, uno schiarirsi di gola. Ogni volta che nel negozio del barbiere emergevano per la prima volta in superficie temi delicati, c'era sempre un momento di cautela. Nessuno voleva partire alla carica per paura di essere accusato di fare pettegolezzi. Nessuno voleva confermare o negare, perché una notizia inesatta o un'ipotesi errata potevano diffondersi rapidamente e provocare danni, specie in questioni che avevano a che fare con il sesso. In altri posti della città la gente era molto meno esitante. C'erano comunque pochi dubbi sul fatto che il ritorno del più giovane dei Keane stesse per essere sezionato da una decina di punti di vista differenti. Come al solito, però, i gentiluomini si muovevano con prudenza.

«Be', io ho sempre sentito dire che le ragazze non gli piacevano.»

«Hai sentito bene. La figlia di mio cugino, che andava a scuola con lui, dice che è sempre stato dell'altra sponda, un'autentica signorina. E non appena ha potuto, se n'è andato da qui e si è trasferito nella grande città. Credo che fosse San Francisco, ma non citatemi tra virgolette su questo.»

("Non citatemi tra virgolette" era un espediente difensivo mirante a negare ciò che era appena stato detto. Una volta debitamente negata la dichiarazione, altri erano comunque liberi di riprenderla e ripeterla. Tuttavia, se l'informazione fosse risultata falsa, nessuna responsabilità avrebbe potuto essere addebitata al pettegolo originario.)

«Quanti anni ha?»

Una pausa mentre venivano fatti i calcoli. «Trentuno, forse trentadue.»

«E come mai torna a casa?»

«Be', ecco, non lo so di sicuro, ma dicono che sia molto malato, che gli resti poco da vivere e che nella grande città non ci sia nessuno che possa prendersi cura di lui.»

«Torna a casa a morire?»

«È quello che dicono.»

«Isaac si rivolterà nella tomba.»

«Dicono che la famiglia gli mandasse soldi da anni per tenerlo lontano da Clanton.»

«Pensavo che ormai avessero già finito tutti i soldi di Isaac.»

A quel punto ebbe inizio una digressione avente per tema il denaro di Isaac, il suo patrimonio, le attività e le passività, le sue mogli e i figli e i parenti, nonché le circostanze misteriose del suo decesso. Si concluse all'unanimità che Isaac era morto giusto in tempo, perché la famiglia che si era lasciato alla spalle non era che un branco di idioti.

«Di cosa è malato il ragazzo?»

Rasco, uno dei più grandi chiacchieroni della città e famoso per la tendenza ad abbellire le storie, rispose: «Dicono che sia quella malattia dei froci. Non c'è modo di curarla».

Bickers, che a quarant'anni era il più giovane tra i presenti di quella mattina, disse: «Non starai parlando dell'AIDS, vero?».

«È quello che dicono.»

«Quel ragazzo ha l'AIDS e sta tornando a Clanton!»

«È quello che dicono.»

«Non può essere vero.»

La voce trovò conferma pochi minuti dopo nel caffè sul lato est della piazza, dove da molti anni la colazione veniva servita da una sfrontata cameriera di nome Dell. La clientela del primo mattino era costituita dal solito assortimento di vicesceriffi fuori servizio, operai e due o tre impiegati. Uno di loro domandò: «Senti, Dell, sai niente del più giovane dei ragazzi Keane che sta tornando a casa?».

Dell, la quale spesso si inventava innocui pettegolezzi solo per noia, ma in genere disponeva di buone fonti, rispose: «È già arrivato».

«E ha l'AIDS?»

«Qualcosa ha di sicuro. È pallido e magrissimo, sembra la morte in persona.»

«Tu quando l'hai visto?»

«Non l'ho visto. Ma la domestica di sua zia mi ha raccontato tutto ieri pomeriggio.» Dell era dietro il bancone in attesa di altri piatti dalla cucina e tutti i clienti nel caffè la stavano ascoltando. «È malato, nessun dubbio. E non esiste cura, nessuno può farci niente. A San Francisco non c'era nessuno che si occupasse di lui, così è tornato a morire a casa. Molto triste.»

«Dove andrà ad abitare?»

«Be', di certo non nella grande casa. La famiglia si è riunita e ha deciso che non poteva restare lì. La sua malattia è contagiosa da matti, e mortale, e così lo piazzano in una delle vecchie case di Isaac a Lowtown.»

«Quindi abiterà con i neri?»

«È quello che dicono.»

Ci volle un po' per assimilare la notizia, che poi però cominciò ad avere senso. L'idea di un Keane che andava a vivere al di là della ferrovia, nel quartiere nero, era difficile da accettare, però sembrava logico che a una persona malata di AIDS non venisse permesso di stare nella parte bianca della città.

«Dio solo sa quante case e quante baracche il vecchio Keane si è comprato e ha costruito a Lowtown» riprese Dell. «Credo che qualche decina sia ancora di sua proprietà.»

«Si sa con chi abiterà il ragazzo?»

«Non lo so e non mi interessa. Basta che non entri qua dentro.»

«E cosa faresti, se adesso entrasse qui per fare colazione?»

Dell si asciugò le mani in uno strofinaccio, fissò l'uomo che le aveva rivolto la domanda, serrò le mascelle e poi rispose: «Io posso rifiutare di servire chi mi pare. E credimi, con certi clienti ci penso spesso. Ma se il ragazzo dovesse entrare qui, gli chiederei di andarsene. Bisogna tenere presente che è estremamente contagioso, e non stiamo parlando di un banale raffreddore. Se lo servissi, poi il suo piatto o il suo bicchiere potrebbe capitare a uno di voi. Pensateci».

Ci pensarono a lungo.

Finalmente qualcuno disse: «Chissà per quanto ne ha ancora».

In quel momento la stessa domanda era oggetto di discussione sul lato opposto della strada, negli uffici del cancelliere capo al secondo piano del tribunale, dove gli habitué del primo mattino sorseggiavano caffè, mangiucchiavano dolci e si tenevano aggiornati sulle ultime notizie. Myra, addetta all'archiviazione degli atti di compravendita terreni, si era diplomata al liceo un anno prima di Adrian Keane e naturalmente, perfino allora, tutti sapevano che quel ragazzo era diverso. Myra aveva il palcoscenico tutto per sé.

Dieci anni dopo il diploma, era andata in vacanza in California con suo marito e in quell'occasione aveva dato un colpo di telefono a Adrian. Avevano pranzato insieme al Fisherman's Wharf e, con Alcatraz e il Golden Gate sullo sfondo, si erano divertiti moltissimo a parlare dei giorni trascorsi insieme a Clanton. Myra aveva assicurato a Adrian che nella loro città natale nulla era cambiato. Adrian aveva parlato liberamente del suo stile di vita. L'anno era il 1984 e Adrian era serenamente uscito allo scoperto, anche se al momento non era legato a nessuno in particolare. Era preoccupato per l'AIDS, malattia di cui nel 1984 Myra non aveva mai sentito parlare. Ma la prima ondata dell'epidemia aveva già colpito la comunità gay di San Francisco e il numero dei morti era tale da spezzare il cuore e fare paura. Venivano sollecitati cambiamenti nello stile di vita. Adrian aveva spiegato a Myra e al marito che alcuni morivano nel giro di sei mesi, mentre altri resistevano per anni. Personalmente aveva già perso alcuni amici.

Myra descrisse di nuovo e in dettaglio quel pranzo a un pubblico rapito, composto da una decina di colleghi. Il fatto che fosse stata effettivamente a San Francisco e avesse attraversato in macchina quel particolare ponte la rendeva speciale. Tutti avevano visto le fotografie, e più di una volta.

«Dicono che sia già qui» intervenne uno degli impiegati.

«Quanto tempo gli resta?»

Ma Myra non lo sapeva. Dopo quel pranzo di cinque anni prima, non aveva più avuto contatti con Adrian ed era evidente che di certo non ne voleva adesso.

Il primo avvistamento venne confermato alcuni minuti più tardi, quando un certo Mr Rutledge entrò nel negozio del barbiere per la sua spuntatina settimanale. Il nipote di Rutledge consegnava il quotidiano di Tupelo ogni mattina all'alba e ogni casa nel centro di Clanton ne riceveva una copia. Il nipote, al corrente delle voci che giravano, era stato all'erta. Aveva percorso lentamente in bicicletta Harrison Street e aveva rallentato ancora nei pressi della vecchia residenza dei Keane. E infatti proprio quella mattina, meno di due ore prima, si era trovato faccia a faccia con uno sconosciuto che non avrebbe dimenticato tanto presto.

Mr Rutledge descrisse l'incontro: «Joey dice che in vita sua non aveva mai visto un uomo più malato di quello, fragile e scheletrico, pallido come un cadavere, con chiazze sulle braccia, le guance incavate, i capelli diradati. Dice che è stato come guardare una salma». Rutledge raramente trovava un episodio che non potesse in qualche modo abbellire e questo era un dato noto a tutti i presenti, che comunque gli stavano riservando la loro totale attenzione. Nessuno osò mettere in dubbio il fatto che Joey, un tredicenne piuttosto limitato, avesse usato la parola "salma".

«Che cosa ha detto?»

«Joey lo ha salutato: "Buongiorno", lui ha risposto: "Buongiorno" e Joey gli ha dato il giornale, stando bene attento però a mantenere le distanze.»

«Ragazzo in gamba.»

«E poi è risalito in bicicletta ed è schizzato via. Non si può prendere quella malattia dall'aria, vero?»

Nessuno azzardò una risposta.

Entro le otto e mezzo Dell era già stata informata dell'avvistamento e venivano formulate congetture sullo stato di salute di Joey. Alle otto e quarantacinque Myra e i suoi colleghi chiacchieravano eccitati a proposito della figura spettrale che aveva terrorizzato il ragazzino dei giornali davanti alla vecchia residenza dei Keane.

Un'ora più tardi un'auto della polizia effettuò un passaggio in Harrison Street e i due agenti a bordo si impegnarono al massimo per cercare almeno di intravedere lo spettro. Entro mezzogiorno tutta Clanton sapeva che tra loro c'era un uomo che stava morendo di AIDS.

L'accordo richiese pochissime trattative. Qualsiasi contrattazione sarebbe stata inutile, considerate le circostanze. Le due parti non erano sullo stesso piano, perciò non fu una sorpresa il fatto che la donna bianca ottenesse ciò che voleva.

La donna bianca era Leona Keane: zia Leona per alcuni, Leona la leonessa per tutti gli altri, antica matriarca di una famiglia da molto tempo in declino. La donna nera era Miss Emporia, una delle uniche due zitelle nere di Lowtown. Anche Emporia era avanti negli anni, sui settantacinque riteneva, anche se non esisteva alcuna registrazione ufficiale della sua nascita. La famiglia Keane era proprietaria della casa che Emporia aveva in affitto da sempre e fu proprio a causa del privilegio della proprietà che l'accordo venne concluso così rapidamente.

Emporia si sarebbe presa cura del nipote e alla sua morte avrebbe ricevuto un atto di donazione. La piccola casa rosa in Roosevelt Street sarebbe diventata sua, libera da ogni vincolo. Il passaggio di proprietà avrebbe significato poco per i Keane, visto che stavano dilapidando i beni di Isaac già da molti anni. Ma per Emporia significava tutto. Il pensiero di diventare proprietaria della sua amata casa superava di gran lunga qualsiasi riserva potesse avere sul prendersi cura di un ragazzo bianco morente.

Dato che non avrebbe mai preso in considerazione l'idea di farsi vedere sull'altro lato della ferrovia, Leona diede disposizioni perché fosse il giardiniere ad accompagnare il ragazzo alla sua destinazione finale. Quando la vecchia Buick di zia Leona si fermò davanti alla casa di Miss Emporia, Adrian Keane guardò la casetta rosa con la veranda bianca, le felci appese al soffitto, le cassette di fiori traboccanti di gerani e viole del pensiero, il minuscolo prato sul davanti delimitato dallo steccato. Poi guardò la casa accanto, verniciata in giallo chiaro e altrettanto graziosa e pulita. Guardò lungo la strada, una fila di strette casette allegre con fiori, sedie a dondolo e porte che sembravano dare il benvenuto. Poi guardò di nuovo la casa rosa e si disse che preferiva morire lì piuttosto che nella miserabile villa da cui se n'era appena andato, distante poco più di un chilometro.

Il giardiniere, che indossava ancora i guanti da potatura per evitare qualsiasi rischio di infezione, scaricò in fretta le due costose valigie di pelle che contenevano tutti i beni di Adrian e ripartì immediatamente, senza un saluto né una stretta di mano. Aveva ricevuto ordini severissimi da Miss Leona di riportare a casa la Buick e disinfettarne a fondo l'interno.

Adrian guardò su e giù nella strada, notò qualche persona seduta in veranda che si nascondeva dal sole, poi sollevò le valigie, attraversò il giardinetto lungo il sentiero in mattoni e arrivò davanti agli scalini. La porta si aprì e Miss Emporia si presentò con un sorriso. «Benvenuto, Mr Keane.»

«Per favore, niente Mister. Piacere di conoscerla.» A quel punto si imponeva una stretta di mano, ma Adrian si rendeva conto del problema. Aggiunse in fretta: «Senta, darsi la mano è sicuro. Comunque lasciamo perdere».

Per Emporia andava benissimo. Leona l'aveva avvertita che l'aspetto del ragazzo era inquietante. Esaminò rapidamente le guance scavate, gli occhi spenti, la carnagione più pallida che avesse mai visto, e finse di ignorare il corpo scheletrico negli abiti troppo larghi. Senza esitare, indicò con la mano un tavolino in veranda e domandò: «Le va un po' di tè?».

«Con piacere, grazie.»

Le parole di Keane erano ben scandite, l'accento del Sud perso ormai da molti anni. Emporia si chiese cos'altro avesse perso per strada quel giovanotto. Si accomodarono al tavolino di vimini e Emporia versò il tè zuccherato. C'era anche un piatto con biscottini allo zenzero. Emporia ne prese uno, Adrian no.

«Come va l'appetito?» domandò la donna.

«Scarso. Ho perso un bel po' di peso anni fa, quando me ne sono andato da qui e mi sono lasciato alle spalle tutta la roba fritta. Non sono mai stato un mangione e adesso, con questa cosa, non è che abbia più molto appetito.»

«Quindi non dovrò cucinare molto?»

«Penso proprio di no. Senta, a lei va bene questa sistemazione? Insomma, ho la sensazione che la mia famiglia gliel'abbia fatta ingoiare a forza, che è quello che fanno sempre. Se non le sta bene, posso trovarmi un altro posto.»

«Questa sistemazione mi va benissimo, Mr Keane.»

«Per favore, mi chiamo Adrian. E io come posso chiamarla?»

«Emporia. E diamoci del tu.»

«D'accordo.»

«Dove troveresti un altro posto?»

«Non lo so. Ormai è tutto così temporaneo» rispose Adrian. La voce era rauca e le parole lente, come se parlare richiedesse uno sforzo. Indossava una camicia azzurra di cotone, jeans e sandali.

Un tempo Emporia aveva lavorato in ospedale e aveva visto molti malati di cancro in fase terminale. Il suo nuovo amico le ricordava quei poveretti. Per quanto fosse malato, però, non c'erano dubbi che un tempo doveva essere stato un ragazzo molto bello.

«E tu sei soddisfatto di questa sistemazione?»

«Perché non dovrei esserlo?»

«Un gentiluomo bianco di una famiglia importante che abita a Lowtown con una vecchia zitella nera.»

«Potrebbe essere divertente» disse Adrian, con il suo primo sorriso.

«Sono sicura che andremo d'accordo.»

Keane mescolò il tè. Il sorriso svanì, così come passò il momento di leggerezza. Anche Emporia mescolò il suo tè e pensò: "Povero ragazzo. Ha ben poco per cui sorridere".

«Me ne sono andato da Clanton per un mucchio di ragioni» disse Adrian. «È un brutto posto per gente come me, per gli omosessuali. E non è un posto così meraviglioso neppure per gente come te. Detesto il modo in cui sono stato cresciuto. Mi vergogno per come la mia famiglia ha trattato i neri. Odio la mentalità ristretta di questa cittadina. Non vedevo l'ora di andarmene. Avevo voglia della grande città.»

«San Francisco?»

«Prima sono andato a New York e ci sono rimasto per

qualche anno, poi ho trovato lavoro sulla West Coast. Alla fine mi sono trasferito a San Francisco. E poi mi sono ammalato.»

«Perché sei tornato, se la pensi così a proposito di questa città?»

Adrian sospirò come se la risposta potesse richiedere un'ora, o come se in realtà non sapesse cosa rispondere. Si asciugò il sudore dalla fronte, un sudore che non era provocato dall'umidità, ma dalla malattia. Bevve un sorso di tè. E finalmente disse: «Non so bene. Ho visto troppa morte di recente, ho assistito a più della mia parte di funerali. Non sopportavo l'idea di essere sepolto in un freddo cimitero di una città lontana. Forse è solo la mia anima sudista. Tutti noi alla fine torniamo a casa».

«Sì, ha senso.»

«E, se devo essere sincero, avevo anche finito i soldi. I farmaci sono molto costosi. Avevo bisogno della mia famiglia, o almeno delle sue risorse economiche. Ma ci sono altri motivi. È complicato. Non volevo scaricare sui miei amici un'altra morte lenta e dolorosa.»

«Però pensavi di stare con la tua famiglia, non qui a Lowtown, vero?»

«Credimi, Emporia: preferisco essere qui. Loro non mi vogliono a Clanton. Mi hanno mandato soldi per anni perché restassi lontano. Mi hanno ripudiato, eliminato dai loro testamenti e si rifiutano di pronunciare il mio nome. E così ho pensato di sconvolgere la loro vita un'ultima volta. Farli soffrire un po'. Costringerli a spendere un po' di soldi.»

Un'auto della polizia passò lenta lungo la strada. Né Adrian né Emporia commentarono. Quando l'auto scomparve, il ragazzo bevve un altro sorso e disse: «Devo darti qualche informazione di fondo, qualche dato di base. Sono malato di AIDS da circa tre anni e non mi resta molto da vivere. Sostanzialmente non è pericoloso

285

starmi vicino. L'unico modo di prendersi la malattia è tramite lo scambio di fluidi corporei, perciò mettiamoci d'accordo subito sul fatto che noi due non faremo mai sesso».

Emporia ululò una risata, alla quale si unì anche Adrian. Risero finché gli occhi non lacrimarono, finché la veranda non tremò, finché non cominciarono a ridere di se stessi perché stavano ridendo tanto. Alcuni vicini si alzarono in piedi per guardare da lontano. Quando la situazione fu di nuovo sotto controllo, la donna disse: «È così tanto tempo che non faccio sesso che non me lo ricordo nemmeno più».

«Be', Emporia, ti assicuro che io ne ho fatto abbastanza per me, per te e per mezza Clanton. Ma quei giorni ormai sono finiti.»

«Anche i miei.»

«Bene. Tu tieni le mani a posto e io farò lo stesso. A parte questo, è comunque saggio prendere alcune precauzioni.»

«Ieri è venuta l'infermiera e mi ha spiegato tutto.»

«Perfetto. Bucato, piatti, cibo, medicine, regole in bagno... tutto quanto?»

«Sì.»

Adrian si arrotolò la manica sinistra e con il dito indicò un livido scuro. «Certe volte queste cose si aprono e, quando succede, devo metterci una benda. Ti dirò quando capita.»

«Mi pareva avessi detto che non dovevamo toccarci.»

«Giusto, ma te lo dico nel caso tu non riesca a controllarti.»

La donna rise di nuovo, ma brevemente.

«Sul serio, Emporia: non è pericoloso stare con me.»

«Ho capito.»

«Ne sono certo, ma non voglio che tu viva nella paura. Ho appena passato quattro giorni con quello che resta della mia famiglia e mi hanno trattato come se fossi radioattivo. E tutta la gente qui intorno farà lo stesso. Io ti sono grato per avere accettato di prenderti cura di me e non voglio che ti preoccupi. D'ora in poi non sarà una bella situazione. Sembro già un cadavere e le cose potranno soltanto peggiorare.»

«Tu l'hai già visto succedere, vero?»

«Oh, sì. Molte volte. Ho perso una decina di amici negli ultimi cinque anni. È orribile.»

Emporia aveva molte domande sulla malattia e lo stile di vita, sugli amici e così via, ma le rimandò a un altro momento. Tutto a un tratto Adrian sembrava molto stanco. «Ti faccio vedere la casa» gli disse.

L'auto della polizia passò di nuovo, lentamente. Keane la guardò e chiese: «Con che frequenza la polizia pattuglia questa strada?».

"Quasi mai" avrebbe voluto rispondere Emporia. C'erano altre zone di Lowtown dove le case non erano così carine e gli abitanti non erano così perbene. Da quelle parti c'erano bar, una sala biliardo, un negozio di liquori, gruppi di giovani disoccupati che ciondolavano agli incroci, ed era là che l'auto della polizia si vedeva parecchie volte al giorno. «Oh, passano ogni tanto.»

Entrarono in casa, nel soggiorno. «È una casa piccola» disse Emporia in tono quasi di scusa. Adrian, dopotutto, era cresciuto in una bella villa in una strada piena di alberi. E adesso si ritrovava in un cottage costruito da suo padre e di proprietà della sua famiglia.

«È il doppio del mio appartamento di New York.»

«Ma dai.»

«Dico sul serio, Emporia. La tua casa è deliziosa. Ci starò benissimo.»

I pavimenti di legno brillavano di cera. I mobili erano perfettamente centrati lungo le pareti. I vetri delle finestre splendevano. Non c'era niente fuori posto e tutto dava l'idea di cure costanti. C'erano due piccole camere da letto dietro il soggiorno e la cucina. In quella di Adrian un letto matrimoniale in ferro battuto occupava metà dello spazio. C'erano un minuscolo vano guardaroba, un comò troppo piccolo anche per un bambino e un condizionatore alla finestra.

«È perfetta, Emporia. Da quanto tempo abiti qui?»

«Mmh, venticinque anni, forse.»

«Sono contentissimo che questa casa diventi tua, e presto.»

«Anch'io, ma non c'è nessuna fretta. Sei stanco?»

«Sì.»

«Vuoi fare un pisolino? L'infermiera ha detto che hai bisogno di molto riposo.»

«Un pisolino sarebbe splendido.»

Emporia chiuse la porta e nella stanza scese il silenzio.

Mentre Adrian dormiva, un vicino che abitava sul lato opposto della strada andò a sedersi in veranda con Emporia. Si chiamava Herman Grant e aveva la tendenza a essere un po' curioso.

«Cosa ci fa qui da te quel ragazzo bianco?» domandò.

Emporia aveva la risposta pronta, una risposta che aveva preparato da giorni. Domande e confronti prima o poi sarebbero finiti, o almeno così sperava. «Si chiama Adrian Keane, è il più giovane dei figli di Isaac Keane ed è molto malato. Ho accettato di prendermi cura di lui.»

«Se è malato, perché non è in ospedale?»

«Non è quel tipo di malattia. In ospedale non possono farci niente. Deve stare a riposo e prendere ogni giorno un sacco di pillole.»

«Sta per morire?»

«Probabilmente sì. Non farà che peggiorare e alla fine morirà. È molto triste.»

«Ha il cancro?»

«No, non è cancro.»

«Allora che cos'è?»

«È un'altra malattia, Herman. Qualcosa che hanno là in California.»

«Non ha senso.»

«Molte cose non hanno senso.»

«Non capisco perché abita qui con te, nella nostra zona della città.»

«Come ti ho detto, mi prendo cura di lui.»

«Ti obbligano a farlo perché sono i proprietari della casa?»

«No.»

«Ti pagano?»

«Fatti gli affari tuoi, Herman.»

Herman se ne andò e si avviò lungo la strada. Non passò molto tempo prima che la notizia si diffondesse.

Il capo della polizia entrò nel caffè per farsi qualche pancake e Dell lo mise subito alle strette. «Non riesco proprio a capire perché non mettete quel ragazzo in isolamento» disse a voce alta a beneficio di tutti i presenti, e tutti la stavano ascoltando.

«Ci vorrebbe un'ordinanza della Corte, Dell» spiegò il capo.

«Per cui è libero di andarsene in giro per la città e spargere germi dappertutto?»

Il capo era un tipo paziente, che nel corso degli anni aveva affrontato molte crisi. «Siamo tutti liberi di andarcene in giro. È scritto da qualche parte nella Costituzione.»

«E se contagia qualcuno? Allora cosa mi dirai?»

«Ci siamo informati al dipartimento della Salute dello Stato. L'anno scorso l'AIDS ha ucciso settantatré persone in Mississippi, per cui sanno di che si tratta. L'AIDS non è come l'influenza. Lo si può prendere solo attraverso i fluidi corporei.»

Silenzio, mentre Dell e gli altri clienti pensavano intensamente ai vari fluidi che il corpo umano poteva produrre. Durante la pausa il capo si lavorò un boccone di pancake e, dopo averlo inghiottito, aggiunse: «Ascoltate, non c'è bisogno di eccitarsi. Stiamo monitorando attentamente la situazione. Quel ragazzo non dà fastidio a nessuno. Se ne sta quasi sempre seduto in veranda con Emporia».

«Ho sentito dire che laggiù la gente è già incazzata.»

«È quello che dicono.»

Nel negozio del barbiere, un cliente abituale commentò: «Ho sentito dire che i neri non sono molto contenti. Ormai lo sanno tutti che c'è questo ragazzo strano che si nasconde in una delle vecchie case in affitto di suo padre. Sono tutti arrabbiati».

«Non li si può certo biasimare. Tu cosa faresti, se venisse ad abitare di fianco a casa tua?»

«Prenderei il fucile e gli farei tenere il culo dalla sua parte della staccionata, questo è certo.»

«Quel ragazzo non fa male a nessuno. Perché tutto questo casino?»

«Ieri sera ho letto un articolo. Si prevede che l'AIDS diventerà la malattia più mortale in tutta la storia dell'umanità. Ucciderà milioni di persone, soprattutto in Africa, dove evidentemente tutti scopano tutti.»

«Io credevo che quel posto fosse Hollywood.»

«Anche. La California conta più casi di AIDS di qualunque altro Stato.»

«Non è in California che il ragazzo Keane se l'è preso?»

«È quello che dicono.»

«È difficile credere che ci fosse l'AIDS qui a Clanton nel 1989.»

Nell'ufficio del cancelliere capo, mentre tutti mangiavano ciambelle, una giovane donna di nome Beth si godeva l'attenzione generale perché suo marito, che era un agente della polizia cittadina, il giorno prima era stato mandato a controllare la situazione a Lowtown.

Era passato davanti alla casetta rosa di Emporia Nester e infatti, proprio come si vociferava, aveva visto un giovane pallido ed emaciato seduto in veranda. Né il poliziotto né sua moglie avevano mai conosciuto Adrian Keane, ma dato che mezza città si era data da fare per trovare vecchi annuari del liceo stavano già circolando foto scolastiche datate. Poiché era stato addestrato a identificare rapidamente i sospetti, l'agente era piuttosto sicuro di avere visto Adrian Keane.

«Perché la polizia lo tiene d'occhio?» chiese Myra, abbastanza irritata.

«Be', mio marito è andato là perché gli era stato detto di andarci» rispose secca Beth.

«Essere malati non è un reato, giusto?» insistette Myra.

«No, ma si suppone che la polizia debba proteggere i cittadini, no?»

«Perciò, tenendo d'occhio Adrian Keane e accertandosi che se ne stia sempre seduto in veranda, tutti noi saremo più al sicuro; è questo che stai dicendo, Beth?»

«Io non ho detto questo, perciò non mettermi in bocca cose che non ho detto. Io posso parlare solo per me.»

E così via.

Dormì fino a tardi e rimase a lungo disteso sul letto, fissando il soffitto di legno bianco e domandandosi quanti giorni gli restassero ancora. Poi si chiese di nuovo perché si trovasse dove si trovava, ma conosceva già la risposta. Aveva visto troppi amici consumarsi a poco a poco e deperire fino alla morte. Mesi prima aveva deciso che non avrebbe imposto a quelli ancora in vita il peso di veder morire anche lui. Molto più facile salutarsi con un bacio veloce e un forte abbraccio mentre era ancora in grado di farlo.

La prima notte nella casetta rosa era stata l'abituale sequenza di brividi e sudore, ricordi e incubi, brevi sonnellini e lunghi periodi con lo sguaido fisso nell'oscurità. Si svegliò stanco, sapendo che la stanchezza non se ne sarebbe mai andata. Si decise ad alzarsi, si vestì e poi esaminò i suoi prodotti chimici. C'erano dodici o tredici flaconi di pillole, tutti ordinatamente allineati nell'esatta sequenza stabilita dai medici. Il primo fuoco di sbarramento era costituito da sei farmaci, che Adrian mandò giù con un bicchiere d'acqua. Nel corso della giornata sarebbe tornato in camera diverse volte per ingerire altre combinazioni. Mentre riavvitava i coperchietti dei flaconi, pensò a com'era tutto inutile. Quelle pillole non erano abbastanza avanzate da salvargli la vita – una vera cura era ancora di là da venire – ma servivano solo a prolungarla. Forse. Perché prendersi il disturbo? La terapia costava mille dollari al mese, soldi che la sua famiglia elargiva con molta riluttanza. Due suoi amici si erano suicidati, e quel pensiero non era mai troppo lontano.

La casa era già calda e Adrian ripensò alle lunghe, umide giornate della sua infanzia, le estati calde e appiccicose di cui non aveva sentito affatto la mancanza nella sua altra vita.

Sentì Emporia muoversi in cucina e andò a salutarla.

Adrian non mangiava né carne né latticini, così alla fine si misero d'accordo su un paio di pomodori affettati, raccolti nell'orto. Una strana colazione, pensò Emporia, ma zia Leona le aveva detto di dargli da mangiare tutto quello che voleva. "Ha vissuto lontano da qui per moltissimo tempo" aveva spiegato la signora. Dopo la colazione, si versarono due tazze di caffè istantaneo alla cicoria zuccherato e si trasferirono in veranda.

Emporia voleva sapere tutto di New York, città di cui aveva solo letto e che aveva visto soltanto in televisione. Adrian gliela descrisse, parlò degli anni che vi aveva trascorso, del college, del suo primo impiego, delle strade affollate, del numero infinito di negozi e magazzini, dei quartieri etnici, delle masse di gente e della vita notturna scatenata. Una signora anziana almeno quanto Emporia si fermò davanti a casa e salutò a voce alta: «Salve, Emporia».

«'Giorno, Doris. Vieni a sederti qui con noi.»

Doris non esitò. Vennero fatte le presentazioni, senza strette di mano. Doris era la moglie di Herman Grant, della casa di fronte, ed era molto amica di Emporia. Se la presenza di Adrian Keane la innervosiva, non lo dava a vedere. Nel giro di pochi minuti le due donne cominciarono a parlare del nuovo predicatore, un uomo che non erano sicure di trovare simpatico, e da lì si lanciarono in pettegolezzi di chiesa. Per un po' si dimenticarono di Adrian, che si accontentò di ascoltare divertito. Sistemati gli affari della chiesa, le due signore passarono alle famiglie. Emporia naturalmente non aveva figli, ma Doris ne aveva abbastanza per entrambe: otto, la maggior parte dei quali sparsi in tutto il Nord, con trenta e rotti fra nipoti e pronipoti. Vennero discussi avventure e conflitti di ogni tipo.

Dopo un'ora d'ascolto, Adrian si fece sentire durante una pausa. «Senti, Emporia, dovrei andare in biblioteca per prendere qualche libro in prestito. E probabilmente è troppo lontano per andarci a piedi.»

Emporia e Doris lo guardarono con aria strana, ma tennero a freno la lingua. Anche solo un'occhiata casuale al giovane Keane rivelava un uomo troppo fragile per arrivare in fondo alla strada. Con quel caldo il povero ragazzo sarebbe crollato a meno di un tiro di schioppo dalla casa rosa.

Clanton aveva un'unica biblioteca, vicino alla piazza, e non aveva mai preso in considerazione l'idea di una succursale a Lowtown.

«Tu come vai in giro?» chiese Adrian. Era evidente che Emporia non possedeva un'auto.

«Chiamo i Black and White.»

«I cosa?»

«I taxi Black and White» disse Doris. «Ce ne serviamo sempre.»

«Tu non conosci i Black and White?» domandò Emporia.

«Sono stato via per quattordici anni.»

«Sì, è vero. È una lunga storia» disse Emporia, spostando il peso sulla sedia per prepararsi al racconto.

«Proprio così» confermò Doris.

«Ci sono due fratelli, che di cognome fanno Hershel. Uno è nero e l'altro è bianco, e hanno più o meno la stessa età. Direi sui quarant'anni, giusto, Doris?»

«Sì, più o meno quaranta.»

«Stesso padre, madri diverse. Una da questa parte della ferrovia, una dall'altra. Il padre ha tagliato la corda molto tempo fa e i due Hershel sapevano la verità, ma non riuscivano a mandarla giù. Alla fine, però, si sono ritrovati e hanno accettato quello che comunque tutta la città sapeva da sempre. Tra l'altro si somigliano, non credi anche tu, Doris?»

«Il bianco è più alto, ma il nero ha addirittura gli occhi verdi.»

«E così hanno messo su una società di taxi. Si sono comprati un paio di vecchie Ford con un milione di chilometri e le hanno verniciate di bianco e nero, che è poi il nome della ditta. Caricano i clienti qui e li portano dall'altra parte, dove vanno a pulire le case o a fare spese. E certe volte caricano clienti dall'altra parte e li portano qui.»

«A fare cosa?» chiese Adrian.

Emporia si girò verso Doris, che incontrò il suo sguardo e poi si voltò. Adrian, che aveva intuito una qualche meravigliosa porcheriola di provincia, non aveva la minima intenzione di lasciar perdere. «Allora, signore, spiegatemi. Perché i taxi portano i bianchi da questa parte della ferrovia?»

«I bianchi si fanno qualche partita a poker qui in giro» ammise Emporia. «Da quello che sento dire.»

«E qualche donna» aggiunse Doris.

«E un po' di whisky illegale.»

«Capisco» fece Adrian.

Adesso che la verità era emersa, tutti e tre osservarono in silenzio la giovane donna che stava risalendo la strada con un sacchetto marrone pieno di alimentari.

«Quindi posso telefonare a uno degli Hershel e farmi accompagnare in biblioteca?» chiese Adrian.

«Sarò felice di telefonare io per te. Gli Hershel mi conoscono bene.»

«Sono due bravi ragazzi» aggiunse Doris. Emporia rientrò in casa. Adrian sorrise tra sé e cercò di credere alla storia di due fratelli che si chiamavano Hershel.

«Emporia è una persona molto dolce» disse Doris, facendosi vento con la mano.

«Assolutamente sì.»

«Peccato che non abbia mai trovato l'uomo giusto.»

«Lei da quanto tempo la conosce?»

«Non molto. Trent'anni, forse.»

«Trent'anni non è molto?»

Una risatina. «Forse per te lo è, ma io sono cresciuta insieme a parecchia gente che abita qui. E io sono cresciuta molto, molto tempo fa. Quanti anni mi dai?»

«Quarantacinque.»

«Non dire scemenze. Fra tre mesi ne compio ottanta.»

«No!»

«Giuro su Dio.»

«E Herman quanti anni ha?»

«Lui dice di averne ottantadue, ma non gli si può credere.»

«Da quanto siete sposati?»

«Mi sono sposata a quindici anni, molto tempo fa.»

«E ha otto figli?»

«Sì, otto. Herman ne ha undici.»

«Herman ha più figli di lei?»

«Ha avuto tre figli fuori.»

Adrian decise di non indagare sul concetto dei figli fuori. Forse quando viveva a Clanton lo capiva, o forse no. Emporia tornò con tre bicchieri e una caraffa di acqua ghiacciata sopra un vassoio. Per tranquillità della donna, Adrian aveva insistito con gentilezza per avere sempre lo stesso bicchiere, piatto, ciotola, tazza, coltello, forchetta e cucchiaio. Emporia gli versò l'acqua con il limone nel bicchiere designato, uno strano souvenir dalla fiera di contea del 1977.

«Ho parlato con l'Hershel bianco. Arriva tra un minuto» annunciò Emporia.

Sorseggiarono l'acqua ghiacciata, si sventolarono e parlarono del caldo. Poi Doris disse: «Emporia, il ragazzo pensa che io abbia quarantacinque anni. Cosa te ne pare?».

«I bianchi non sono capaci di darci un'età. Ecco il taxi.»

Evidentemente gli affari andavano a rilento quel martedì mattina, visto che l'auto era arrivata meno di cinque minuti dopo la telefonata di Emporia. Era davvero una vecchia Ford Fairlane, nera con le portiere e il cofano bianchi, pulitissima, con le ruote lucenti e i numeri di telefono sui paraurti.

Adrian si alzò in piedi e si stirò lentamente, come se ogni suo movimento dovesse essere contemplato. «Okay, sarò di ritorno più o meno tra un'ora. Vado solo in biblioteca a prendere qualche libro.»

«Sei sicuro che starai bene?» gli chiese Emporia preoccupata.

«Certo, starò benissimo. È stato un vero piacere fare la sua conoscenza, Miss Doris» disse, quasi come un vero gentiluomo del Sud.

«Ci vediamo» rispose la donna con un enorme sorriso.

Adrian si voltò, scese gli scalini della veranda ed era già a metà del sentiero quando l'Hershel bianco uscì dall'auto e gridò: «Oh, no! Col cavolo che tu sali sul mio taxi!». Si spostò davanti all'auto e puntò un dito rabbioso contro Adrian. «Ho sentito parlare di te!»

Adrian si paralizzò, sbalordito, incapace di rispondere.

«Sta' sicuro che non ti lascio rovinare i miei affari!» Emporia scese sui gradini. «Guarda che è tutto okay, Hershel. Hai la mia parola.»

«Niente da fare, Miss Nester. Lei non c'entra. Ma lui nella mia macchina non ci sale. Avrebbe dovuto dirmi che era per lui.»

«Insomma, Hershel!»

«Tutti sanno di lui in città. Niente da fare. Assolutamente niente da fare.» A passi decisi, Hershel tornò accanto alla portiera del conducente, ancora aperta, salì in auto, chiuse la portiera sbattendola e si allontanò veloce. Adrian guardò il taxi scomparire lungo la strada, poi si voltò lentamente, risalì gli scalini, passò accanto alle due donne ed entrò in casa. Era stanco e aveva bisogno di un sonnellino.

I libri arrivarono nel tardo pomeriggio. Miss Doris aveva una nipote che insegnava alla scuola elementare e che aveva accettato di andare a ritirare in biblioteca tutti i libri che il giovane Keane avesse voluto. Adrian aveva deciso di affrontare finalmente il mondo letterario di William Faulkner, scrittore che al liceo gli era stato imposto a forza. A quei tempi era convinto, come tutti gli studenti del Mississippi, che ci fosse una legge dello Stato che obbligava i professori di inglese a includere Faulkner nel programma. Aveva combattuto per arrivare alla fine di *Una favola*, *Requiem per una monaca*, *Gli invitti* e altre opere che aveva cercato di dimenticare, ma alla fine aveva dovuto arrendersi, perplesso e sconfitto, a metà di *L'urlo e il furore*. Adesso, nei suoi ultimi giorni, era deciso a capire Faulkner.

Dopo la cena, o *supper* come veniva chiamata da quelle parti, mentre Emporia lavava i piatti, si sedette in veranda e cominciò dall'inizio con il primo romanzo, *La paga del soldato*, lavoro pubblicato nel 1926 quando l'autore aveva solo ventinove anni. Lesse qualche pagina e poi si prese una pausa. Ascoltò i suoni intorno a lui: le risate sommesse dalle altre verande, le urla lontane di bambini che giocavano, un televisore a tre porte di distanza, la voce stridula di una donna arrabbiata con il marito. Osservò i pochi, lenti pedoni sulla Roosevelt, consapevole delle occhiate curiose che gli lanciavano tutti quelli che passavano davanti alla casa rosa. Quando gli sguardi si incontravano, sorrideva e salutava con un cenno del capo, ottenendo in cambio qualche riluttante "salve".

All'imbrunire Emporia lo raggiunse in veranda e si sistemò sulla sua sedia a dondolo preferita. Per un po' rimasero in silenzio. Non c'era niente da dire perché ormai erano due vecchi amici.

«Mi sento davvero male per via di Hershel e del suo taxi» confessò la donna.

«Non ci pensare. Io capisco.»

«È solo un ignorante.»

«Ho visto di peggio, Emporia. E anche tu.»

«Immagino di sì. Ma questo non significa che sia giusto.»

«No, non lo è.»

«Ti porto un tè ghiacciato?»

«No. Mi andrebbe qualcosa di più forte.»

Emporia rifletté per un momento e non rispose.

«Ascolta» riprese Adrian «so che tu non bevi, ma io sì. Non sono un ubriacone, ma un drink mi andrebbe proprio.»

«In casa mia l'alcol non è mai entrato.»

«Allora lo berrò in veranda. Proprio qui.»

«Io sono una donna cristiana, Adrian.»

«Conosco un mucchio di cristiani che bevono. Pensa alla Prima lettera a Timoteo, capitolo cinque, versetto ventitré, dove Paolo dice a Timoteo di bere un po' di vino per mettersi a posto lo stomaco.»

«Hai problemi allo stomaco?»

«Ho problemi dappertutto. E ho bisogno di un po' di vino per sentirmi meglio.»

«Non so cosa dire.»

«Farebbe sentire meglio anche te.»

«Il mio stomaco sta benissimo.»

«Okay. Tu bevi il tè e io il vino.»

«E dove lo trovi il vino? I negozi di liquori sono chiusi.»

«Chiudono alle dieci. Legge dello Stato. Scommetto che ce n'è uno non molto lontano da qui.»

«Senti, io non posso certo dirti quello che non devi fare, ma commetteresti un grosso errore andando fino al negozio di liquori a quest'ora. Potresti non tornare.» Emporia non riusciva a immaginare un bianco, specialmente un bianco nelle condizioni di Adrian, che si faceva quattro isolati a piedi fino al negozio di Willie Ray, nel cui parcheggio ciondolavano tutti quei giovani delinquenti, comprava da bere e poi se ne tornava a casa. «È una pessima idea, lasciatelo dire.»

Passò qualche minuto senza che venisse pronunciata una parola. Un uomo si stava avvicinando a piedi. «Chi è quel tizio?» chiese Adrian.

«Carver Sneed.»

«Un tipo a posto?»

«Sì, è a posto.»

«Mr Sneed!» chiamò d'improvviso Adrian a voce alta.

Carver, che era intorno ai ventotto, ventinove anni, viveva con i genitori in fondo a Roosevelt Street. Non stava andando da nessuna parte: in effetti stava passando di lì al solo scopo di riuscire a intravedere lo "spettro" che stava morendo sulla veranda di Emporia Nester. Non aveva previsto di trovarsi faccia a faccia con lui. Deviò verso lo steccato e salutò: «'Sera, Miss Emporia».

Keane era in piedi sul primo scalino.

«Ti presento Adrian» disse Emporia, per niente felice dell'incontro.

«Lieto di conoscerti, Carver» disse Adrian.

«Anch'io.»

Non aveva senso perdere tempo, pensò Adrian. «Non è che faresti un salto al negozio di liquori?» domandò. «Mi andrebbe qualcosa da bere e Miss Emporia non ha molto in casa in quanto ad alcolici.»

«Niente whisky in casa mia» dichiarò la donna. «Mai stato.»

«Ti regalo una confezione di birra da sei lattine per il disturbo» aggiunse subito Keane.

Carver si avvicinò agli scalini e alzò lo sguardo su Adrian, poi guardò Emporia, seduta a braccia conserte e labbra strette. «Dice sul serio?» chiese alla donna.

«Finora non ha ancora detto bugie. Il che non significa che non ne dirà.»

«Cosa vuoi dal negozio?» chiese Carver, rivolgendosi a Adrian.

«Mi andrebbe del buon vino. Possibilmente uno chardonnay.»

«Un cosa?»

«Andrà bene qualsiasi tipo di vino bianco.»

«Willie Ray non tiene molto vino. Non è che ci sia tanta richiesta.»

All'improvviso Adrian si chiese preoccupato quale fosse la definizione di vino da quella parte della ferrovia. La selezione era già piuttosto limitata anche dall'altra parte. Gli sembrò quasi di vedere una bottiglia piena di succo di frutta corretto con alcol, chiusa con un tappo a vite. «Willie Ray ha bottiglie di vino con il tappo di sughero?»

Carver rifletté per un momento, poi chiese: «A cosa serve il sughero?».

«Come si aprono le bottiglie di vino di Willie Ray?»

«Si svita il tappo.»

«Capisco. E quanto costa una bottiglia di vino da Willie Ray?»

Carver si strinse nelle spalle. «Io non ne compro. Preferisco la birra.»

«Di' una cifra. Quanto?»

«Il Boone's Farm potrà costare sui quattro dollari la bottiglia.»

Keane estrasse qualche banconota dalla tasca destra dei pantaloni da lavoro. «Lascia perdere il vino. Comprami la bottiglia di tequila più cara che trovi in negozio. Capito?»

«Come vuoi.»

«Comprati la tua confezione da sei e portami il resto.» Adrian porse il denaro, ma Carver si immobilizzò. Guardò i soldi, guardò Adrian e poi guardò Emporia in cerca di aiuto.

«È tutto okay» lo rassicurò Keane. «Non ci si ammala toccando i soldi.»

Carver non riusciva ancora a muoversi, non riusciva a imporsi di allungare una mano e prendere il denaro.

«Non c'è motivo di preoccuparsi, Carver» intervenne Emporia, improvvisamente ansiosa di dare una mano per concludere la transazione. «Fidati di me.»

«Ti giuro che starai benissimo» disse Adrian.

Carver cominciò a scuotere la testa, poi a indietreggiare. «Mi dispiace» balbettò, quasi a se stesso.

Adrian si rimise il denaro in tasca e guardò Carver scomparire nella sera. Si sentiva le gambe deboli e aveva bisogno di sedersi, forse di dormire. Si abbassò lentamente, si sedette sul primo scalino, appoggiò la testa alla ringhiera e rimase a lungo in silenzio. Alle sue spalle, Emporia si mosse ed entrò in casa.

Quando ricomparve in veranda, domandò: «"Tequila" si scrive con la *q* o con la *c*?».

«Lascia perdere, Emporia.»

«La *q* o la *c*?» La donna passò accanto a Adrian e scese i gradini.

«No, Emporia. Per favore. Non ho più sete.»

«Credo che sia con la *q*, ho ragione?» Era già in strada e, con un vecchio paio di sneaker bianche ai piedi, si allontanava a un'andatura sorprendente.

«Con la *q*!» gridò Adrian.

«Lo sapevo» fu la risposta, da due case più giù.

E spesso le voci erano completamente false, vere e proprie invenzioni create da gente che si divertiva a vedere le proprie piccole bugie diffondersi per la città o da chi provava piacere a causare problemi.

L'ultima diceria ebbe inizio al secondo piano del tribunale, nell'ufficio del cancelliere capo, dove a tutte le ore del giorno c'erano avvocati che andavano e venivano. E quando un gruppo di avvocati si ritrovava per lavorare su documenti del catasto, non c'era mai carenza di pettegolezzi. Dato che al momento la famiglia Keane godeva di un'attenzione molto superiore alla media, era del tutto naturale che gli avvocati giocassero un ruolo attivo nelle discussioni. Ancora più naturale che uno di loro cominciasse a creare problemi.

Anche se emersero immediatamente alcune varianti, il pettegolezzo base era il seguente: Adrian aveva più denaro di quanto pensasse la maggior parte della gente, dato che suo nonno aveva istituito alcuni complicati fondi fiduciari ancor prima della sua nascita; al compimento del quarantesimo anno d'età, Adrian avrebbe ereditato una somma impressionante; tuttavia, poiché non sarebbe mai arrivato al quarantesimo compleanno, tramite testamento poteva lasciare l'eredità in questione a qualsiasi beneficiario avesse scelto. E la parte migliore era che un ignoto avvocato era stato assunto da Adrian per redigere le sue ultime volontà, con istruzioni affinché la misteriosa, futura eredità venisse consegnata a: a) Emporia Nester, o b) un nuovo gruppo di attivisti per la difesa dei diritti dei gay che stava iniziando a operare a Tupelo con molte difficoltà, o c) un boyfriend di San Francisco, o d) un fondo per borse di studio riservate a studenti neri. Scelta a piacere.

A causa della sua complessità, la diceria ebbe scarsa presa e quasi affondò sotto il suo stesso peso. Quando si mormorava su chi si vedeva di nascosto con la moglie di qualcun altro, per esempio, l'argomento era chiaro e facilmente comprensibile. Ma quasi nessuno aveva esperienza di fondi fiduciari tra generazioni, eredità e altre invenzioni avvocatesche, per cui i dettagli risultarono essere molto più vaghi e confusi del solito. Nel momento in cui Dell finì di esporre la propria versione nel caffè, il ragazzo era già titolare di una fortuna, la maggior parte della quale sarebbe andata a Emporia, e la famiglia stava minacciando azioni legali.

Solo nel negozio del barbiere una voce ragionevole formulò la domanda più ovvia: «Ma se ha tutti quei soldi, perché sta morendo in una vecchia baracca di Lowtown?».

Seguì un dibattito su quanto denaro avesse effettivamente Adrian. L'opinione di maggioranza era che ne avesse poco, ma che contasse sull'eredità del fondo fiduciario. Un'anima coraggiosa canzonò tutti gli altri, sostenendo che era un mucchio di sciocchezze e dichiarando di sapere per certo che l'intero clan dei Keane era "povero come l'asino di Giobbe".

«Guardate la vecchia casa» disse. «Sono troppo poveri per ridipingerla e troppo orgogliosi per imbiancarla a calce.»

A fine giugno il caldo raggiunse nuovi livelli e Adrian cominciò a starsene chiuso in camera sua, vicino al rumoroso condizionatore che funzionava a malapena. La febbre si presentava con maggiore frequenza e il ragazzo non ce la faceva più a sopportare l'aria pesante e soffocante della veranda. In camera indossava solo la biancheria intima, che era spesso fradicia di sudore. Leggeva Faulkner e scriveva decine di lettere ad amici della sua altra vita. E dormiva, a intervalli irregolari, per tutta la giornata. Ogni tre giorni passava un'infermiera per un rapido controllo e una nuova fornitura di pillole, che Adrian adesso buttava nel water.

Emporia si dava parecchio da fare per farlo ingrassare un po', ma il suo ospite non aveva più appetito. Dato che non aveva mai cucinato per una famiglia, la sua esperienza di cuoca era molto limitata. Il suo piccolo orto produceva abbastanza pomodori, zucchine, piselli, fagioli e meloni da nutrirla per tutto l'anno e Adrian tentava coraggiosamente di gustare i pasti abbondanti che lei gli preparava. Lo convinse a mangiare focacce di granturco, anche se contenevano burro, latte e uova. Emporia non aveva mai conosciuto nessuno che si rifiutasse di mangiare carne, pesce, pollo e latticini e più di una volta gli aveva chiesto: «In California mangiano tutti così?».

«No, ma ci sono molti vegetariani.»

«Tu sei stato cresciuto in modo diverso e migliore.»

«Lasciamo perdere come sono stato cresciuto. Tutta la mia infanzia è stata un incubo.»

Emporia apparecchiava la tavola tre volte al giorno, all'ora che voleva lui, e tutti e due si impegnavano per prolungare al massimo i pasti. Adrian sapeva che per la donna era importante assicurarsi che si alimentasse adeguatamente e così mangiava tutto quello che gli era possibile. Però, dopo due settimane, era evidente che continuava a perdere peso.

Fu durante un pranzo che il predicatore chiamò. Emporia rispose al telefono, appeso a una parete della cucina. Anche Adrian naturalmente poteva servirsene, ma lo faceva di rado. A Clanton non aveva nessuno con cui parlare. Non telefonò mai a qualcuno della famiglia e nessuno di loro gli telefonò. Aveva amici a San Francisco, ma ormai erano usciti dalla sua vita e non voleva sentirne le voci.

«Buon pomeriggio, reverendo» disse Emporia, che poi si voltò tendendo al massimo il cavo del telefono. Parlò brevemente e poi riattaccò con un cortese: «Ci vediamo alle tre». Tornò a sedersi a tavola e mangiò immediatamente un boccone di focaccia.

«Allora, come sta il reverendo?» le domandò Adrian.

«Bene, credo.»

«Viene oggi pomeriggio alle tre?»

«No. Faccio io un salto in chiesa. Dice che vuole parlarmi di qualcosa.»

«Hai idea di cosa?»

«Sei proprio curioso in questi giorni.»

«Be', Emporia, ormai abito a Lowtown da due settimane e ho capito che gli affari di tutti riguardano anche tutti gli altri. È quasi maleducazione non ficcanasare un po'. E inoltre i gay sono anche più ficcanaso degli etero. Lo sapevi?»

«Mai sentito dire.»

«È vero. È un fatto dimostrato. Allora, come mai il reverendo non passa a trovarti? Non fa parte del suo lavoro telefonare a casa, controllare il suo gregge, dare il benvenuto ai nuovi arrivati come me? L'ho visto tre giorni fa sulla veranda di fronte, mentre chiacchierava con Doris e Herman. Continuava a guardare da questa parte come se avesse potuto prendersi la febbre. Non ti è simpatico, vero?»

«Mi piaceva di più l'altro.»

«Anche a me. Non verrò in chiesa con te, Emporia, perciò, per favore, non me lo chiedere più.»

«Te l'ho chiesto solo due volte.»

«Sì, e io ti ho ringraziato. È molto gentile da parte tua, ma non mi interessa andare in chiesa, né nella tua, né in nessun'altra. E comunque non sono sicuro di essere il benvenuto da nessuna parte di questi tempi.»

Emporia non fece commenti.

«L'altra notte ho fatto un sogno. C'era un revival in una chiesa, una chiesa bianca qui a Clanton. Una di quelle funzioni chiassose a base di fuoco, fiamme e zolfo dell'inferno, con la gente che si rotola nei corridoi e sviene mentre il coro canta a squarciagola *Shall We Gather at the River*. E c'era il predicatore sull'altare, che pregava e invitava i peccatori a farsi avanti e a confessare tutto. Insomma, conosci il quadro.»

«Lo vedo tutte le domeniche.»

«Io ho aperto la porta e sono entrato, tutto vestito di bianco e con un aspetto peggiore di quello che ho adesso, e mi sono avviato lungo il corridoio centrale, verso il predicatore. Lui aveva un'espressione terrorizzata, non riusciva a dire una parola. Il coro si è bloccato di colpo a metà di una strofa. Tutti erano come paralizzati mentre io continuavo a percorrere il corridoio, cosa che ha richiesto parecchio tempo. E poi finalmente qualcuno ha strillato: "È lui! È quello con l'AIDS!". Qualcun altro ha urlato: "Scappate!". E a quel punto si è scatenato l'inferno. C'è stato il panico. Le madri afferravano i figli. Io intanto continuavo a camminare lungo il corridoio. Gli uomini saltavano fuori dalle finestre. E io continuavo a camminare. Certe donne grassissime con la tonaca d'oro del coro sono cadute per terra sul loro sederone enorme mentre cercavano di scappare dalla chiesa. Io ho continuato a camminare, e quando sono arrivato davanti al predicatore gli ho teso la mano. Lui non si è mosso. Non riusciva a parlare. La chiesa ormai era deserta, il silenzio totale.» Adrian bevve un sorso di tè e si asciugò la fronte.

«Vai avanti. Poi cos'è successo?»

«Non lo so. Mi sono svegliato e ci ho fatto sopra una bella risata. I sogni possono essere molto reali. Immagino che certi peccatori siano irrecuperabili.»

«Non è quello che dice la Bibbia.»

«Grazie, Emporia. E grazie per il pranzo. Adesso ho bisogno di distendermi.»

Alle tre in punto Emporia salutò il reverendo Biler nel suo ufficio in chiesa. Un incontro del genere in un posto del genere poteva significare solo guai e infatti, subito dopo le formalità iniziali, il reverendo andò al punto, o almeno a uno dei punti. «Ho sentito dire che ti hanno vista nel negozio di liquori di Willie Ray.»

Emporia non rimase sorpresa. Era pronta. «Io ho settantacinque anni, almeno trenta più di lei, e se mi va di andare a comprare una medicina per un amico, allora lo faccio.»

«Una medicina?»

«Lui la chiama così, e io ho promesso alla famiglia che sarebbe stato curato come si deve.»

«Puoi chiamare il liquore come ti pare, Emporia, ma gli anziani sono rimasti sconvolti da questa cosa. Una delle nostre signore in un negozio di liquori! Che esempio può essere per i nostri giovani?»

«È il mio lavoro, ed è un lavoro che non durerà ancora molto.»

«Corre voce che tu lo abbia invitato alle nostre funzioni.»

"Grazie, Doris" pensò Emporia, ma non lo disse. Doris era l'unica persona alla quale aveva confidato di avere invitato Adrian in chiesa. «Io invito tutti quanti a pregare con noi, reverendo. È quello che chiede lei. È quello che dice la Bibbia.»

«Be', questo caso è un po' diverso.»

«Non si preoccupi. Non verrà.»

«Rendiamo grazie a Dio. Il prezzo del peccato è la morte, Emporia, e quel giovane sta pagando per i suoi peccati.»

«Sì, sta pagando.»

«E tu sei al sicuro, Emporia? Questa malattia sta infuriando in tutto il paese, in tutto il mondo. È estremamente contagiosa e, se devo essere sincero, tutta la nostra comunità è molto preoccupata per la tua salute. Perché correre un rischio simile? Non è da te.»

«L'infermiera mi assicura che non corro rischi. Io lo tengo pulito, gli do da mangiare, lo curo e, quando lavo la sua roba, indosso guanti di gomma. Il virus si trasmette solo attraverso i rapporti sessuali e il sangue, entrambe cose che evito.» Emporia sorrise. Il predicatore, no.

Il reverendo Biler congiunse le mani e le posò sulla scrivania, in un atteggiamento molto pio. Ma l'espressione era dura quando disse: «Alcuni dei nostri fedeli si sentono a disagio in tua presenza».

Emporia aveva previsto tutto tranne questo e, quando afferrò il significato della frase, rimase senza parole.

«Tu tocchi quello che tocca lui. Respiri la stessa aria, mangi lo stesso cibo, bevi la stessa acqua e lo stesso tè. E Dio sa cos'altro, in questi giorni. Gli lavi i vestiti, la biancheria e le lenzuola, però ti metti i guanti di gomma a causa del virus: questo non ti dice quanto è grave il pericolo, Emporia? E poi porti i germi qui, nella casa del Signore.»

«Io sono sana e non corro rischi, reverendo. So di essere al sicuro.»

«Forse è così, ma la percezione è tutto. Alcuni dei tuoi fratelli e delle tue sorelle pensano che tu sia pazza a fare quello che fai, e hanno paura.»

«Qualcuno deve prendersi cura di lui.»

«Stiamo parlando di bianchi molto ricchi, Emporia.»

«Lui non ha nessuno.»

«Non intendo discutere di questo. Io mi preoccupo della mia chiesa.»

«È anche la mia chiesa. Io ero già qui molto prima che arrivasse lei e adesso mi chiede di non venire più?»

«Voglio che lo consideri come una specie di congedo, finché lui non morirà.»

I minuti si trascinarono lenti senza che venisse detta una parola. Emporia, con gli occhi umidi ma la testa alta, fissava le foglie di un albero attraverso il vetro della finestra. Immobile, Biler si studiava le mani. Poi la donna si alzò in piedi e disse: «Bene, chiamiamolo pure congedo, reverendo. Che comincia adesso e che finirà quando lo deciderò io. E durante il mio congedo entrerò nel negozio di liquori ogni volta che ne avrò voglia, e lei e tutte le sue piccole spie potrete spettegolare a volontà».

Il predicatore la seguì fino alla porta. «Cerca di non avere una reazione eccessiva, Emporia. Noi tutti ti vogliamo bene.»

«Sì, posso sentire tutto questo affetto.»

«E pregheremo per te. E per lui.»

«Sono sicura che gli farà piacere saperlo.»

L'avvocato si chiamava Fred Mays. Il suo fu l'unico nome sulle pagine gialle che Adrian riconobbe. Gli parlò brevemente al telefono, poi gli scrisse una lunga lettera. Alle quattro in punto di un venerdì pomeriggio, Mays e una segretaria parcheggiarono davanti alla casa rosa. L'avvocato scese dall'auto con la sua valigetta e poi scaricò una cassa di bottiglie di vino acquistata nel negozio di liquori sull'altro lato della ferrovia, più raffinato e meglio fornito. Emporia attraversò la strada per andare a trovare Doris, in modo che le questioni legali potessero essere discusse in privato.

Contrariamente alle varie voci che circolavano, dal punto di vista patrimoniale Adrian non possedeva nulla. Non c'erano misteriosi fondi fiduciari creati da familiari deceduti tanto tempo prima. Il testamento redatto da Mays occupò in tutto un'unica pagina: ciò che sarebbe rimasto dei sempre più scarsi contanti di Adrian sarebbe andato a Emporia. Il secondo documento, quello più importante, descriveva nel dettaglio le disposizioni per la sepoltura. Una volta firmato e legalizzato il tutto, Mays si trattenne per un bicchiere di vino e qualche pigra chiacchiera su Clanton. Il bicchiere di vino non durò a lungo. L'avvocato e la segretaria sembravano ansiosi di concludere l'incontro. Se ne andarono – con molti saluti, cenni del capo, ma niente strette di mano – e non appena rientrarono nello studio in piazza cominciarono a descrivere le spaventose condizioni del ragazzo.

La domenica successiva Emporia dichiarò di avere mal di testa e decise di non andare in chiesa. Pioveva, e il tempo le fornì un'altra scusa per restare a casa. Andò in veranda con Adrian, a guardare l'acquazzone mangiando biscotti.

«Come va il tuo mal di testa?» le chiese il ragazzo.

«Meglio, grazie.»

«Una volta mi hai detto di non avere mai saltato una funzione in più di quarant'anni. Come mai oggi resti a casa?»

«Non mi sento troppo bene, Adrian. Tutto qui.»

«Tu e il predicatore avete litigato?»

«No.»

«Sei sicura?»

«Ti ho detto di no.»

«Non sei più tu da quando gli hai parlato l'altro giorno. Io credo che lui abbia detto qualcosa che ti ha offesa, e credo che si sia trattato di qualcosa che riguarda me. Doris viene a trovarti sempre meno spesso. Herman non viene mai. Isabelle non passa da noi da una settimana. Il telefono non squilla più come prima. E oggi tu non vai in chiesa. Se vuoi il mio parere, mi sembra proprio che Lowtown ti stia trattando con molta freddezza. A causa mia.»

Emporia non protestò. Come avrebbe potuto? Adrian aveva detto la verità e qualunque obiezione sarebbe suonata falsa.

Il tuono fece vibrare i vetri delle finestre. Il vento cambiò direzione e soffiò la pioggia all'interno della veranda. Rientrarono tutti e due; Emporia andò in cucina e Adrian in camera sua. Chiuse la porta, si spogliò, tenendo addosso solo la biancheria intima, e si distese sul letto. Aveva quasi finito di leggere *Mentre morivo*, quinto romanzo di Faulkner e opera che Adrian aveva seriamente pensato di saltare, per ovvie ragioni. Ma poi aveva trovato quel romanzo molto più accessibile degli altri, e anche inaspettatamente ironico. Finì di leggerlo in un'ora e poi si addormentò.

Per il tardo pomeriggio la pioggia era cessata; l'aria era pulita e gradevole. Dopo una cena leggera a base di piselli e focaccia di granturco, si ritrovarono di nuovo in veranda, dove Adrian annunciò subito di avere lo stomaco in disordine e di avere quindi bisogno di un po' di vino, come da Prima lettera a Timoteo, capitolo cinque, versetto ventitré. Il bicchiere da vino che gli era stato assegnato era una grande tazza da caffè incrinata, con macchie indelebili di cicoria. Aveva bevuto solo qualche sorso, quando Emporia dichiarò: «Sai, ho lo stomaco un po' in disordine anch'io. Magari potrei provare un pochino di quella roba».

Adrian sorrise. «Stupendo, te lo vado a prendere.»

«No, tu resta dove sei. So dov'è la bottiglia.»

La donna tornò con una tazzona simile a quella del ragazzo e si sistemò sulla sua sedia a dondolo. «Alla salute» disse Adrian, contento di bere in compagnia.

Emporia bevve un sorso e fece schioccare le labbra. «Non male.»

«È uno chardonnay. Buono, ma non eccezionale. È il migliore che avevano in negozio.»

«Può andare» disse la donna, ancora sospettosa.

Dopo il secondo bicchiere, cominciò a ridacchiare. Era già buio e la strada era silenziosa.

«È da un po' che voglio chiederti una cosa» disse Emporia.

«Chiedi quello che vuoi.»

«Quando ti sei reso conto di essere, come dire, diverso? Quanti anni avevi?»

Una pausa, un lungo sorso di vino, una storia che Adrian aveva già raccontato, ma solo a chi poteva capire. «È stato tutto molto normale fin verso i dodici anni. Lupetto nei boy scout, baseball e calcio, campeggio e pesca, le solite cose da maschietti, ma poi, quando ha cominciato a profilarsi la pubertà, ho iniziato a rendermi conto che le ragazze non mi interessavano. I miei amici non facevano che parlare di ragazze e ancora ragazze, ma a me semplicemente non importava niente. Ho perso interesse negli sport e ho cominciato a leggere di arte, di design e di moda. A mano a mano che crescevo, i ragazzi erano sempre più coinvolti con le ragazze, ma io no. Sapevo che c'era qualcosa che non andava. Avevo un amico, Matt Mason, un tipo bellissimo che faceva impazzire tutte le ragazze, e un bel giorno mi sono accorto che avevo anch'io una cotta per lui ma, naturalmente, non l'ho mai detto a nessuno. Fantasticavo su di lui e questa cosa mi faceva diventare matto. Poi ho cominciato a guardare altri ragazzi e a pensare a loro. A quindici anni, finalmente ho ammesso di essere gay. A quel punto gli altri ragazzi stavano già cominciando a mormorare. Non vedevo l'ora di andarmene da qui e vivere come volevo.»

«Hai rimpianti?»

«Rimpianti? No, non rimpiango di essere quello che sono. Vorrei non essere malato, ma questo vale per chiunque sia un malato terminale.»

Emporia posò la tazza vuota sul tavolo di vimini e lasciò vagare lo sguardo nel buio. La luce della veranda era spenta. I due amici sedevano nell'ombra, dondolando lentamente. «Posso dirti una cosa molto privata?»

«Certo» rispose Adrian. «Porterò il segreto nella tomba.»

«Be', io ero un po' come te, solo che non mi sono mai piaciuti i ragazzi. Non ho mai pensato di essere diversa, capisci, e non ho mai pensato che in me ci fosse qualcosa che non andava. Ma non ho mai voluto stare con un uomo.»

«Non hai mai avuto neppure un fidanzatino?»

«Forse, una volta. C'era un tale che gironzolava intorno a casa e io pensavo di dover avere un uomo, capisci. La mia famiglia cominciava a preoccuparsi perché avevo quasi vent'anni e non ero ancora sposata. Così siamo andati a letto insieme qualche volta, ma non mi è piaciuto. Anzi, mi dava la nausea. Non sopportavo di essere toccata in quel modo. Promettimi che non lo dirai a nessuno.»

«Promesso. E a chi potrei dirlo?»

«Mi fido di te.»

«Il tuo segreto è al sicuro. L'hai mai raccontato a qualcun altro?»

«Oh, Signore, no. Non avrei il coraggio.»

«Non hai mai combinato qualcosa con una ragazza?»

«Figliolo, a quei tempi non si facevano cose del genere. Ti avrebbero spedito dritto in manicomio.»

«E adesso?»

Emporia scosse la testa e rifletté. «Magari ogni tanto si sente spettegolare su un ragazzo di qui che non è proprio come gli altri, ma non è che se ne parli molto. Insomma, girano voci, ma nessuno esce mai allo sco-

perto e vive la sua vita apertamente; capisci cosa intendo dire?»

«Capisco benissimo.»

«Però non ho mai sentito di una donna di qui con
un debole per le altre donne. Sospetto che mantenga-
no la cosa segreta, che si sposino e che non lo dicano
ad anima viva. Oppure fanno come me: stanno al gioco, si adeguano e dicono che non hanno mai trovato
l'uomo giusto.»

«È triste.»

«Io non sono triste, Adrian. Ho avuto una vita felice.
Cosa ne dici di un altro goccio di vino?»

«Ottima idea.» Emporia rientrò in casa in fretta, ansiosa di lasciarsi quella conversazione alle spalle.

La febbre tornò e non se ne andò più. La pelle gronda-
va sudore, poi cominciò la tosse, una tosse secca e dolorosa che scuoteva Adrian come un attacco convulsivo
e lo indeboliva al punto da non riuscire più a muoversi. Emporia lavava e stirava lenzuola per tutto il giorno
e la notte non poteva fare altro che ascoltare i rumori
penosi che provenivano dalla camera del ragazzo. Cu-
cinava pasti che Adrian non poteva più mangiare. Si
metteva i guanti e lo lavava con l'acqua fredda, nessuno dei due turbato dalla nudità. Le braccia e le gambe
ormai erano manici di scopa e Adrian non aveva più la
forza di camminare fino alla veranda. Non voleva farsi
vedere dai vicini e così se ne restava a letto, in attesa.
Adesso l'infermiera passava ogni giorno, ma non faceva niente di più che controllare la temperatura, rior-
dinare i flaconi delle pillole e scuotere la testa con aria
grave guardando Emporia.

L'ultima notte, Adrian riuscì a indossare un paio di
pantaloni di seta e una camicia bianca di cotone. Sistemò ordinatamente scarpe e abiti nelle sue due valigie
di pelle e, quando tutto fu a posto, si mise in bocca la

pillola nera e la mandò giù con un po' di vino. Si distese sul letto, si guardò intorno nella stanza, si piazzò una busta sul petto, riuscì a produrre un sorriso e chiuse gli occhi per l'ultima volta.

Alle dieci della mattina dopo, Emporia si rese conto di non avere ancora sentito un solo suono dalla camera del suo ospite. Diede un colpetto alla porta della stanza e quando entrò vide Adrian vestito con cura, ancora sorridente, che riposava per sempre.

La lettera diceva:

Cara Emporia,
     per favore, distruggi questa lettera dopo che l'avrai letta. Mi dispiace che tu mi abbia trovato così, ma dopotutto questo momento era inevitabile. La malattia aveva fatto il suo corso e il mio tempo era scaduto. Ho deciso semplicemente di accelerare un po' le cose.

Fred Mays, l'avvocato, si è occupato di tutte le disposizioni finali. Avverti lui per primo. Mays chiamerà il medico legale, che verrà qui e mi dichiarerà legalmente deceduto. Dato che nessuna delle due imprese di pompe funebri della città sarebbe disposta a maneggiare il mio corpo, una squadra di salvataggio mi porterà in ambulanza fino a un crematorio di Tupelo, dove saranno felici di incenerirmi e sigillare le mie ceneri in un contenitore realizzato per l'occasione. Contenitore standard, niente di costoso. Fred riporterà le ceneri a Clanton e le consegnerà a Mr Franklin Walker delle pompe funebri di Lowtown. Mr Walker ha accettato, sia pure con riluttanza, di seppellirmi nella sezione del cimitero riservata ai neri, quanto più lontano possibile dal lotto della mia famiglia.

Tutto questo verrà fatto rapidamente e, spero, senza che la mia famiglia ne venga a conoscenza. Non voglio che quella gente sia coinvolta, non che loro desiderino esserlo. Fred è in possesso di mie istruzioni e programmi scritti, nel caso fosse necessario avere a che fare con loro.

Una volta che le mie ceneri saranno state sepolte, sarei onorato se tu volessi regalarmi qualche parola di preghiera silenziosa. E sei libera di passare quando vuoi alla mia piccola tomba e di lasciarmi qualche fiore. Di nuovo: niente di costoso.

Sono rimaste quattro bottiglie di vino in frigo. Per favore, bevile alla mia memoria.

Ti ringrazio moltissimo per la tua gentilezza. Hai reso i miei ultimi giorni sopportabili, a volte addirittura piacevoli. Sei un essere umano meraviglioso, e meriti di essere quello che sei.

Con affetto

Adrian

Emporia rimase seduta a lungo sul bordo del letto, asciugandosi gli occhi e dando anche qualche colpetto sul ginocchio di Adrian. Poi si ricompose e andò in cucina, dove gettò la lettera nella spazzatura e alzò il ricevitore.

TRANQUILLITÀ

Nell'ultima sera della sua vita, Joey Logan dovette sottostare a tutti gli stupidi rituali che erano così importanti per i funzionari del carcere. Venne trasferito nella cella d'osservazione accanto alla camera della morte, una cella un po' più ampia di quella che aveva occupato negli ultimi diciassette anni, e venne tenuto sotto stretta sorveglianza in modo che non potesse togliersi la vita prima che avesse l'opportunità di farlo lo Stato. Fu in quella cella che parlò per l'ultima volta con il suo avvocato, il quale l'informò, con parole meste e grevi, che gli ultimi appelli avevano seguito il loro corso e che ormai non c'erano più speranze. Parlò con un sacerdote, perché il sostegno spirituale veniva caldamente raccomandato in momenti come quello. Fu visitato da un medico, che gli controllò polso e pressione e concluse che in effetti era abbastanza sano da poter essere debitamente ucciso. Ebbe un colloquio con il direttore del carcere ed effettuò scelte che pochi uomini hanno occasione di fare. Cosa desiderava mangiare per il suo ultimo pasto? (Bistecca e patate fritte.) Cosa fare del suo corpo? (A Joey non importava: datelo alla scienza.) Cosa indossare per l'esecuzione? (Le scelte erano limitate.) Cosa dire, una volta legato con il velcro al lettino, con la possibilità di pronunciare le sue ultime parole su questa terra? (Joey era indeciso, ma qualcosa gli sarebbe venuto in mente.) Chi avrebbe assistito all'esecuzione come suo testimone nella camera della morte? (Nessuno, neppure il suo avvocato.) Che fare dei suoi effetti personali? (Bruciateli.)

E così via.

Era prevista un'ora per l'ultimo colloquio con la famiglia, ma quell'ora arrivò e passò senza alcun visitatore. Joey non aveva famiglia. Durante i diciassette anni trascorsi nel braccio della morte, Joey Logan non aveva mai ricevuto una cartolina, una lettera o un pacco da un parente. Non c'era nessuno là fuori. Possedeva tre scatole piene di documenti, ritagli di giornali, pratiche legali e altre cartacce, roba spedita da avvocati, sostenitori, giornalisti e il solito assortimento di matti e spostati che, in mancanza di qualcosa di utile da fare, abbracciano le cause senza speranza di uomini condannati a morte. Le tre scatole sarebbero state bruciate entro le successive ventiquattr'ore.

A mezzanotte, otto ore prima del momento fatale, Joey sedeva in silenzio sul letto in cemento armato e faceva un solitario sul tavolino pieghevole. Era calmo e in pace con il suo mondo. Aveva rifiutato il sonnifero. Non aveva nient'altro da dire, da scrivere, da fare. Aveva, ed era, finito.

Un grosso nero con la testa rasata e l'uniforme stretta si avvicinò alle sbarre e domandò: «Tutto okay, Joey?».

Joey rialzò lo sguardo, sorrise e rispose: «Certo, Pete. Mi passo il tempo».

«Posso fare qualcosa per te?»

Era ovvio che a quel punto non c'era virtualmente nulla che potesse fare per il detenuto, ma Pete era un uomo premuroso e gentile. Con due eccezioni, le guardie del braccio della morte non erano violente. Quelli che dovevano sorvegliare erano assassini condannati a morte, ma i prigionieri erano tenuti sotto chiave per ventitré ore al giorno, molti di loro in isolamento, e dopo qualche mese diventavano tutti sottomessi, docili, istituzionalizzati. La violenza era rara nel braccio della morte.

Joey si alzò in piedi, si stirò e si avvicinò alle sbarre. «Una cosa ci sarebbe» disse con riluttanza, quasi non se la sentisse di chiedere un favore. Ma perché no? Cosa aveva da perdere?

Pete si strinse nelle spalle e disse: «Se posso».

«Sono diciassette anni che non vedo la luna. Non è che potrei uscire in cortile per qualche minuto?»

Pete guardò lungo il corridoio, rifletté e quindi chiese: «Adesso?».

«Certo. L'orologio sta ticchettando. Secondo il mio almanacco, dovrebbe esserci la luna piena stasera.»

«Sì, è piena. L'ho vista un'ora fa.»

«Mi piacerebbe vederla.»

«Lasciami controllare» disse Pete e scomparve. Pete era il supervisore del turno di notte e se Pete decideva che era okay, allora era okay. Sarebbe stata una piccola violazione alle regole, ma spesso si consentiva qualche eccezione nelle ultime ore di vita di un uomo. D'altra parte, Joey Logan non aveva mai causato problemi.

Qualche minuto dopo venne premuto un interruttore, ci fu uno scatto metallico e Pete si ripresentò con un paio di manette, che chiuse senza stringere troppo intorno ai polsi di Joey. I due uomini percorsero in silenzio il corridoio stretto e male illuminato, passando davanti alle celle buie dei detenuti addormentati; varcarono una porta, poi un'altra e infine uscirono nell'aria fresca e tersa della notte autunnale. Pete gli tolse le manette.

Il cortile era un appezzamento d'erba marrone di diciotto metri per quindici – ogni detenuto ne conosceva le dimensioni esatte – delimitato da una recinzione di spessa rete metallica sormontata da riccioli di filo spinato tagliente, al di là della quale c'erano una seconda recinzione e un muro di mattoni alto cinque metri e mezzo. Per un'ora al giorno, Joey e altri due detenuti camminavano avanti e indietro nel cortile, contavano i passi, si raccontavano storie, facevano battute, si divertivano con i loro giochi e si godevano quei pochi, incommensurabili momenti di contatto umano.

Pete si fece da parte, si fermò accanto alla porta e osservò il suo prigioniero.

L'unica dotazione del cortile era un tavolo da picnic di metallo su cui i detenuti giocavano spesso a carte o a domino. Joey si sedette sul tavolo, viscido di rugiada, e guardò la luna. Era alta nel cielo di nordest, piena e con una sfumatura d'arancione, perfettamente rotonda.

Il braccio della morte serbava molti misteri. I cavernicoli che l'avevano progettato avevano cercato di costruire un'unità di massima sicurezza con il maggior numero possibile di caratteristiche punitive. Era questo che esigeva la società. I politici che finanziavano le carceri si facevano eleggere e rieleggere promettendo altre prigioni, sempre più dure, detenzioni più lunghe per i criminali e, naturalmente, un maggior utilizzo della camera della morte. Era per questo che Joey e gli altri dormivano su letti di cemento armato con sottili materassi in schiuma non più spessi di un paio di centimetri. Cercavano di tenersi caldi con coperte lise. Vivevano in celle di tre metri per tre e sessanta, troppo piccole per un uomo e impossibili per due. Ma due era preferibile, perché l'isolamento era la tortura peggiore di tutte. Il braccio della morte era un basso edificio piatto con poche finestre perché, naturalmente, le finestre potevano suscitare pensieri di fuga. Le celle erano ammassate l'una all'altra all'interno, quanto più lontane possibile dai muri esterni avesse potuto progettarle un qualunque architetto cieco. Anni prima, molto tempo dopo essersi adattato al cibo di infima qualità, all'umidità soffocante dell'estate, al freddo che in inverno gelava le ossa, alle regole ridicole, alle urla continue e al chiasso insopportabile, molto tempo dopo aver trovato la pace in mezzo alla follia, Joey non era comunque mai riuscito ad accettare il fatto di non poter vedere la luna e le stelle di notte.

Perché no? Non c'era una risposta ragionevole. Non c'era nessuno disposto a prendere in considerazione la domanda. Era semplicemente uno dei tanti misteri.

Meno di otto ore da vivere. Joey Logan guardò la luna e sorrise.

Per la maggior parte della sua infanzia, per la maggior parte della sua vita prima del carcere, aveva vissuto all'aperto, in tende rubate e auto abbandonate, sotto ponti e cavalcavia della ferrovia, sempre ai bordi della città, nascondendosi, nascondendosi sempre. Lui e Lucas si muovevano nella notte, cercando cibo, forzando porte ed entrando nelle case, rubando qualunque cosa trovassero. La luna era spesso la migliore amica e spesso la peggiore nemica. Era la luna a dettare i loro piani, le strategie, i movimenti. Una luna piena in una notte senza nubi significava un certo piano di furto e fuga. Una luna crescente, un piano diverso. Una scheggia di luna, o niente luna del tutto, cambiava i piani e li obbligava a cercarsi un altro edificio in cui entrare a forza. Vivevano nelle ombre create dalla luna, spesso nascondendosi alla polizia o ad altre autorità.

Molte notti, dopo aver cucinato il cibo rubato sul fuoco da campo in mezzo ai boschi, si sdraiavano sulla schiena e guardavano il cielo. Studiavano le stelle, imparavano i nomi delle costellazioni da un libro di astronomia che avevano rubato e le guardavano cambiare con le stagioni. Un furto in una casa li aveva dotati per caso di un potente binocolo, che avevano deciso di tenere invece di venderlo al ricettatore. Nelle notti serene restavano distesi al buio per ore a guardare la luna, studiandone i crateri e le valli, i rilievi e le pianure e le catene montuose. Lucas riusciva sempre a individuare il Mare della Tranquillità, il che non era poi così difficile. E poi giurava di vedere anche un modulo lunare abbandonato da una navicella spaziale Apollo.

Joey, però, non l'aveva mai visto e sospettava che Lucas mentisse, com'era sua abitudine. Lucas era il fratello maggiore e, di conseguenza, il capo della loro piccola, indesiderata famiglia. Mentire e rubare era naturale come respirare e ascoltare per Lucas, e anche per Joey. Butta due ragazzini in mezzo a una strada, senza un centesimo e senza una briciola di cibo, e loro impareranno in fretta a commettere piccoli reati per sopravvivere. Impareranno a mentire e a rubare. Chi potrebbe biasimarli?

La madre, una prostituta, li aveva abbandonati presto. Poi era morta, per droga. Joey aveva i capelli biondi, Lucas neri: padri diversi. Due uomini che non avevano lasciato niente dietro di sé, a parte il rispettivo seme e un po' di contanti per la transazione. I bambini erano stati separati e poi spediti in varie case famiglia, orfanotrofi e centri per minorenni. Si erano riuniti quando Lucas era scappato, aveva rintracciato il fratello minore presso una famiglia affidataria e lo aveva portato con sé nei boschi, dove avevano vissuto in base alle loro regole e in qualche modo se l'erano cavata.

Una brezza fresca da ovest prese delicatamente forza, ma Joey ignorò il freddo. In una torre di guardia distante quattrocento metri si accese una luce. Due lampi, poi altri tre. Un qualche tipo di segnalazione di routine per divertire le guardie. Il carcere era ufficialmente chiuso e isolato in vista dell'esecuzione, il che significava un'altra serie di stupide regole studiate solo per rendere l'evento di gran lunga più drammatico di quanto fosse necessario. Joey aveva assistito a otto esecuzioni dall'interno del braccio della morte e sapeva che le misure di sicurezza rafforzate e gli strati extra di tensione venivano decisi da piccoli uomini che avevano bisogno di sentirsi importanti nel loro lavoro.

Come poteva un uomo sepolto da molti anni nel braccio della morte decidere all'improvviso di scappare per non essere giustiziato? Era un'idea ridicola. Nessuno scappava dal braccio della morte, non a piedi comunque. Ma Joey stava per fuggire. Se ne sarebbe andato in un sogno, fluttuando lontano in una nuvola di sodio thiopental e bromuro di vecuronium, chiudendo semplicemente gli occhi per non svegliarsi mai più.

E a nessuno sarebbe importato. Forse da qualche parte, lontano, una famiglia si sarebbe rallegrata alla notizia che l'assassino se n'era andato, ma Joey non era un assassino. E forse la polizia e i procuratori distrettuali e tutti i gruppi duri-con-il-crimine si sarebbero scambiati strette di mano, proclamando che il loro meraviglioso sistema ancora una volta aveva funzionato, magari non perfettamente, magari con troppi ritardi, ma la giustizia aveva comunque trionfato. Un altro assassino se n'era andato. Lo Stato poteva rimpolpare le sue statistiche delle esecuzioni e sentirsi orgoglioso di se stesso.

Joey era così stanco di tutto. Non credeva nel paradiso e nell'inferno, credeva però in un aldilà, un posto dove spirito e corpo si ricongiungono, un posto dove le persone care si ritrovano. Joey non aveva alcun desiderio di vedere sua madre, né di incontrare suo padre ed era certo che a quelle due persone non sarebbe stato consentito di entrare nel suo angolino di aldilà. Ma voleva disperatamente rivedere Lucas, l'unica persona che avesse mai tenuto a lui.

«Lucas, Lucas» mormorò tra sé, spostando il peso sul tavolo di metallo. Da quanto tempo se ne stava seduto lì? Non ne aveva idea. Il tempo era un concetto difficile in quelle ultime ore.

Erano passati diciassette anni e Joey continuava a incolparsi della morte di Lucas. Era stato Joey a scegliere il bersaglio, una modesta casa in mattoni in una piccola fattoria a qualche chilometro dalla città. Era stato Joey ad andare in perlustrazione e a decidere che sarebbe stato un colpo facile. Avrebbero fatto il solito arraffa-e-scappa, forzato una porta, rubato il cibo dal frigo, magari una radio, un piccolo televisore, un paio di fucili, qualunque cosa avessero potuto vendere direttamente o al ricettatore. Non più di tre minuti dentro casa, che era più o meno la loro media. L'errore era stato nella tempistica. Joey era convinto che la famiglia fosse fuori città. L'auto non c'era. I quotidiani erano ammucchiati in fondo al vialetto d'accesso. Il cane non si vedeva. Avrebbero fatto il colpo alle tre di notte, con un quarto di luna, e sarebbero stati di ritorno nel bosco a cuocere bistecche sul fuoco prima dell'alba.

Ma il padrone della fattoria era in casa, e dormiva con un fucile da caccia accanto al letto. Joey era sul patio nel retro con una cassa di birra tra le mani, quando aveva sentito gli spari. Lucas, che non andava da nessuna parte senza la sua pistola rubata preferita, era riuscito a fare fuoco due volte prima di essere fatto a pezzi da due colpi di fucile. C'erano state urla, poi luci e voci. Joey era tornato istintivamente di corsa dentro casa. Lucas stava morendo in fretta sul pavimento della cucina. Il padrone di casa era a terra in soggiorno, non ancora morto, ma ferito in modo fatale. Suo figlio era comparso dal nulla e, con una mazza da baseball, aveva pestato Joey fino a fargli perdere i sensi.

Due cadaveri non erano sufficienti. La giustizia ne esigeva ancora. Joey, il complice di sedici anni, era stato accusato di omicidio capitale, processato, giudicato colpevole, condannato a morte e adesso, diciassette anni dopo, guardava la luna e desiderava che le ore passassero in fretta.

Pete si avvicinò in silenzio con due tazze di carta piene di caffè nero. Ne passò una al suo prigioniero, poi gli si sedette accanto sul tavolo.

«Grazie, Pete» disse Joey, stringendo la tazza con entrambe le mani.

«Non c'è problema.»

«Quanto tempo è che sono qui fuori?»

«Non lo so. Venti minuti, forse. Hai freddo?»

«No. Sto bene. Grazie.»

Rimasero seduti a lungo senza dire nulla. Sorseggiarono il caffè forte e aromatico, evidentemente quello delle guardie, non dei detenuti.

«È una bella luna» disse Pete alla fine.

«Già. Grazie per avermi fatto uscire. È stato molto gentile da parte tua.»

«Non è niente, Joey. Ti ricordi di Odell Sullivan, quello che se n'è andato dieci, forse dodici anni fa?»

«Lo ricordo benissimo.»

«Anche lui ha voluto vedere la luna. La sua ultima notte siamo rimasti seduti qui per un'ora. Ma era nuvoloso. Niente di paragonabile a questo.»

«Lui come stava?»

«Un disastro. Aveva ucciso la moglie, ricordi? E i suoi figli non gli parlavano più. Inoltre quel pazzo del suo avvocato radicale l'aveva convinto che da qualche parte c'era un tribunale intenzionato a concedere una sospensione dell'ultimo minuto e a salvargli la vita. L'attimo prima Odell faceva l'insolente, l'attimo dopo si metteva a piangere e poi dichiarava di essere innocente. Penoso.»

«Da quanto tempo lavori qui?»

«Ventun anni.»

«Quante esecuzioni?»

«Tu sei il numero undici.»

«Degli altri dieci, quanti non hanno avuto paura di morire?»

Pete rifletté per un momento e poi rispose: «Due, forse tre. Senti dire continuamente: "Preferisco morire, piuttosto che passare il resto della vita nel braccio della morte", ma quando la fine è vicina quasi tutti perdono il coraggio.»

Ci fu un'altra lunga pausa, mentre tutti e due bevevano caffè e guardavano il cielo.

Joey puntò il dito verso l'alto e chiese: «La vedi quella grande macchia scura, esattamente al centro?».

«Certo» rispose Pete, anche se non ne era sicuro.

«Quello è il Mare della Tranquillità, dove ha camminato il primo uomo sulla luna. È stato creato dalla collisione con una cometa o un asteroide circa tre miliardi di anni fa. La luna si è presa una batosta. Può sembrare in pace, ma lassù c'è un mucchio di movimento.»

«Anche tu sembri in pace, Joey.»

«Oh, lo sono. Aspetto con piacere l'esecuzione. Questa l'hai mai sentita?»

«Nossignore.»

«Per quello che posso ricordare, è tutta la vita che desidero andare a dormire la sera e non svegliarmi più. Domani finalmente succederà. Sarò libero, Pete. Finalmente libero.»

«Continui a non credere in Dio?»

«No. Non ci ho mai creduto e adesso è troppo tardi. So che tu sei religioso, e io questo lo rispetto, ma ho letto la Bibbia più di te, ho avuto più tempo a disposizione, e il buon libro non fa che ripetere che Dio ha creato ognuno di noi, e ci ha resi speciali, e ci ama moltissimo e altre cose del genere. Ma è un po' difficile crederci nel mio caso.»

«Io ci credo.»

«Be', buon per te. I tuoi genitori sono ancora vivi?»

«Sì, grazie a Dio.»

«Una bella famiglia unita? Un mucchio di affetto, regali di compleanno e così via?»

Pete stava annuendo, a tempo con le domande. «Sì, sono un uomo fortunato.»

Joey bevve un sorso di caffè. «I miei genitori, se vogliamo chiamarli così, probabilmente non sapevano neppure i rispettivi nomi. Anzi, ci sono buone possibilità che mia madre non sapesse neppure di preciso chi l'aveva messa incinta. Io sono il prodotto di scarto di una notte di scarto. Io non dovevo nascere, Pete, nessuno mi voleva. Io sono l'ultima cosa che quelle due persone volevano. Come può Dio avere un piano per me, quando non dovrei neppure essere qui?»

«Dio ha un piano per tutti noi.»

«Be', di sicuro vorrei che me l'avesse spiegato. A dieci anni ero già per strada, senza casa, senza scuola, e vivevo come un animale, rubando, scappando dai poliziotti. Non un granché come piano, se vuoi il mio parere. Tutto quell'amore che Dio dovrebbe avere per i suoi figli... be', in qualche modo io devo essergli sfuggito.»

Joey si passò una manica sul viso. Pete si voltò a guardarlo e si accorse che stava asciugandosi le lacrime.

«Una vita sprecata» riprese Joey. «Voglio solo che finisca.»

«Mi dispiace, Joey.»

«Ti dispiace per cosa? Niente di tutto questo è colpa tua. Niente di tutto questo è colpa mia. È successo e basta. Io sono stato un errore, un piccolo, triste errore patetico.»

Smisero di parlare, poi il caffè finì.

«Sarà meglio che andiamo adesso» disse Pete.

«Okay, e grazie ancora.»

Pete si allontanò e aspettò accanto alla porta. Dopo un attimo Joey si alzò in piedi, rigido ed eretto, senza paura e, quando si voltò, guardò la luna per l'ultima volta.

INDICE

JOHN GRISHAM

IO CONFESSO

UN INNOCENTE STA PER ESSERE GIUSTIZIATO
SOLO UN CRIMINALE PUÒ SALVARLO

Quando in una fredda mattina d'inverno uno sconosciuto si presenta nella sua parrocchia e chiede di vederlo, il reverendo Keith Schroeder non può immaginare che quell'incontro cambierà la sua vita per sempre. L'uomo si chiama Travis Boyette, ha subito varie condanne per reati sessuali, è in libertà vigilata e sostiene di custodire da molti anni un terribile segreto che è deciso a confessare. Con la sua testimonianza potrebbe scagionare Donté Drumm, un giovane di colore condannato a morte in una piccola città del Texas per l'omicidio di una ragazza bianca. Donté si è sempre proclamato innocente, la sua famiglia e Robbie Flak, il suo avvocato, si sono battuti per nove anni per dimostrarlo, ma finora tutto si è rivelato inutile. Mancano quattro giorni all'esecuzione. Basteranno per salvare Donté, o almeno per una sospensione della condanna? In una spasmodica corsa contro il tempo, il reverendo e l'avvocato faranno di tutto per ottenere un rinvio. Ma, come spesso accade, la verità, se sconvolgente, sembra avere vita più difficile della menzogna.

L'AVVOCATO DI STRADA

Michael Brock è un avvocato di successo privo di scrupoli; fino al giorno in cui un barbone irrompe armato nel suo studio e poco dopo viene ucciso dalla polizia. Michael rimane sconvolto, e inizia a indagare. Scopre così torbidi legami e affari scandalosi, e decide di passare dall'altra parte della barricata, di difendere gli *homeless*. Di diventare un "avvocato di strada".

IL BROKER

Joel Backman, noto come "il broker", è in carcere da sei anni per aver tentato di vendere un software capace di neutralizzare il più sofisticato sistema di spionaggio satellitare. Ora il presidente degli Stati Uniti ha firmato i documenti per la sua liberazione. Perché tanta fretta? Ben presto il broker si rende conto che non si è trattato di un semplice atto di clemenza...

LA GIURIA

La famiglia di un uomo morto di tumore fa causa a una potente multinazionale del tabacco. Il verdetto resta sospeso, affidato al dodicesimo membro della giuria: Nicholas Easter, giovane studente di legge dal passato sfuggente e misterioso. Perché Nicholas fa parte di quella giuria? E qual è il suo vero scopo?

IL MOMENTO DI UCCIDERE

Hanno picchiato a sangue e stuprato la sua bambina. Sono due uomini violenti e razzisti. Ovviamente bianchi. Carl Lee Hailey invece è nero e li uccide selvaggiamente davanti a numerosi testimoni. Omicidio o esecuzione? Vendetta o giustizia? Il caso infiamma gli Stati Uniti e il tribunale del profondo Sud chiamato a pronunciare un verdetto.

IL RAPPORTO PELICAN

Due giudici assassinati in una notte, Fbi e Cia che brancolano nel buio; il Paese è sotto shock, ma una brillante studentessa di legge scopre la verità, che coinvolge le massime autorità dello stato. Costretta a fuggire per tutti gli Stati Uniti, la ragazza troverà infine qualcuno disposto a sacrificare per lei la carriera e la vita.

IL SOCIO

Brillantemente laureato, associato a un importante studio legale, il giovane Mitchell si prepara a un futuro roseo. Peccato che l'Fbi pretenda da lui le prove dei loschi affari, in odore di mafia, del suo studio. E peccato che i soci siano soliti far eliminare i collaboratori infedeli. Mitchell è in trappola, a meno che non riesca a mettere in atto la più colossale delle beffe.

L'UOMO DELLA PIOGGIA

Una potente società americana viene trascinata in tribunale da un avvocato alle prime armi. Il risultato sembra scontato. Ma forse il giovane può diventare "l'uomo della pioggia", capace di far piovere soldi grazie ai suoi clienti e alle sue cause milionarie. Tra intrighi legali e corruzione morale, un thriller incalzante e ricco di humour.

E inoltre:

L'ALLENATORE
L'APPELLO
LA CASA DIPINTA
IL CLIENTE
I CONFRATELLI
LA CONVOCAZIONE
FUGA DAL NATALE
INNOCENTE
IL PARTNER
IL PROFESSIONISTA
IL RE DEI TORTI
IL RICATTO
IL TESTAMENTO
ULTIMA SENTENZA
L'ULTIMO GIURATO

Questo volume è stato stampato
presso Mondadori Printing S.p.A.
Stabilimento Nuova Stampa Mondadori - Cles (TN)

Stampato in Italia - Printed in Italy